Cet ouvrage a été composé sous la direction de François CHÂTELET, Professeur à l'Université de Paris VIII.

avec la collaboration de :

Ferdinand ALQUIÉ, Professeur à l'Université de Paris IV.
Pierre AUBENQUE, Professeur à l'Université de Paris IV.
Abderrhaman BADAWI, Professeur à la Faculty of Arts, National University of Libya de Benghazi.
Wanda BANNOUR, Professeur au C.N.T.E.
Jean BERNHARDT, Chargé de recherches au C.N.R.S.
Jean-Marie BEYSSADE, Maître-assistant à l'Université de Paris I.
Jacques BOUVERESSE, Maître de conférences à l'Université de Paris I.
Gilles DELEUZE, Professeur à l'Université de Paris VIII.
Jean-Toussaint DESANTI, Professeur à l'Université de Paris I.
Christian DESCAMPS, Assistant à l'Université de Paris XI.
Roland DESNÉ, Chargé d'enseignement à l'Université de Reims.
François DUCHESNEAU, Professeur à l'Université d'Ottawa.
Michel FICHANT, Maître-assistant à l'Université de Paris I.
Gérard GRANEL, Professeur à l'Université de Toulouse.
Louis GUILLERMIT, Chargé d'enseignement à l'Université d'Aix-Marseille.
Pierre KAUFMANN, Professeur à l'Université de Paris X.
Jean PÉPIN, Directeur de recherches au C.N.R.S.
Évelyne PISIER-KROUCHNER, Maître de conférences à l'Université de Paris I.
Rafaël PIVIDAL, Maître-assistant à l'Université de Paris V.
Nicos POULANTZAS, Maître de conférences à l'Université de Paris VIII
Jean-Michel REY, Assistant à l'Université de Paris VIII.
Claire SALOMON-BAYET, Attachée de recherches au C.N.R.S.
Marianne SCHAUB, Chargée de recherches au C.N.R.S.
René SCHÉRER, Maître de conférences à l'Université de Paris VIII.
Hélène VÉDRINE, Professeur à l'Université de Paris I.
René VERDENAL, Chargé d'enseignement à l'Université de Tunis.

La Philosophie

Tome 1

De Platon à saint Thomas

marabout

Collection
marabout université

AVERTISSEMENT

*Le présent ouvrage — qui, en quatre volumes, présente les idées et les doctrines des philosophes les plus importants, de la Grèce classique à nos jours — est tiré de l'*Histoire de la philosophie, *œuvre collective en huit volumes, parue sous la direction de François Châtelet, chez Hachette Littérature en 1972-1973. Le but de cette publication est de rendre accessibles des connaissances indispensables non seulement à ceux qui sont attachés à la philosophie comme discipline, mais encore à ceux qui, plus largement, s'intéressent au mouvement des idées et de la culture. Les chapitres qui y figurent sont ceux de cette* Histoire de la philosophie, *sans corrections essentielles. Une sélection a été opérée, dont le principe a été de mettre en évidence les penseurs qui ont marqué leur temps par des inventions singulières et qui, du coup, constituent aujourd'hui dans notre horizon des points fixes permettant de mieux comprendre, par différence, notre actualité. Cela ne signifie certes pas que les auteurs et les doctrines éliminées sont sans portée. Aussi les* Introductions *placées au début de chaque volume signalent-elles ces omissions, afin d'inciter le lecteur à se reporter à l'*Histoire *— ou, mieux, aux textes des philosophes eux-mêmes...*

Car tel était le but en 1972, tel est le but dans cette publication abrégée : susciter le désir du lecteur « d'aller y voir » lui-même, de s'adresser aux œuvres et, pour ce faire, présenter celles-ci, en faciliter la lecture par l'analyse de leurs objets, de leurs objectifs, de leur contexte. Il s'agit avant tout de situer une pensée qui a compté et qui compte encore, non de la juger ; de fournir des éléments permettant de la comprendre, non de la résumer ; de souligner son intérêt en soi et pour nous, non de l'étiqueter comme dans un musée. Et pour préciser les implications d'un semblable projet, le mieux est de reprendre les indications qui figuraient au début de l'Histoire :

« On a renoncé à donner quelque leçon que ce soit et à laisser entendre, entre autres, que derrière le foisonnement des doctrines se dessine, en quelque manière, une évolution significative, un progrès, une répétition ou une régression. Il est toujours possible de construire, avec ou sans l'aide de l'érudition, une mythologie généalogique qui, mettant chaque doctrine à sa place, reconstruit l'ordre conquérant de la pensée. Des origines supposées, on va, tranquillement ou dramatiquement, positivement ou dialectiquement, jusqu'à cet aujourd'hui qui délivre l'enseignement rétrospectif et définitif. Qu'un texte théorique se donne, sous prétexte d'histoire, cette tâche, fort bien : c'est une manière de démontrer une thèse qui en vaut bien une autre. La perspective de cette œuvre-ci est différente : son but est d'informer, de mettre à jour les idées fondamentales qu'ont produites les principales doctrines : ces idées constituent maintenant l'héritage philosophique — héritage qu'il y a à inventorier si l'on veut le mieux comprendre ou le mieux combattre.

« Or, informer, c'est noter des différences. Les historiens et les philosophes qui ont participé à ce travail se sont efforcés — chacun gardant son optique propre et n'ayant probablement en commun avec les autres coauteurs que l'exigence d'une critique scrupuleusement rationaliste — de faire apparaître des distinctions : ils se sont appliqués à évaluer le concept ou le système de concepts qui a donné à tel penseur sa place à l'intérieur de la tradition appelée philosophie. A l'évolution, positive ou dialectique, se substitue donc une présentation différentielle. Celle-ci laisse au lecteur une autre liberté : il ne s'agit plus de s'abandonner au bon gré du devenir, mais d'apprécier des doctrines et des idées ; il importe, non de suivre une ligne, serait-elle arborescente, mais de se repérer dans un espace articulé. Bref, cette histoire de la philosophie n'est en aucune manière une philosophie de l'histoire de la philosophie.

« On comprendra aisément que dans cette optique, les éléments biographiques aient été — sauf exception — fort réduits. Sans doute y aurait-il un beau texte à composer qui serait consacré — un peu à la manière de Plutarque — à la vie des philosophes illustres. Il réserverait des surprises. Ce n'est pas ce genre de nouveautés qui est recherché, cependant, dans le présent ouvrage. S'il y a originalité, elle résultera du fait que quelque trente chercheurs ont essayé de dresser le tableau des éléments de la pensée philosophique, qu'ils l'ont fait dans le même esprit, mais sans préjugé ; qu'ils ont *compris leur entreprise, non comme une démonstration, mais comme une présentation ; non comme un édifice, mais comme une construction. Les bibliographies n'ont pas, selon les auteurs, la même importance. Là aussi, liberté a été laissée à chacun des collaborateurs de ponctuer sa communication par les références qu'il a jugées convenables. Des mises au point historiques viennent, de temps à autre, rappeler que la philosophie n'est pas une affaire « séparée » et qu'il lui arrive d'avoir un rapport direct, indirect ou contradictoire, avec les pratiques sociales et d'autres activités culturelles.*

« C'est une autre histoire de la philosophie qui apparaît ici. Ni progressiste, ni neutre, mais critique ; qui ne veut ni tout dire ni dire le tout : qui s'impose d'affirmer l'ordre ouvert des doctrines et des idées différentes. Le sérieux, dans ce genre d'ouvrage, chemine à mi-distance de l'érudition et de la vulgarisation. Car il n'y a pas de « Platon » ou de « Descartes » qu'on puisse restaurer dans leur vérité ; il y a des penseurs qu'une analyse stricte et argumentée rend, aujourd'hui, lisibles. »

La réorganisation en quatre tomes a conduit à opérer des regroupements : le premier volume traite de la philosophie critique — que l'Histoire appelle « païenne » — et de la philosophie médiévale ; le second s'occupe de ce qu'on nomme l'âge classique (XVIᵉ — XVIIIᵉ siècles), de la Renaissance et de la Réforme à Jean-Jacques Rousseau ; le troisième s'attache au XIXᵉ siècle, anticipant sur celui-ci, avec Kant, allant jusqu'à Nietzsche, et débordant même sur notre siècle, puisqu'il y est question de Husserl et de Bergson ; le quatrième est consacré à la période contemporaine, de Freud à Heidegger et, de là, aux plus récents développements de la recherche philosophique.

A la fin de chaque volume figure un index comprenant de brèves notices bibliographiques sur les principaux auteurs de la période considérée. Chacun d'entre eux comporte également une introduction et une conclusion permettant d'indiquer les transitions et de souligner les principales lignes de force. Moins, il faut le répéter, pour introduire une continuité que pour marquer l'unité d'un panorama, unité faite de différences au sein d'un même projet.

INTRODUCTION

Les penseurs et les écoles analysés dans ce premier volume se situent à l'intérieur d'une période historique de près de deux millénaires — du Ve siècle avant notre ère au XIVe siècle après —, et dans une aire géographique extrêmement étendue — puisqu'il y est question d'Avicenne, qui vécut dans l'actuel pays ouzbek, et d'Alcuin, qui naquit et fit ses études en Angleterre. C'est assez dire que l'on a procédé à des coupes qui isolent des œuvres essentielles. Cependant, quelque disparité de situations qu'il puisse y avoir et quelque différents que soient les objets traités, il est possible de dessiner — en quelque sorte, en pointillé, sans prétendre introduire des filiations — des configurations qui unissent ces divers sommets et constituent des massifs montagneux et des lignes de proximité, qui figurent des chaines.

Un premier massif tout d'abord : celui de la formation de la philosophie méditerranéo-européenne (il n'est pas question dans la présente publication des philosophies d'Asie, non plus que des systèmes de pensée caractéristiques des cultures orales, qui ressortissent les unes et les autres de recherches spécifiques). Les trois premiers chapitres étudient ce qu'on a appelé le « miracle grec » où, entre autres inventions, à côté de la tragédie, de l'enquête historique, de la mathématique, de la rhétorique, la Cité forme le projet d'élaborer un discours convaincant universellement ayant pour double fin d'instituer un savoir et de définir un une Sagesse. Il n'a pu être traité ici de ces penseurs qu'on appelle « pré-socratiques », Thalès, Pythagore, Héraclite, Parménide, Zénon d'Elée, Démocrite, Empédocle, Anaxagore, pour ne citer que les plus importants. Les textes de Platon et d'Aristote en résonnent constamment. Cependant, après le IVe siècle, la Cité se disjoint : les préoccupations cosmologiques l'emportent peu à peu sur ce projet d'un savoir exhaustif. Dans l'horizon défini par Platon et Aristote, se constituent des courants de pensée, le stoïcisme, l'épicurisme, le scepticisme, qui vont ensemencer la pensée latine et fournir par la richesse de leurs observations et de leurs argumentations, le fonds commun dans lequel la philosophie à venir puisera abondamment.

Le temps des Empires est celui de la violence : la volonté platonicienne de dépasser ce monde-ci se trouve réactivée par un penseur comme Plotin, dont les méditations à la fois théologiques et cosmogoniques préparent intellectuellement la révolution chrétienne. Surgit un second massif, celui de la pensée chrétienne et islamique, qui domine bientôt le bassin de la Méditerranée et s'étend à l'Europe entière. Le Moyen Age. L'expression est bien fâcheuse, en particulier quand s'y attache l'idée d'une période obscure et obscurantiste. Sur les quelque dix siècles qui séparent la chute de l'Empire romain et les Grandes découvertes, il y eut certes des périodes de profonde misère intellectuelle, morale et physique ; mais au même moment, en Syrie ou au Maroc rayonnaient des civilisations brillantes. Et notre vingtième siècle, qui a mis ses techniques « de pointe » et son humanisme au service des massacres généralisés aurait bien de l'audace de condamner quelque période que ce soit ! Elaborés à partir du fond hébraïque et réactivant l'apport gréco-latin, le Christianisme, puis l'Islam construisent, chacun à sa manière et dans son contexte, à la fois spirituel et historique, une nouvelle vision de l'homme et du monde. Les deux chapitres consacrés aux relations de l'Héllénisme et du Christianisme et aux recherches des Pères de l'Eglise, le chapitre traitant des rapports de la théologie et de la philosophie dans l'Islam classique montrent la continuité et la discontinuité qui marquent tout ensemble le monde antique et cet univers nouveau constitué dans l'horizon du monothéisme.

Ces analyses établissent avec clarté qu'en ces matières, on ne saurait simplifier et se contenter d'oppositions simples. Le « Moyen Age » est trop foisonnant pour qu'on puisse le réduire à une prétendue « idéologie dominante ». Se manifeste, en particulier, une opposition entre deux courants chrétiens qui, à leur façon, réitèrent une différence décisive présente dans la pensée grecque classique. Augustin, auteur de la *Cité de Dieu* et des *Confessions*, s'inscrit ouvertement dans l'optique platonicienne : mais il introduit l'idée du sujet conçu comme intériorité et celle d'une temporalité unique au sein de laquelle l'humanité lutte pour son salut. Huit siècles plus tard, bénéficiant de l'enseignement donné par les Arabes, Thomas d'Aquin reprend le projet aristotélicien d'un savoir encyclopédique organisant les connaissances selon la structure même de l'Être, de la connaissance de Dieu à celle de l'ordre politique.

Philosophie païenne et philosophie de fond monothéiste se joignent et se disjoignent. Ce qui prédomine, c'est l'invention. Au-delà des indications qu'on a données ici, le lecteur pourra tracer d'autres lignes en pointillé reliant ces sommets de la pensée les uns aux autres. Il le fera selon ses préférences : et il aura raison, pourvu qu'il aille regarder les textes eux-mêmes afin de fortifier ses hypothèses. Ils sera peut-être surpris de constater que le progrès de sa propre pensée ne correspond pas nécessairement à la suite chronologique des penseurs, mais qu'elle résulte de la libre confrontation qu'il établit entre des idées.

François Châtelet

I

DU MYTHE A LA PENSÉE RATIONNELLE

par François CHÂTELET

La philosophie parle grec. On a eu raison de le redire après Heidegger. Encore s'agit-il de savoir *quelle* langue grecque. Nous avons trop coutume de raisonner en fonction des normes syntaxiques et sémantiques arbitrairement fixées à une époque relativement récente. Il est évident que la langue d'Héraclite n'est pas la même que celle des penseurs de l'époque alexandrine; que la transcription opérée par Cicéron des termes et des constructions dont usaient l'Académie et le Portique n'est pas correcte; que le latin des Romains n'est pas le même que celui des chrétiens; que le code linguistique de ces derniers n'a pas gardé, de la patristique latine à la dissertation d'habilitation d'Emmanuel Kant, dix-sept siècles après, le même ordre significatif. Il faudrait une singulière cécité pour penser qu'existe une sorte de référentiel absolu à partir de quoi il serait possible de traduire, de confronter, d'organiser, en filiations patentes ou cachées, les textes de ceux qui sont désignés comme « grands philosophes ». A cet égard, les exercices des érudits — qui, sans arrêt, découvrent de nouvelles parentés — sont à mettre au même registre que les acrobaties des tenants de l'histoire secrète, philologues et herméneutistes : celui de mythologues qui construisent un passé en quoi, chacun, aujourd'hui, trouvera son intérêt et sa justification.

Aussi bien convient-il de commencer par un exemple, qui est comme un apologue. L'histoire moderne de la philosophie de l'Antiquité rétablit un ordre, intellectuellement satisfaisant pour ceux qui l'élaborent. Au début, il y a la religion, le mythe, la poésie : d'Homère à Pindare (et, par déviation, jusqu'aux auteurs classiques de la tragédie); vient une transition : les « présocratiques »; dans cette grande « poche », on loge les « physiciens », Thalès, par exemple, les atomistes, les médecins, les historiens, Héraclite, Parménide, Anaxagore, Empédocle, les sophistes; surgit Socrate : tout change, mais d'une manière qui n'est pas encore radicale. Avec Platon, avec la fondation de l'Académie, en 387, s'institue enfin l'ordre de la rationalité; précaire, maladroit, cet ordre qui sera sujet à de multiples modifications, a déjà déterminé ses principes. A la pensée obéissant à l'exigence légendaire, se substitue une nouvelle logique réglant, grâce à une stricte discipline du discours, la question au droit à la parole *vraie*, c'est-à-dire efficace.

Une telle lecture est bonne. Il est incontestable que la conception grecque de l'homme et du monde s'est progressivement « sécularisée » ou « laïcisée » et que l'univers des dieux s'est effacé peu à peu devant les actions des hommes. Alors qu'aux siècles qu'il est convenu d'appeler homériques, le récit s'organise autour des personnages divins, les personnages humains étant réduits eux-mêmes à des essences dans le statut de la quasi-dépendance, à l'époque classique — au ve siècle —, l'homme, comme citoyen-guerrier, qui parle et qui se bat, apparaît comme partie prenante de son destin. A cette époque, des genres culturels changent de sens et de style : la tragédie, de fondamentalement religieuse, devient cérémonie civique; la comédie passe du jeu bouffon à la critique politique; d'autres se renforcent, comme l'histoire-géographie : aux descriptions légendaires et aux généalogies mythiques font place des paysages et des mœurs précisément analysés et décrits, des séquences événementielles rapportées scrupuleusement; d'autres naissent, comme une médecine qui, désormais, fait appel plus à la recherche des causes de la maladie qu'aux ressources ambiguës de la divination; comme la « physique », qui en vient,

peu à peu, des spéculations magiques à l'étude des relations phénoménales; comme l'art de la parole, qui n'est plus
désormais l'apanage des familles nobles, mais qui devient
le moyen dont tout citoyen dispose, au moins en droit, pour
faire valoir ses opinions et ses intérêts; comme la « philosophie », qui cesse d'être déclaration exaltante et mystérieuse, pour revendiquer, dans la maîtrise du jeu des questions et des réponses, son *droit* à définir, en tous domaines,
la juridiction suprême.

Bref, pour parler comme Condorcet, le progrès va bien.
Lentement, les « lumières » s'installent. Le lieu où s'opère
cette mutation, c'est la Cité. Celle-ci se forme dans les villes
coloniales, singulièrement d'Asie mineure; elle gagne la
métropole et Athènes va être le lieu d'une évolution tenue,
par la suite, pour exemplaire. Le schéma d'évolution, dès
lors, est satisfaisant : la conquête politique du statut civique
— de l'ordre de la citoyenneté, dans lequel le destin de chacun est défini, non par sa proximité aux dieux, non par son
appartenance familiale, non par son allégeance à un chef,
mais par sa relation à ce principe abstrait qu'est la loi —,
constitue une première étape. L'instauration de la démocratie, qui s'effectue, pour des causes historiques repérables,
à Athènes, est le second moment. Une démocratie, ce n'est
pas seulement, comme l'indique son étymologie, le pouvoir
du « petit peuple », c'est le régime dans lequel le gouvernement est « au milieu », lorsque chacun, qui est citoyen, est,
en droit et en fait, dans la capacité d'y participer. Au
désordre des barbares éloignés, à l'ordre absurde des barbares trop proches — l'Empire perse —, s'oppose une organisation raisonnable, correspondant à la place de l'homme
dans la disposition cosmique. S'y administre une pensée
nouvelle qui rejette, dans les lointains de l'archaïsme,
l'excessif intérêt pour les dieux et, dès lors, enregistre
l'exclusif intérêt pour les hommes.

Dans cet optique, l'ordonnance de la continuité est déjà
signification de rupture. Mais où et comment s'opère cette
solution? S'introduit dès lors le débat sur l'*origine* du discours philosophique. Où est la coupure entre le mythe et la

pensée rationnelle? Est-elle présente dans ces penseurs physiciens qui, comme Thalès, prennent pour objet de l'interrogation décisive les phénomènes naturels? Faut-il plutôt attendre Héraclite ou Parménide qui, les premiers, posent la question de l'Être et inaugurent, dès lors, le problème métaphysique? Convient-il, plus sérieusement, de situer le commencement de la philosophie dans l'*écrit* platonicien, dans sa majeure partie préservé et qui pose, pour les premières fois explicitement, le problème de la raison : celui du discours intégralement légitimé? Et les atomistes, d'où viennent-ils?

Bref, l'idée d'une genèse tranquille qui conduirait de l'imaginaire au réel, de la magie à la pratique, de la particularité (sociale) à l'universel (humain), du désir au discours, est compromise dès qu'est posée la question de son articulation. Comme l'établit l'analyse de J. Bernhardt, la dénomination courante de « présocratiques » attribuée aux auteurs épris de théorie et, chronologiquement antérieurs ou contemporains à Socrate, est significative d'une conception naïvement progressiste et simplificatrice du devenir de la pensée. L'affaire, en tout cas, est plus compliquée; et il est certain qu'on ne la règle pas en prenant pour référence une progression linéaire qui conduirait de la pré-raison à la raison réalisée, de la philosophie en puissance à la philosophie en acte; situons-nous précisément au sein de cette philosophie prétendument « réalisée » : celle de Platon. Un style nouveau de discours s'y impose; un ordre se définit qui sera bientôt désigné comme *logique*; une politique originale s'y détermine. La nouveauté est évidente : ce n'est plus la force apparente des habitudes ou la puissance pseudo-réelle des « porte-gourdins » qui s'impose, mais l'ordre de la parole contrôlée. Cependant, dans le domaine de cette nouveauté, parce que cette nouveauté est prise dans le réseau historique de la constitution de la Cité, le philosophe reste un *sage*, l'équivalent du *shamann* — du sorcier — qui est en connivence avec des dynamismes mystérieux...

Tout se passe comme si la philosophie, en même temps qu'elle réussit à délimiter de mieux en mieux l'originalité

de son champ discursif, réitérait, en les intégrant, des attitudes fort anciennes. Aussi convient-il non seulement de
récuser l'image d'une évolution linéaire, mais encore de
nuancer les schémas de continuité ou de discontinuité. Sans
doute l'analyse des textes permet de déceler des « commen-
cements » ou des « ruptures ». Mais ce qui commence maintient, en partie, ce contre quoi il commence ; et ce qui rompt
intègre aussi des éléments de ce dont il tient à se distinguer.
A cet égard, le cas du platonisme est encore exemplaire : la
philosophie platonicienne refuse l'éducation traditionnelle,
fondée essentiellement sur l'enseignement des poètes et la
religiosité confuse que celui-ci véhicule ; parce qu'elle
requiert un entraînement scientifique et qu'elle fait appel aux
mathématiciens et à la logique, parce qu'elle vise à s'organiser non autour des représentations ambiguës, mais de
notions précises, elle marque une coupure et définit une
perspective « moderne ». Mais, en même temps, elle s'oppose
à une autre « modernité », celle des sophistes, qui, eux aussi,
récusaient la tradition : au nom d'autres principes, peut-
être plus radicaux... De l'utilitarisme, du conventionalisme,
du relativisme fonciers des sophistes, Platon ne veut pas.
Ce n'est pas l'homme en société qui l'intéresse, mais le
divin en l'homme. A ses yeux, la démocratie, sous ses
diverses formes, est décadence. Dès lors, c'est en « réac-
tionnaire » qu'il parle. Directement, lorsqu'il rejette la
logique « libérale » des sophistes qu'utilise, par exemple, le
discours historien de Thucydide ; indirectement, lorsqu'il
fait valoir, au sein de sa propre démonstration, ces procédés
légendaires, ceux de l'allégorie et du mythe, et lorsqu'il
investit le philosophe de pouvoirs qui vont au-delà de ceux
du commun des mortels.

Bref, la philosophie est grecque ; elle est fille de la Cité ;
de la Cité démocratique. Cela affirmé, il reste que la langue
grecque n'est pas une essence immuable et qu'à réfléchir
sur son statut, autant comptent les changements que les
permanences. Il reste que la Cité, qui succède, révolution-
nairement, à un « Moyen Age féodal », trouve ses racines
dans un passé antérieur que signalent les royautés pré-

homériques et dont la trace est présente dans les textes
platoniciens, entre autres. Il reste que la démocratie athénienne — point de référence de Platon et de ses adversaires
les Sophistes — est un *problème*, non une *essence*.

Cela veut dire qu'avec l'histoire de la philosophie, on
ne s'en tire pas aisément. Il y a, incontestablement, au
moins de Platon à Hegel, un domaine spécifique qu'on peut
légitimement qualifier de *philosophique*; qui a son domaine,
sa puissance intégrative, son ordre propre. Mais, constamment, et dès le début, ce style qui prétend à la juridiction
suprême, doit avouer son impureté. L'horizon dont il
prétend se détacher, et qu'il vise à dépasser et à juger,
le détermine de part en part. Ainsi la pensée, aux environs
du ve siècle avant notre ère, passe de la régence du mythe
à la puissance de la logique philosophique : mais ce passage
signifie, précisément, qu'il y avait déjà une logique du
mythe, d'une part, et que, d'autre part, dans la réalité
philosophique est inclus encore le pouvoir du « légendaire ».

Du mythe à la pensée rationnelle? Bien sûr. Mais celui-là
n'est pas pure imagination désordonnée et celle-ci tend à
s'imposer comme un nouveau mythe.

PLATON

par François CHATELET

L'efficacité de la pensée platonicienne n'est pas à établir. Platon est mort en 347 avant notre ère. Depuis lors, la culture n'a cessé de se référer à lui, pour s'en inspirer, pour le critiquer, pour tenter de le dépasser. Son œuvre se dresse, inéluctablement, à l'horizon de toute recherche théorique, jadis, naguère et aujourd'hui. L'art, la littérature, qui s'en sont nourris, ne peuvent, pas plus maintenant qu'hier, l'ignorer. De tous les penseurs, il a été certainement celui dont l'influence a été la plus large, la plus profonde, la plus durable. A quoi une telle réussite est-elle due? Pourquoi cette pérennité du platonisme, qui a résisté, repris, défiguré, magnifié, à tous les déferlements qui ont traversé la culture occidentale, de la prédication du Christ aux sentences utilitaristes de la civilisation industrielle? Pourquoi est-ce finalement autour de cette œuvre, si lointaine qu'elle paraît hors du temps, qu'actuellement encore se nouent les passions, positives ou négatives, de tous les amants de la pensée? A ces questions, il n'y a pas de réponse formelle. Il suffit de faire référence à la situation effective et aux idéologies correspondantes auxquelles Platon avait à faire face et d'analyser la signification de la décision qu'il a prise alors pour comprendre pourquoi son texte *demeure*, comme un modèle et comme une sollicitation, à la fois, d'en faire autant et d'aller au-delà. Les dialogues platoniciens ne sauraient être déliés du temps qui les a vus naître;

la conjoncture historique y est déterminante. Les détacher
de ce contexte, étroitement concret, en faire une des premières manifestations de l'esprit éternel, c'est se condamner
à ne rien comprendre à leur originalité et à cette forme qui
leur a permis de traverser l'histoire. Platon est un Athénien
du ${IV}^e$ siècle, déçu par sa Cité. Or c'est précisément cette
déception et le projet théorique qu'elle suscite qui sont à
l'origine de la durabilité du platonisme. Comment est-ce
possible? Comment concevoir qu'une œuvre aussi fortement
marquée par les circonstances puisse nous être à ce point
présente? Pourquoi le Grec classique Platon pose-t-il,
encore et déjà, des problèmes qui sont les nôtres? En rappe-
lant les thèmes fondamentaux de la pensée platonicienne,
en montrant comment ils s'articulent, c'est, précisément,
à ces interrogations que nous allons tenter de répondre.
Pourquoi sommes-nous, que nous le voulions ou non, que
cela nous irrite ou nous réjouisse, encore aujourd'hui disciples de Platon? En quoi le sommes-nous? Comment se
peut-il faire que cet écrivain qui parlait il y a vingt-quatre
siècles, parle déjà de nous, et si bien?

I. PLATON CONTEMPORAIN

Le problème politique

Lorsque meurt Platon, la Cité est exsangue. En 338, dans
la plaine de Chéronée, l'armée de Philippe de Macédoine
écrasera les troupes grecques qu'un dernier sursaut d'énergie a coalisées. C'en est fini désormais de cette forme politique qui a joué un tel rôle, depuis, dans l'imaginaire des
hommes en quête de l'État parfait. Philippe, suzerain des
Grecs, assurera, par la force, cette unité et cette paix intérieures auxquelles aspiraient les fils d'Hellen depuis la fin
des guerres Médiques, au moins. La Cité désormais s'assou-
pit au soleil, dans le bruissement des bavardages munici-
paux; elle ne s'éveillera qu'au fracas des Empires. Et,

cependant, son destin, pendant cent cinquante ans, a été exemplaire. Elle a produit, en un laps de temps finalement bref, alors que fort peu d'hommes s'intéressent à la réflexion et à la création, des œuvres de culture, des idéologies, des théories dont l'importance et la signification sont si fortes qu'elles ont marqué d'une manière décisive le devenir de l'humanité.

Il n'y a pas de miracle grec; il y a une lumière grecque, qui se trouve être constitutive de ce que nous appelons, aujourd'hui, culture. Le ve siècle, qui voit naître Platon et s'achever le processus tragique qui conduit à la mort de Socrate, a, sinon inventé, au moins porté à leur essentielle clarté, des types de pratiques et de genres culturels dont nous sommes encore tributaires. Athènes invente, par exemple, la *démocratie*. La démocratie, étymologiquement, c'est le pouvoir du petit peuple, du *démos*, qui, lassé de la sujétion où le tiennent les propriétaires fonciers, les *aristoï*, les « bien-nés », se révolte et se partage les biens de ceux qu'ils viennent de vaincre. Clisthénès, Éphialtès, Périclès — dans la perspective de *justice* que Dracon et Solon définirent — la conçoivent autrement. La démocratie, ce n'est pas la *force du peuple*, c'est l'extension de la citoyenneté à tout homme libre, c'est l'égalisation de la condition de citoyen à tous, quels qu'en soient le revenu et l'origine (ne nous trompons pas sur la notion d'origine : l'Athènes classique qui regroupe un demi-million d'habitants compte, au moins, trois cent mille esclaves, cinquante mille métèques — étrangers protégés — qui n'ont pas de droits civiques; si l'on compte les femmes et les enfants, c'est quelque 10 pour 100 du corps social qui a le droit de décider pour tous). La démocratie, telle que la définit Athènes, a ce privilège de ne plus *soustraire* le pouvoir, de le mettre « au milieu », d'assurer à tout individu, qui a le droit et la possibilité de porter les armes pour défendre la « patrie », de participer effectivement à l'exercice du pouvoir. Les assemblées municipales, la *Pnyx*, où se réunit l'Assemblée populaire, les marchés, où chacun, librement, discute de ce que bon lui semble, les tribunaux définissent des lieux nouveaux où le citoyen

pauvre, sous la garantie de la loi, peut attaquer le riche ou
le noble, non pour le spolier, mais pour exiger de lui qu'il
partage, pour le plus grand bien de tous, ses privilèges...

Établie dans les institutions, la démocratie, à Athènes,
gagne les mœurs. Elle s'étend à l'activité théorique et artis-
tique. Les spéculations des médecins et des physiciens se
libèrent des interdits de la religion. Elles sont maintenant
acceptées : à l'interprétation sacrée se substituent, peu à peu,
des explications profanes. Athènes accueille les découvertes
faites dans les Cités coloniales, déjà libérées des hypothèques
anciennes en raison même d'une situation qui les contraint
à l'invention. Certes, au Ve siècle, la charlatanerie physicienne va bon train et les recueils médicaux ne nous ras-
surent guère sur le traitement imposé aux malades. Il n'en
reste pas moins que ces recherches découvrent un domaine
de réflexion nouveau. L'analyse de style théorique se développe parallèlement : contre les cosmogonies et les théogo-
nies s'instaurent des recherches visant à découvrir des
principes d'explication « réalistes » et qui n'empruntent plus
rien à l'interprétation religieuse traditionnelle. La logique
du discours commence déjà à l'emporter sur la symbolique
de l'invocation...

Les dieux s'humanisent et, sortant des cryptes où les
maintenaient les délégués au culte, s'offrent aux rayons du
soleil et aux regards du peuple. Leur sourire tranquille
annonce qu'à l'énigme de leur existence, il n'y a qu'une
seule réponse : l'homme. Apollon, roi de la clarté, est
souverain; à Athènes, Pallas l'emporte, princesse de la
raison, sur les excès aventureux de Dionysos et de Poséidon. L'acte de recueillement collectif qu'est le théâtre s'en
trouve profondément transformé. Il devient l'acte civique,
par excellence, le *moment*, au sens presque physique du
terme, où la collectivité mesure sa relation de puissance avec
les divinités tutélaires. Ce qui se joue sur la scène tragique
— ce qui se redouble, dans une dérision peut-être encore
plus significative, dans la comédie —, c'est l'attitude de
l'homme qui se sait désormais libéré du Destin, mais qui
s'éprouve, en même temps, en proie à des forces obscures

dont, constamment, la maîtrise lui échappe. Le monde profane des énergies sociales interfère, maintenant, avec l'univers des puissances sacrées. La cérémonie théâtrale s'infléchit : dès lors, les dieux et les hommes s'y affrontent, mais comme l'homme ancien contre l'homme nouveau...

La preuve la plus claire de cette mutation de la culture, c'est l'invention du récit historique qui l'apporte. Déjà, dans la seconde moitié du VIe siècle, les logographes — archivistes des Cités les plus avancées — et Hécatée de Milet s'étaient intéressés aux événements profanes qui scandent la vie des États. Hérodote, historien des guerres Médiques, va beaucoup plus loin. Il accepte, en fin de compte, il est vrai, l'explication religieuse traditionnelle. Le « reportage » qu'il construit n'en rompt pas moins, dans sa naïveté feinte, avec les habitudes mentales du temps. Il s'applique à analyser soigneusement les mœurs des peuples qui, de près ou de loin, touchèrent au conflit; il décrit, avec positivité, des paysages et des techniques; et, surtout, il suit les événements en s'efforçant d'introduire entre ceux-ci des relations de causalité. Il met l'accent sur la diversité des cultures et des institutions, sur l'importance des activités sensibles et profanes des hommes. Cette amorce d'une vision « laïque », c'est à Thucydide qu'il sera donné de la développer. L'*Histoire de la guerre du Péloponnèse* introduit une conception intégralement rationaliste des conduites; elle écarte toute transcendance et cherche dans la seule nature humaine l'explication des événements.

Parallèlement à cette transformation de la « science », de l'art dramatique et du récit historique, s'effectue une mutation non moins importante dans le domaine proprement théorique. Dans l'œuvre héraclitéenne et parménidienne, la parole, qui recueille et qui dévoile, s'interroge sur son statut; Anaxagore découvre, contre les recherches physiciennes, l'esprit comme principe. Et bientôt, sur les places, à Athènes, viendront s'installer des hommes au langage sonore qui prétendent enseigner à chacun l'art du discours et de la controverse...

Le Ve siècle, celui de Périclès, est l'âge des Lumières de la Grèce. Au sein des désordres et des violences, s'institue un ordre nouveau où l'homme calculateur se voudrait indépendant, mesuré, beau et vertueux, à sa juste place entre les dieux et l'animal. Or, cette civilisation qui engendre des chefs-d'œuvre se tourne finalement contre les hommes. A la fin du siècle, la défaite d'Athènes, la condamnation et la mort de Socrate, les guerres qui aussitôt reprennent, la démoralisation qui gagne les Cités, manifestent cet échec. L'œuvre platonicienne est d'abord une méditation sur cet échec. De même, elle se constitue comme mise en question non seulement de la démocratie et, plus généralement, de l'existence politique, mais encore de cette culture nouvelle qui s'est lancée impatiemment dans la conquête des connaissances, dans la recherche des plaisirs, dans la volonté de puissance. Comme telle, elle nous concerne, puisque ce problème, vieux de deux mille quatre cents ans, se pose encore à nous.

Signification de l'idéalisme

Mais il y a une autre raison qui nous invite à nous retourner vers cette œuvre. Au cours de sa méditation, Platon, qui comme nous allons le voir donne son statut théorique précis à cette activité qu'est *la* philosophie, définit aussi *une* philosophie. Celle-ci a eu, par la suite, une influence doctrinale considérable. Des platoniciens, on en trouve à toutes les époques et dans tous les domaines de la recherche. De quoi nous avertit donc l'auteur du *Phédon*? De nous défier de la perception, des pulsions, des attachements, des caprices du corps; de ne pas considérer la violence comme une solution durable aux problèmes des relations entre les hommes; de ne pas tout mêler et, en particulier, de ne pas estimer bon tout plaisir, et mauvaise toute douleur; de ne pas juger que celui qui commande et qui jouit détient la vérité; de penser que, peut-être, au sein de ce que nous éprouvons maintenant, se profile un autre univers, qui est celui de la satisfaction authentique et durable.

Rien, dira-t-on, qui soit bien différent de ce que préconisent, depuis fort longtemps, les religions de l'élévation spirituelle. Tout, en fait. Celles-ci, en effet, conseillent le plus souvent le retrait du monde ou indiquent une expérience de type mystique, qui contredit toujours en quelque manière l'expérience du monde. Le spiritualisme ou, si l'on préfère, l'idéalisme platonicien, est d'une orientation bien différente. Et, singulièrement, pour deux raisons. La première est que l'expérience philosophique proposée par Platon, si elle exige une conversion de l'existence tout entière, n'est nullement en rupture avec l'expérience quotidienne. Celle-là conteste celle-ci de l'intérieur, pourrait-on dire. C'est en réfléchissant sur des figures sensibles que le jeune garçon du *Ménon* « se souvient » des Idées et découvre une vérité géométrique; c'est ici-bas qu'Alcibiade, comme en témoigne son admirable déclaration du *Banquet*, a appris, à travers l'amour charnel qu'il portait à Socrate, à aimer l'âme et l'activité de connaissance comme telle. La seconde raison, qui est liée à la première, est que Platon n'invoque pas une révélation extérieure ou intérieure. Il ménage le chemin; il est pédagogue; il prend par la main l'homme, enfoncé dans ses désirs, et le conduit patiemment, par une critique ironique, jusqu'à la réflexion et à l'indépendance.

Ainsi, il établit, une fois pour toutes, que le matérialisme (ou le réalisme) le plus offensif aura toujours à compter avec ce fait que, dans la mesure où l'homme pense et parle sa pensée, le savoir qu'il énonce ne peut jamais être réduit à un simple compte rendu de l'expérience singulière et prise à l'état brut; que parler, c'est se mettre à distance, même pour en dire le plus grand bien, de ce que l'on éprouve; qu'entre l'ordre empirique et celui de la réflexion se creuse le fossé du refus; que penser, ce n'est pas éprouver, mais tenter de construire des concepts.

C'est pourquoi on essaiera de montrer ici que la vérité du spiritualisme platonicien consiste moins en l'appel qu'il fait aux forces nobles de l'âme qu'en la référence en ce monde d'Essences, de « réalités idéales », qui se dressent dans le creux de l'expérience sensible comme juge et comme mesure.

La raison

Bref, l'idéalisme platonicien a été, pour ainsi dire, la doctrine qui convenait à *la* philosophie définissant, pour la première fois dans l'histoire de la pensée, son domaine, ses objectifs et sa méthode. Ici, pour que la suite puisse être correctement entendue, nous devons apporter deux précisions. Nous allons essayer de montrer que le platonisme est la philosophie originaire, au sens strict du terme *philosophie*. Cela ne signifie nullement que nous pensons qu'*avant* et *ailleurs*, il n'y a ni réflexion ni pensée. Ce serait accorder beaucoup trop à la philosophie que de croire qu'elle est la même chose que la pensée et la réflexion. Les Chinois, les Égyptiens, les Aztèques ont pensé; avant Platon, dans l'aire culturelle méditerranéenne, on a pensé (n'évoquions-nous pas à l'instant, en nous limitant au seul aspect théorique, les recherches des « physiciens » et des médecins, les récits des historiens, les textes d'Héraclite, de Parménide, d'Anaxagore?). Mais c'est s'exposer à de graves erreurs que de ne pas comprendre la philosophie comme étant, au sein des cultures mondiales, un genre déterminé, dont la gestation a été lente, qui a sa date et son lieu de naissance et, probablement, sa date et son lieu de décès. Ce genre culturel qui, répétons-le, a circonscrit son champ d'expansion et ses règles, nous tenterons d'établir que Platon en a été « l'inventeur » et, par conséquent, que, depuis lors, toute philosophie qui se veut telle est, peu ou prou, platonicienne. Certes chacun est bien libre d'entendre le mot *philosophie* comme signifiant toute espèce de conception du monde, réfléchie ou non. Mais celui qui choisit cette voie de facilité sera dans l'embarras lorsqu'il devra expliquer pourquoi des écrivains qui, incontestablement, pensaient (par exemple, saint Bernard, Pascal, Marx, Nietzsche), ont si vivement attaqué la philosophie en tant que telle. Celui qui préfère le chemin que nous indiquons verra, au contraire, le « fil rouge » qui va de Platon à Hegel en passant, entre autres, par Aristote, saint Augustin, Descartes, Spinoza, Leibniz, Hume et Kant.

La seconde précision — elle est non moins importante — que nous devons donner est celle-ci : nous nous efforcerons de prouver que le dialogue platonicien, dans ses manifestations successives, a été le mode nécessaire de présentation de la philosophie originaire. Cela ne veut pas dire que l'invention de la philosophie était obligatoire. L'humanité aurait fort bien pu se passer de ce style d'expression culturelle. Des civilisations, comme l'indienne ou la chinoise, il y a encore peu de temps, en ont fait l'économie. Comme l'Afrique, jusqu'au colonialisme, s'est passée de la religion révélée la plus agressive, le christianisme! Il se trouve qu'une situation a été créée, par le jeu de circonstances et des hommes, dans une petite péninsule du bassin de la Méditerranée. Cette conjoncture a pris à Athènes une allure particulière, si particulière que le champ des réponses possibles s'est restreint. Parmi celles-ci, la réponse platonicienne, c'est-à-dire la réponse philosophique, se dessinait, après que les politiques, les poètes, les hommes pieux, les gens de bon sens, les « savants » eurent échoué. Cette réponse doit avoir une signification importante puisque nous la recueillons aujourd'hui. Pratiquement nous ne connaissons Anytos, le principal accusateur de Socrate, et Denys de Syracuse, le chef d'État qui n'a pas compris la philosophie, que par Platon. Platon n'était pas nécessaire; il l'est devenu.

Pourquoi? Parce que son œuvre a défini, en même temps que la philosophie, *la raison*. La raison, maintenant, s'est transformée en rationalité. Elle a subi des mutations considérables; elle est passée par l'épreuve de la théologie, de la science expérimentale et physicienne, du tribunal de l'histoire. Elle est aujourd'hui réelle. La civilisation industrielle dans son ensemble, malgré ses erreurs, ses incohérences, est comme une gigantesque actualisation de la rationalité intégrale. Or, c'est la philosophie de Platon qui a mis en évidence les critères de rationalité qui sont ceux-là même qui organisent notre vie et notre mort. Les transformations n'ont rien changé, à cet égard, au fond. La raison platonicienne s'est enrichie, s'est critiquée, a passé de multiples compromis. Elle a conservé sa profonde nature.

L'idée que nous avons est que l'ordre industriel, qui s'étend au monde entier désormais, est la mise en œuvre du rêve platonicien. Or, trop souvent, cet ordre ne sait plus ce qu'il veut, sur quoi il se fonde. Il invoque la rationalité comme son critère théorique et sa valeur pratique suprêmes. Il en a perdu la signification. Platon, lui, savait, sans doute, ce que cela voulait dire. Pour imposer la raison, la philosophie, il devait polémiquer contre les autres, contre soi. A retourner à l' « inventeur », probablement l'avantage est grand.

II. L'ÉVÉNEMENT SOCRATE

La lettre VII

« Jadis dans ma jeunesse, j'éprouvais ce qu'éprouvent tant de jeunes gens. J'avais le projet, du jour où je pourrais disposer de moi-même, d'aborder aussitôt la politique. Or voici en quel état s'offraient alors à moi les affaires du pays : la forme existante du gouvernement battue en brèche de divers côtés, une résolution se produisit. A la tête de l'ordre nouveau cinquante et un citoyens furent établis comme chefs, onze dans la ville, dix au Pirée (ces deux groupes furent préposés à l'agora et à tout ce qui concerne l'administration des villes), mais trente constituaient l'autorité supérieure avec pouvoir absolu. Plusieurs d'entre eux étaient soit mes parents, soit des connaissances qui m'invitèrent aussitôt comme à des travaux qui me convenaient. Je me fis des illusions qui n'avaient rien d'étonnant à cause de ma jeunesse. Je m'imaginais, en effet, qu'ils gouverneraient la ville en la ramenant des voies de l'injustice dans celles de la justice. Aussi observai-je anxieusement ce qu'ils

allaient faire. Or je vis ces hommes faire regretter en peu
de temps l'ancien ordre des choses comme un âge d'or.
Entre autres, mon cher vieil ami Socrate, que je ne crains
pas de proclamer l'homme le plus juste de son temps, ils
voulurent l'adjoindre à quelques autres chargés d'amener
de force un citoyen pour le mettre à mort, et cela dans le
dessein même de le mêler à leur politique bon gré mal gré.
Socrate n'obéit pas et préféra s'exposer aux pires dangers
plutôt que de devenir complice d'actions criminelles. A la
vue de toutes ces choses et d'autres encore du même genre
et de non moindre importance, je fus indigné et me détournai
des misères de cette époque. Bientôt les Trente tombèrent
et, avec eux, tout leur régime. De nouveau, bien que plus
mollement, j'étais pressé du désir de me mêler des affaires
de l'État. Il se passa alors, car c'était une période de troubles,
bien des faits révoltants, et il n'est pas extraordinaire que
les révolutions aient servi à multiplier les actes de vengeance
personnelle. Pourtant ceux qui revinrent à ce moment
usèrent de beaucoup de modération. Mais, je ne sais comment cela se fit, voici que des gens puissants traînent devant
les tribunaux ce même Socrate, notre ami, et portent
contre lui une accusation des plus graves qu'il ne méritait
certes point : c'est pour impiété que les uns l'assignèrent
devant le tribunal et que les autres le condamnèrent, et
ils firent mourir l'homme qui n'avait pas voulu participer
à la criminelle arrestation d'un de leurs amis alors banni,
lorsque, bannis eux-mêmes, ils étaient dans le malheur.
Voyant cela et voyant les hommes qui menaient la politique, plus je considérais les lois et les mœurs, plus aussi
j'avançais en âge, plus il me parut difficile de bien administrer les affaires de l'État. D'une part, sans amis et sans
collaborateurs fidèles, cela ne me semblait pas possible.
Or parmi les citoyens actuels, il n'était pas commode d'en
trouver, car ce n'était plus selon les us et coutumes de
nos ancêtres que notre ville était régie. Quant à en acquérir de nouveaux, on ne pouvait compter le faire sans trop
de peine. De plus, la législation et la moralité étaient cor-
rompues à un tel point que moi, d'abord plein d'ardeur

pour travailler au bien public, considérant cette situation et voyant comment tout marchait à la dérive, je finis par en être étourdi. Je ne cessais pourtant d'épier les signes possibles d'une amélioration dans ces événements et spécialement dans le régime politique, mais j'attendais toujours, pour agir, le bon moment. Finalement, je compris que tous les États actuels sont mal gouvernés, car leur législation est à peu près incurable sans d'énergiques préparatifs joints à d'heureuses circonstances. Je fus alors irrésistiblement amené à louer la vraie philosophie et à proclamer que, à sa lumière seule, on peut reconnaître où est la justice dans la vie publique et dans la vie privée. Donc les maux ne cesseront pas pour les humains avant que la race des purs et authentiques philosophes n'arrive au pouvoir ou que les chefs des cités, par une grâce divine, ne se mettent à philosopher véritablement [1]. »

Voilà donc l'événement qui détourne le jeune Platon de la vie politique et le décide à se consacrer à la « droite philosophie ». Ce n'est pas, en vérité, comme le signale le texte que nous venons de citer, le seul fait qui manifeste la décadence d'Athènes. Socrate est mort victime de l'injustice. Trois autres hommes, exemplaires à des titres divers, ont péri, eux aussi, pour avoir été entraînés inéluctablement à être injustes. Leur destin tragique est comme l'envers du destin de Socrate. Les uns et les autres sont significatifs d'une décadence si profonde qu'elle exige une orientation d'esprit radicalement nouvelle.

Politique et parole

Parmi les familiers de Socrate, que Platon a connus dans son adolescence, il y a Alcibiade. Il est de famille noble; il a reçu une excellente éducation; son discours séduit les foules; il brille sur le stade et à la palestre; il est beau; c'est

---

1. Lettre VII, 324b-326b. Tous les textes cités le sont d'après la traduction L. Robin, *Platon, Œuvres complètes*, Bibliothèque de la Pléiade. N.R.F.

un bon stratège qui sait payer de sa personne sur les champs de bataille et commander aux hommes. Ce chef que la ville de Pallas attend depuis la mort de Périclès, les Athéniens croient l'avoir trouvé. Bien vite, l'Assemblée populaire lui confie d'importantes responsabilités. Or cet homme, bien vite aussi, se corrompt. Il est pris dans la tourmente de la démagogie. Accusé d'impiété — à tort ou à raison? — alors que le peuple venait de le choisir pour diriger une opération militaire décisive, il préfère se soustraire aux tribunaux de sa Ville. Il se réfugie à Sparte, en guerre contre Athènes. Il trahit et va de trahison en trahison. Il meurt assassiné, lors d'une obscure affaire.

Platon a deux oncles : Charmide et Critias. Ce dernier est, lui aussi, un « intellectuel » et un politique très brillant. C'est un esprit aiguisé, bien représentatif de cette nouvelle éducation qui fleurit en Attique : en des fragments de poèmes que nous avons conservés, il s'en prend vivement à la sacralité des lois et à l'existence des dieux. Il ne croit pas que le régime démocratique puisse sauver la Cité. Il conspire. Lors de la défaite de 404, et profitant du fait que les Spartiates occupent Athènes et le Pirée, il fomente un coup d'État et installe le pouvoir de ceux qu'on appella les Trente Tyrans. Ceux-ci devaient mettre de l'ordre; ils n'organisent que leur profit personnel et mettent la ville au pillage. Le peuple se révolte et Critias, dont Platon a pu apprécier la culture, la pénétration, est tué, lui aussi, après s'être trahi comme s'est trahi Alcibiade, lors d'une émeute...

La démoralisation est à son comble. Ces deux derniers exemples le prouvent. Ce n'est pas en espérant, comme le croit Thucydide, que le hasard pourra faire naître un nouveau Périclès (pour qui, notons-le dès maintenant, Platon n'avait aucune estime), ce n'est pas non plus en ayant une activité politique qu'on peut penser remédier à cette situation désastreuse. Le vrai chemin, c'est Socrate qui l'a indiqué. Il n'a, certes, pas mieux « réussi »; mais en préférant subir l'injustice plutôt que la commettre, en dénonçant la sottise de la violence par cette mort sereine, il a défini

l'attitude à partir de laquelle la constitution de la droite
philosophie devient concevable.

Quelle a été, à la résumer schématiquement, la contestation introduite par le « petit homme bavard »? Athènes,
en guerre, est en proie au plus grand désordre intellectuel
et social. La démocratie, qui a été triomphante de 450 à
430, a choisi la voie de la nouveauté. Alors que la plupart
des autres États grecs maintiennent la tradition — sous
l'égide de l'antique Sparte —, elle se lance dans une politique de conquêtes, se forge un empire dont elle retire un
important tribut, accroît ses activités commerciales, développe sa civilisation urbaine, se jette hardiment sur les mers
et ne cesse, dans tous les domaines, d'inventer et de se
remuer. L'Attique devient un carrefour où affluent les
étrangers, où s'épanouit librement la pensée.

Le régime démocratique a besoin, de par sa nature, d'un
mode d'éducation nouveau. Quel était, en effet, le mode de
formation traditionnel? On enseignait aux jeunes gens à
être de bons cavaliers, des hommes pieux, respectueux des
divinités et du souvenir des ancêtres. Cela ne suffit plus
maintenant! *Il faut savoir parler.* La parole est désormais
« la technique des techniques », celle qui permet à chacun,
à l'Assemblée, dans les procès, de faire valoir son point
de vue. C'est grâce à elle que le citoyen peut défendre son
rang et son indépendance, qu'il s'impose dans la ville.

La civilisation de la langue — c'est ainsi qu'Aristophane
nomme plaisamment le nouvel enseignement! Des écoles
payantes s'ouvrent, dirigées par des métèques, qui suscitent
une affluence considérable. Les plus illustres de ces maîtres,
Gorgias, Protagoras, Prodicos, Hippias, Archidamos, n'ont
d'autre programme que d'apprendre à leurs élèves à bien
parler de tout et de n'importe quoi, à défendre avec persua-
sion n'importe quelle cause. En apparence, cet enseignement
n'a aucun contenu; il n'impose rien d'autre qu'un encyclo-
pédisme vague et ingénieux. En réalité, il provoque une
mutation importante. De par son existence même, d'abord,
dans la mesure où il définit, *volens nolens*, un domaine
que la tradition s'interdisait : celui du « libre-dire »; de par

son contenu aussi : ces professeurs de rhétorique, ces sophistes — c'est ainsi qu'on les nommera —, ne peuvent manquer de faire valoir les principes fondant le régime dont ils tirent leur influence. Ils doivent, sous peine de se contredire, reconnaître que tout homme a, en puissance, la capacité politique et judiciaire, que la loi n'a pas un caractère sacré, qu'elle résulte de conventions que les citoyens passent entre eux et que, par conséquent, son efficacité est purement humaine. Les conséquences de semblables prises de position, on les analysera en même temps que la contestation socratique...

Il reste que, face à cette vague démocratique, la tradition résiste. Elle se renforce même lorsque, dans le conflit avec Sparte, se manifeste la faiblesse interne du régime. L'attitude d'Aristophane témoigne de cette opposition de plus en plus résolue (qu'exploitent les politiques comme Critias). Malgré les tentatives de démocrates modérés, Nicias entre autres, le conflit s'aggrave. Les difficultés d'Athènes, intérieures et extérieures, déterminent des courants d'opinions de plus en plus désordonnés, le peuple tantôt s'adonnant aux rêveries de domination les plus folles, tantôt se repliant frileusement autour de son passé.

Socrate « la torpille »

Au sein de cette agitation qui produit, du même mouvement, des sottises et des chefs-d'œuvre, Socrate se promène et parle. A première vue, il est comme un sophiste, puisqu'il parle de tout et de n'importe quoi. Mais, lui, n'ouvre pas d'école. Il n'enseigne pas ; ce qu'il dit, c'est au gré des conversations qu'il l'énonce, sans demander qu'on le paie, sans même exiger qu'on l'écoute. Il est un « bavard » : il parle pour parler. La jeunesse s'intéresse beaucoup à ses discours. Pourquoi parle-t-il alors qu'il n'a aucun intérêt personnel à le faire ?

A cette question répond le plaidoyer que Socrate fit de lui-même lors de la première partie de son procès et que

Platon a consigné dans l'*Apologie*. L'affaire est d'origine divine. Jadis, un ami de Socrate, Chéréphon, s'avisa de consulter l'oracle de Delphes : il lui demanda s'il y avait un homme plus sage que Socrate. Or le dieu répondit qu'il n'y en avait point. Cette déclaration mit Socrate dans le plus grand embarras : « Que peut bien vouloir dire le dieu? Quel sens peut bien avoir cette énigme? Car enfin je n'ai, ni peu, ni prou, conscience en mon for intérieur d'être un sage! Que veut-il donc dire en déclarant que je suis le plus sage des hommes? Bien sûr, en effet, il ne ment pas, car cela ne lui est pas permis [1]. » Il décida donc de mettre à l'épreuve l'oracle. Il s'enquit, d'abord auprès d'un homme politique, c'est-à-dire auprès d'un de ceux qui font profession de guider leurs semblables. Au sortir de cette conversation, Socrate dut en convenir : « Voilà un homme qui est moins sage que moi. Il est possible, en effet, que nous ne sachions, ni l'un ni l'autre, rien de bon. Mais lui, croit qu'il en sait, alors qu'il n'en sait pas, tandis que moi, tout de même que, en fait, je ne sais pas, pas davantage je ne crois que je sais! J'ai l'air, en tout cas, d'être plus sage que celui-là, au moins sur un petit point, celui-ci précisément : que ce que je ne savais pas, je ne croyais pas non plus le savoir [2]. »

La démarche auprès des poètes le conduit à une conviction analogue. Car « ce n'est pas en vertu d'une sagesse qu'ils composent, mais en vertu de quelque instinct et lorsqu'ils sont possédés d'un dieu à la façon de ceux qui font des prophéties ou de ceux qui rendent des oracles; car ce sont là des gens qui disent beaucoup de belles choses mais qui n'ont aucune connaissance précise sur les choses qu'ils disent [3] ». Quant aux gens de métiers, ils possèdent un savoir spécialisé; mais ils se trompent, lorsqu'ils jugent, parce qu'ils exercent leur technique à la perfection, qu'ils sont aussi, pour le reste, d'une sagesse achevée.

Socrate doit s'en convaincre : la divinité a dit la vérité. Il est bien le plus sage. Et, cependant, ce qu'il éprouve

---

1. *Apologie de Socrate*, 21b.
2. *Ibid.*, 21d.
3. *Ibid.*, 22c.

— le fait qu'il n'est pas sage —, il ne peut non plus en récuser l'évidence. Il convient donc d'interpréter l'oracle : ce qu'il a voulu dire, c'est que la sagesse humaine « a peu de valeur ou même n'en a aucune »; mais surtout, il a fixé à Socrate une mission : chercher, de tous côtés, l'homme sage et, s'il n'en est pas, dénoncer la fausse sagesse. Socrate s'est soumis : qu'on ne s'étonne pas de le voir questionner chacun, de négliger ses affaires, et de ne pas s'occuper de politique. Il a mieux à faire pour aider ses concitoyens. Il a pour tâche d'accoucher leurs âmes, comme le font les sages-femmes pour les corps des femmes. Quant à lui, il ne procrée rien : « Chez moi il n'y a point d'enfantement de savoir, et le reproche que précisément m'ont fait bien des gens, de poser des questions aux autres et de ne rien produire moi-même sur aucun sujet faute de posséder aucun savoir, est un reproche bien fondé [1]. »

Guidé par un démon, Socrate se conduit comme une « torpille »; il réveille les consciences endormies dans le bon sommeil des idées reçues. Cette attitude lui vaut, bien sûr, d'être détesté; généralement détesté, car il s'adresse à toutes les couches de la société pour en contester, indifféremment, les certitudes. Il suffit, d'ailleurs, de considérer la profession de ceux qui l'ont fait mettre en accusation pour être assuré qu'il ne laisse personne tranquille. Il y a là Anytos qui représente les politiques, Mélétos les poètes et les devins, Lycon les orateurs et les professeurs de rhétorique. Le procès est une réaction de la culture acquise contre une pensée qui refuse tout acquis, qu'elle soit ancienne ou de date récente.

Le libellé même de l'acte d'accusation (« Socrate est coupable de corrompre la jeunesse; de ne pas croire aux dieux auxquels croit l'État, mais à des divinités nouvelles, qui en sont différentes [2] »), les imputations qu'on lui a faites depuis longtemps (se livrer à des recherches physiciennes qui démentent les idées religieuses, détourner les jeunes gens

1. *Théétète*, 150c.
2. *Apologie*, 24bc.

de leurs devoirs familiaux et civiques) montrent bien que
l'affaire est montée de toutes pièces, qu'elle unit provisoirement des hommes qui n'ont ni les mêmes discours, ni les
mêmes intérêts. Il s'agit de se débarrasser d'un gêneur dont
l'audience ne cesse de s'accroître et qui met en péril des
positions diverses. Tout se passe comme si la tradition populaire et la nouvelle culture des rhéteurs et sophistes passaient
alliance.

Pourquoi cette haine? Certes, elle n'est pas nouvelle. Il y a
plus de vingt ans, Aristophane, dans *Les Nuées*, appelait
déjà à l'incendie du « pensoir » de Socrate et au meurtre
de ses occupants. Mais, en faisant une confusion impardon-
nable, d'ailleurs, il visait les férus de l' « éducation nouvelle ». Faut-il la mettre au compte d'une réaction contre
les « intellectuels » de tout genre qu'on rend responsables
des défaites militaires, attitude certes plus commode que
celle qui consiste à accuser les militaires eux-mêmes et dont
les temps ultérieurs ont donné maintes répliques? Il y a
plus, semble-t-il, qui est plus grave et plus significatif.

La jeunesse, positivement, le peuple, négativement, pres-
sentent, les gens en place savent que Socrate est effectivement une « torpille »; le seul moyen pour éviter qu'il ne
provoque une mise en question radicale est de le tuer (ou,
au moins, de le contraindre à l'exil, ce qui ruinerait tout son
crédit). Bien sûr, les jeunes gens l'aiment, les nantis de tous
ordres lui en veulent parce qu'il *nie*. Mais il n'est certes pas
le premier « esprit fort »! On en compte beaucoup chez les
sophistes, qui ne font guère de manières pour bouleverser
les habitudes mentales. Ce qui donne à la négativité qu'il
introduit une forme et un poids particuliers, c'est la
méthode qu'elle instaure.

A la fausse plénitude de la tradition, les sophistes n'ont
fait que substituer les subtilités de leur pseudo-encyclopé-
disme. Socrate procède autrement. Platon s'est attaché,
dans les dialogues qu'on a coutume d'appeler socratiques,
à communiquer le vivant contenu de l'enseignement de
son maître, à retrouver la puissance de son ironie. On l'y
voit parler de logique ou d'esthétique avec Hippias,

d'Homère avec Ion, de la sophistique avec Protagoras, de
la vertu politique avec Alcibiade, Gorgias, Pôlos et Calli-
clès (personnages probablement symboliques), de l'amitié
avec Lysis, de l'amour des dieux avec Euthyphron, de la
vertu militaire avec Lachès et Nicias, de l'art oratoire offi-
ciel avec Ménéxène, de la quête du savoir avec Ménon, du
bavardage savant avec Euthydème, du langage avec Cratyle...

La conclusion de ces dialogues est, en général, négative.
En apparence, les deux parties en présence sortent per-
dantes. L'homme sûr de soi, qui, sollicité par Socrate,
venait à la conversation avec ses réponses (ou avec des
questions dont il était persuadé de connaître les réponses)
et feignait de se prêter à l'entretien, en sort brisé, irrité et
décidé soit à réfléchir plus avant — ce qui n'est pas fré-
quent —, soit à moquer ou à détester l'ironiste qui a si
précisément détruit ses croyances. Quant à Socrate, il n'a
rien gagné non plus, semble-t-il. En fait, il a rempli la seule
tâche qui l'intéresse et pour laquelle il dit avoir été appelé.
A l'opinion, il n'a pas opposé, comme un de ces sophistes à
la mode, une autre opinion. Il a prouvé l'inanité de toute
attitude mentale, de toute conduite fondée sur l'opinion.
Il a mis en évidence le *vide* de l'opinion. Il l'a réduite à ce
qu'elle ne sait pas qu'elle est : l'expression de l'intérêt, de la
passion, du caprice...

L'ironie

Voyons cela plus précisément, car est ici le sol sur lequel
va s'édifier la philosophie comme genre culturel spécifique.
Soit le dialogue qui a pris pour titre *Lachès*. Certes, nous
aurions pu choisir comme exemple un entretien plus « intéressant », traitant de questions plus importantes. Le *Gorgias*, entre autres, qui prend pour objet la rhétorique et
son enseignement; ou le *Protagoras*, qui traite de la validité
et des limites de la connaissance. Ces textes, cependant,
nous paraissent déjà trop platoniciens. Le *Lachès*, dans sa

simplicité, est comme le degré zéro du dialogue socratique.
La situation : deux « bourgeois » athéniens, qui se sont faits
eux-mêmes, se préoccupent de l'éducation de leurs fils.
Un maître d'armes de brillante réputation vient d'arriver,
qui ouvre une école. Les deux pères de famille se demandent
s'ils doivent y envoyer leurs enfants. Or ils ne se sentent
guère qualifiés pour prendre une décision. Ils font donc
appel à deux de leurs amis qui ont qualité pour trancher :
ce sont des « spécialistes ». Lachès et Nicias sont deux stratèges renommés qui ont exercé maints commandements;
le premier, qui s'est formé sur le terrain, n'a guère de culture; le second, au contraire, a fréquenté les sophistes et
s'y connaît aussi en politique. Socrate se trouve là : on
l'invite à participer au débat. Et cela, pour trois raisons :
il a bien connu le grand-père d'un des jeunes gens; Lachès,
qui l'a eu sous ses ordres, témoigne de ses qualités de
combattant; et, enfin, il n'est jamais mauvais d'avoir un
tel homme de son côté lorsqu'il s'agit de la jeunesse, qui
tient le plus grand compte de ses avis.

Le débat s'engage : faut-il faire donner ou non des leçons
d'escrime aux jeunes gens? Les deux « spécialistes »
prennent successivement la parole. Nicias démontre, avec
une argumentation pleine de brio, qu'un tel enseignement
ne peut être que profitable, tant comme exercice corporel
que comme formation morale. A cette démonstration,
Lachès oppose des « faits » : il estime, quant à lui, que
cet entraînement abstrait ne sert à rien et que le seul lieu
où l'on apprenne à se battre, c'est le champ de bataille
même. Deux styles de pensée, deux attitudes qui s'opposent
et qui s'annulent. Comment choisir, dès lors? Les deux
pères de famille se tournent vers Socrate et lui demandent
d'opter pour l'une ou pour l'autre partie et ainsi, par son
vote, d'achever le scrutin.

Or, celui-ci met des conditions à sa participation. Il ne
s'agit pas, précise-t-il d'abord, de procéder « démocratique-
ment » en une affaire aussi grave. On doit choisir, mais il
faut que ce soit en connaissance de cause. La technique
adoptée jusqu'ici est mauvaise. Nicias et Lachès n'ont pas

entamé un dialogue effectif : ils n'ont fait que juxtaposer des monologues. Il est nécessaire, si l'on veut avancer, de construire une vraie discussion, c'est-à-dire de questionner avec précision afin d'amener les réponses adéquates (et non de collectionner des réponses sans question). Cette fonction interrogative, Socrate réclame qu'on la lui accorde...

Ce que font bien volontiers ses interlocuteurs. Dès le moment où liberté lui est laissée de mener le débat, Socrate en change *le sens*. Désormais, il applique sa méthode : et celle-ci consiste à définir rigoureusement *de quoi* on parle. Au problème vague : faut-il prendre des leçons d'escrime ? il importe de substituer la question plus profonde : qu'attend-on de l'enseignement de l'art des armes ? Or cette question elle-même renvoie à une interrogation plus radicale. S'il est vrai que la fin de semblables leçons est l'apprentissage du courage (ce que reconnaissent bientôt Nicias et Lachès), il devient clair que la question grâce à laquelle il sera possible de résoudre le problème initial est bien celle-ci : qu'est-ce que le courage ?

Le dialogue, peu à peu, s'est transformé : l'ironie socratique l'a fait passer du domaine empirique, où il s'enlisait et où ne pouvaient être exprimées que des préférences contingentes, à celui de l'*essence*, où doit s'élaborer un savoir. De cette obligation intellectuelle les deux stratèges sont bientôt convaincus. Lorsque Socrate en vient à demander ce qu'*est* le courage, ils se réjouissent : qui donc mieux qu'eux s'y connaît en cette matière ? Lachès, selon son habitude, évoque des « faits », cite des « exemples », confirmant les définitions successives qu'il donne. A ces « faits », Socrate n'a aucun mal à opposer d'autres « faits » contredisant ces définitions, tant il est vrai — conception qui sera constamment caratéritisque du projet philosophique — qu'aucun « fait » ne prouve jamais rien. Nicias est plus habile : il sait qu'il a affaire à un redoutable disputeur. Il construit ses réponses. Il doit cependant reconnaître, lui aussi, face aux contradictions auxquelles l'accule Socrate, qu'il ne sait pas ce qu'*est* le courage. Les deux pères de

famille sont fort déçus : ils réclament de celui qui a su
dénoncer si vigoureusement les erreurs et les confusions
qu'il donne une solution...

Socrate se met alors en retrait. Il n'a jamais prétendu,
lui, qu'il savait ce qu'*est* le courage. Ce qu'il a toujours su,
c'est à la fois qu'il ne le savait pas et que les autres, non plus,
ne le savaient pas. Et il donne rendez-vous à ses amis pour
qu'on en discute à nouveau.

Le *Lachès* est un modèle. Il révèle la méthode socratique
et, comme tel, définit négativement le point de départ de
la réflexion platonicienne. Cette dernière a pour origine
une situation où la violence est triomphante. Les dialogues socratiques constituent l'analyse critique de l'idéologie qui correspond à cette situation et qui, en quelque
sorte, l'explique. Quelle est donc l'attitude intellectuelle
de ceux avec qui discute Socrate ? Chacun est dans la *certitude* ; ce qu'il croit, il le pose immédiatement comme vrai.
La certitude de l'autre, il la rejette tout aussi immédiatement. S'il réfléchit, c'est, non pour se mettre à distance de
sa croyance, mais pour trouver les exemples ou les arguments qui la confirment. S'il entre en conversation, c'est
pour *affirmer*, pour *dire*, en un soliloque qui reste sourd aux
affirmations antagonistes. L'homme de la certitude s'enferme dans sa propre assurance.

Il fut un temps où la société était fortement hiérarchisée.
Seules comptaient alors, dans tous les domaines, les certitudes des « bien-nés » : c'est elles qui ordonnaient l'activité
sociale. Au sein de ce régime nouveau où le pouvoir est « au
milieu », chaque certitude est en *droit* non seulement de
s'exprimer, mais de s'imposer. Les maîtres sophistes
enseignent précisément la technique de la déclaration
péremptoire, bien nourrie de « faits » et de subtilités langa-
gières. Or. quand les citoyens s'affrontent sur des problèmes mineurs, qui n'engagent pas le destin de la Cité et
de ses habitants, il est toujours possible de faire des compromis ; ou de laisser chaque croyance commander pour un
temps ; ou encore de tenir pour juste celle qui emporte
l'adhésion de la majorité des citoyens. Il est de fait, l'expé-

rience historique l'atteste, que dès que surviennent des questions graves, ce genre d'opérations est sans efficacité. Le compromis « craque » et la minorité, toujours sûre de soi, refuse de se rallier à la majorité, dans la pratique sociale, et conspire. En vérité, comme il n'y a, entre ces diverses croyances, d'autre lien que celui de leur commune assurance et de leur commun antagonisme, comme n'existe aucun critère autre que contingent permettant de trancher, l'ultime recours est la violence. Sera tenue pour bonne et juste la croyance qui *matériellement* s'impose sans qu'il soit possible d'y résister. La force brute — celle des « porte-gourdin » — fait la vérité...

Pourquoi ne pas accepter, d'ailleurs, une semblable solution? Platon démontrera en quoi et pour quoi elle est illégitime. Mais nous, qui sommes aussi lecteurs de Thucydide, savons bien que c'est son inefficacité même qui l'invalide. Le destin tragique de la Cité athénienne au cours du Ve siècle le montre clairement. Au début, lorsque, aussitôt après les guerres Médiques, Athènes a constitué autour d'elle une alliance qui ne visait qu'à assurer son indépendance. Puis, peu à peu, elle a compris que le meilleur moyen d'être indépendant, c'est d'assujettir les autres et de prouver ainsi sa force. Mais, quand on choisit ce chemin, on n'y va jamais assez loin. Sans cesse, il faut prouver qu'on est le plus fort et, sans cesse, conquérir... Jusqu'au moment où on a tant d'ennemis qu'immanquablement on succombe à leurs coups.

Le pari philosophique

Cette idéologie où les croyances s'affrontent en un combat aveugle et où la violence devient le seul critère, convenons, avec Platon, de l'appeler *opinion (doxa)*. La première tâche des dialogues socratiques, qui forment à la fois l'introduction et la première partie du platonisme, est d'en faire apparaître la structure contradictoire. Au cours de toutes ces discussions, portant sur les thèmes que nous avons

énumérés et qui tiennent tous au cœur des Athéniens, il
s'agit de montrer que les notions autour desquelles ceux-ci
croient pouvoir organiser leur conduite politique, leur
pratique sociale et leur existence quotidienne sont *vides*,
vides de sens précis, que dès qu'on les interroge, elles se
révèlent confuses et contradictoires. L'*opinion* se veut
volontiers cohérente; elle croit s'appuyer sur des « faits »,
sur des évidences, sur des « vérités premières ». La mission
divine de Socrate est de contester cette certitude et, du
même coup, de montrer que là est l'origine des malheurs
que subit la Cité.

Cette tâche ne va point sans une autre : la dénoncia-
tion des nouveaux maîtres à penser. Ceux-ci ne font que
flatter l'*opinion* et lui donner des armes d'autant plus
puissantes qu'elles sont plus perfides. Ils définissent non
un art (qui connaîtrait ses principes), mais un savoir-
faire : « Ce que les pratiques de la parure sont à la gymnastique, cela la cuisine l'est à la médecine; ou, de cette façon
plutôt, ce que les pratiques sont à la gymnastique, cela la
sophistique l'est à l'art législatif, et ce que la cuisine est à
la médecine, cela le savoir-faire oratoire l'est à l'art de
juger [1]. » On les croit novateurs : ils contribuent encore un
peu plus à la démoralisation des citoyens et, à la violence
matérielle, ils en ajoutent une autre, une violence « au
carré », celle qui recèle la parole habilement mensongère.
Leur crime est d'autant plus grand qu'ils déshonorent
l'outil même de la justice, la parole, et la détournent de sa
fonction.

Les interrogations ironiques de Socrate ont pour fin de
restaurer cette fonction dans son intégrité. Elles n'y parviennent cependant que dans la mesure où elles mettent
en évidence le contenu de l'opinion. Au fond, lorsqu'on a
parcouru le cycle des preuves négatives administrées par
Socrate, on se trouve dans la même situation que le lecteur arrivant au terme de la *Première Méditation métaphysique* de Descartes. Aucune certitude ne subsiste plus :

---

1. *Gorgias*, 465c.

ne demeure qu'une activité indéfiniment constante. Le non-savoir qui se sait tel a triomphé du non-savoir qui s'ignore. Quant à la connaissance, à cette exigence qui est à l'origine de l'opinion même, elle n'apparaît plus que comme un irréalisable vœu. Ainsi, en interprétant l'enseignement de son maître de cette manière (Xénophon est, à cet égard, beaucoup moins précis et rigoureux), Platon établit un principe qui désormais va être constitutif de la réflexion philosophique. Celle-ci se définit, d'abord, comme rupture critique, comme *refus* de l'opinion, du système lacunaire et contradictoire des habitudes mentales couramment reçues. Elle est premièrement dans la dénégation, parce qu'elle sait que l'acceptation du « donné » conduit au désordre, à la particularité, à l'incongruité de la violence. S'impose toutefois l'obligation de ne s'en point tenir à ce refus, et cela à l'intérieur de l'enseignement socratique même. Sans doute, Socrate affirme-t-il que sa vertu est de savoir qu'il ne sait rien; mais il dit aussi que la conduite injuste, celle du « méchant », est le fruit de l'ignorance. Ce savoir qu'il ne possède pas, il l'appelle comme règle. A ne pas pouvoir l'exprimer à ses juges, à rester dans l'ironie, il s'expose à leur incompréhension. En acceptant d'être dans le retrait, il provoque, pour ainsi dire, leur erreur tragique.

Cette issue, Platon ne l'accepte pas. Tout se passe comme si, en prenant le chemin de la droite philosophie, il reprochait à l'homme qu'il admirait le plus d'avoir trop tôt désespéré, de s'être complu à cette mission divine — tout entière négative —, sans songer que l'élaboration d'une *science* était possible et que, désormais, grâce à l'entreprise critique radicale, les moyens en étaient donnés. Les Cités s'entre-détruisent; les citoyens s'entre-déchirent. L'*opinion* commence à comprendre sa sottise. Les sophistes ne sont plus que des fabricants de plaidoiries. Les poètes se répètent. Les devins se ridiculisent. Le moment d'une grande décision est venu.

Mais, au fait, sur quoi va-t-elle s'appuyer? Se contentera-t-elle de réitérer la contestation? Cherchera-t-elle quelque voie moyenne (comme le fera Isocrate) ou en appellerat-elle à la piété (Xénophon ne trouvera pas d'autre solution, en fin de compte)? L'ironie de Socrate interdit ces compromis ou ces régressions; elle exige ou bien qu'on s'y sacrifie sereinement ou bien qu'on aille de l'avant. Mais que reste-t-il maintenant qu'aucune notion sur quoi on puisse se fonder ne subsiste?

En vérité, Socrate n'a cessé d'indiquer le chemin. Il ne l'a pas pris, mais il l'a pointé du doigt. En instaurant l'art du dialogue, il a montré ce à partir de quoi le savoir nouveau peut s'établir. L'*opinion* ne dit rien qui vaille, mais elle *dit, elle se croit obligée de dire*, de légitimer ses passions et ses intérêts. L'homme est ainsi fait qu'il a besoin de la parole pour s'assurer de son bon droit à agir (ou même simplement, à vivre). L'*opinion* bavarde. Elle se prend à son piège qui est le piège même de l'humanité. Celle-ci ne se contente pas de faire, en même temps, elle signifie et cherche à rendre compte.

Le point d'appui est là : citoyen du discours, l'homme est l'animal à convaincre. En ce domaine, va se situer l'action philosophique. Le dialogue socratique a prouvé que le discours de l'*opinion* ne saurait se légitimer, qu'il se contredit, qu'il pose des questions auxquelles il ne peut pas répondre, qu'il donne des réponses alors qu'il n'a même pas l'idée des questions qui y correspondent. Le dialogue platonicien va s'efforcer de construire, par le jeu d'une légitimation, cette fois positive, *le discours intégralement justifié* qui, à chaque moment de son développement, rend compte du fait qu'il dit ceci plutôt que cela, qu'il le dit ainsi et point autrement.

Le pari philosophique — que la culture a repris sous des modalités multiples — est ouvert. Le problème, précisément posé, est celui-ci : la construction d'un discours, qui satisfasse tout individu de bonne foi et lui permette de répondre efficacement aux questions théoriques et pratiques qui se posent à lui, est-elle possible? Y a-t-il un discours (comme science) universel? Peut-on dépasser la variabilité des préférences et des intérêts?

A cela, l'œuvre platonicienne répond positivement, par

la construction d'une pratique théorique qui est la philosophie originaire même.

III. L'ORDRE DES IDÉES

Le piège de la parole

Prendre l'homme au piège de sa parole, l'obliger à convenir que celle-ci est autre chose que le simple reflet de l'intérêt, de la passion et du caprice, le convaincre qu'en parlant
il expérimente une réalité qui dépasse son statut empirique,
construire le système d'énoncés irrécusables auxquels tout
individu de bonne foi ne puisse refuser son adhésion,
bref, constituer un savoir qui soit reconnu comme juge
de toutes les opinions et, dès lors, comme guide de toutes
les pratiques, tel est, dans son mouvement premier, le
projet platonicien. Sur la dialectique contestante de
Socrate (et avec le même fondement), il importe d'édifier
une *sophia*, une science qui soit en même temps une sagesse.
L'alternative dont part la philosophie originaire — au sens
défini ci-dessous — est claire : ou bien l'homme accepte
le jeu indéfini de la violence et le règne de l'injustice commise ou subie, ou bien il cherche, dans l'exercice de ce qui
le spécifie parmi les autres animaux, le *logos* (terme qui,
en grec classique, veut dire tout à la fois : *mot ayant un
sens, discours* et *raison*), le moyen de pacifier son existence.
Cette alternative, cependant, il importe de l'authentifier.
La philosophie n'est certes pas le premier mode culturel,
en cette période même, à s'opposer aux désordres et à
l'inconstance de l'opinion (et aux maîtres en flatterie qui
les utilisent) : il y a une tradition religieuse et morale que
les poètes et les auteurs dramatiques expriment; il y a
les travaux des « physiciens » et des « médecins »; il y a
aussi les multiples sectes, plus ou moins ésotériques, et,
parmi elles, ces mystérieux disciples de Pythagore, avec
lesquels il semble bien que Platon ait été en relation; il y a

enfin les penseurs : Héraclite, Parménide, Anaxagore. La
« droite philosophie » doit se construire *avec* et *contre* ces
manières de penser. *Avec*, car il serait absurde de ne pas
reconnaître leur apport critique; *contre*, car il serait tout
aussi absurde de ne pas constater leur inefficacité.

Dès lors, la décision philosophique doit se déployer à
divers niveaux : elle lutte contre les ambiguïtés du sens
commun, son principal adversaire, et contre les « subtils
rhéteurs » et sophistes, qui l'exploitent; mais elle entre
aussi en conflit avec toute réalité culturelle qui ne s'inscrit
pas dans l'optique de la « droite », c'est-à-dire de la « stricte »
philosophie, de cette discipline nouvelle et surprenante qui,
dans et par le dialogue, vise à déterminer ce à quoi l'homme
peut s'attendre, lui qui parle, alors que sa parole le promeut
comme animal *impérial* — raisonnable, diront les aristotéliciens —, au sein de ce statut cosmique de finitude
radicale, celui de *l'animalité même* (le sort de l'homme
se joue dans l'ambiguïté du « sublunaire », précisera Aristote).

A quelle indépendance *(autarkéia)* l'homme libre, celui
qui vit comme citoyen, peut-il prétendre? Quel savoir et
quelle maîtrise de sa conduite peut-il revendiquer? Doit-il
nécessairement s'abandonner aux lois et aux pratiques
de la Cité qui l'a vu naître? N'a-t-il d'autre choix que celui
du conformisme (c'est-à-dire d'une adhésion à des caprices
successifs et contradictoires de la majorité) ou celui d'une
révolte qui l'honore, mais qui le met à part et qui, en le
mettant à part, le disqualifie? La troisième voie — celle d'un
savoir qui irait au-delà de *l'opinion* et de sa négation
abstraite, le refus pur et simple de l'opinion, l'ironie — est-
elle effectivement praticable? Qu'elle le soit, Platon en
administre la preuve. Cette preuve est théorique : elle n'en
appelle qu'à la nature même du discours de l'homme. Elle
est empirique aussi, car il serait bien étrange que cette
nature ne se manifeste pas dans les obscurités et les tra-
verses de l'expérience quotidienne.

La beauté, l'amour, la mort

La dialectique ascendante — c'est ainsi qu'on a coutume de nommer le mouvement par lequel l'esprit s'arrache peu à peu à l'opinion pour accéder à la science — n'est pas seulement d'ordre logique. Certes, une logique nouvelle en résulte. Mais sa constitution exige une mutation de l'existence entière. C'est le corps lui-même, l'affectivité qu'il faut transformer; c'est l'organisation sociale qu'il importe de remanier (ou, du moins, dans un premier moment, de penser autrement); c'est l'expérience qu'on doit interroger d'une autre manière.

Car il est trois données empiriques, parmi les plus importantes, grâce auxquelles chacun, pourvu qu'il aille jusqu'au bout de ce qu'il éprouve, dépasse son statut d'être désirant et souffrant. L'expérience de la beauté, celle de l'amour et celle de la mort sont telles, pourvu qu'on sache les prendre, qu'elles révèlent ce domaine différent, cet autre monde qui constitue le lieu propre du discours philosophique. Le *Phèdre*, le *Banquet*, le *Phédon* sont moins des dialogues dialectiques, destinés à *prouver* la pérennité du beau ou l'immortalité de l'âme, que des *appels*.

Le *Banquet* est, à cet égard, particulièrement significatif. Il s'agit d'une « beuverie » d'intellectuels. Bien vite, le ton monte. Le thème sur lequel on a décidé de discourir est celui de l'amour. Après les harangues bien polies des fabricants de belles phrases, Phèdre, Pausanias, Éryximaque, qui profitent de l'occasion pour parler de tout, de l'organisation des États à l'ordre du ciel, Aristophane développe son propos. Aux sentences et aux exercices rhétoriques, il oppose ses bouffonneries de poète comique. Le mythe qu'il invente, par sa drôlerie et son originalité, rend leur signification aux discours qui viennent d'être tenus — comme à celui que va prononcer Agathon — : un agencement harmonieux de sonorités, un bruit conventionnel. On passe enfin la parole à la philosophie, à Socrate. Lui aussi apporte un mythe : celui de l'origine de l'amour.

Amour est né de la rencontre, dans les jardins des dieux, lors d'un banquet célébrant la naissance d'Aphrodite, d'*Expédient*, lui-même fils d'*Invention*, et de *Pauvreté*. Ses parents ne sont point des Immortels; mais il est placé sous des auspices divins. Comme son père, il calcule et invente, comme sa mère, il cherche et mendie. Il est incertain, mais toujours plein d'espoir; il est pauvre, mais il connaît son dénuement. Comme le philosophe, l'amoureux éprouve douloureusement son statut actuel, mais il s'efforce d'aller au-delà, vers la beauté, vers l'immortalité.

La parabole est claire : au sein du désir charnel et de ses caprices, se dessine en creux un projet qui vise l'idéal. C'est cela que confirme la confidence d'Alcibiade. Celui-ci survient, ivre plus encore que les autres : il dit (lui qui, notons-le, est riche, beau et célèbre) combien il aime Socrate; il raconte aussi que jamais Socrate ne lui a cédé et qu'au contraire, il lui a appris ce que signifie la pulsion amoureuse. Le désir d'un beau corps conduit, pourvu qu'on le comprenne, à désirer les formes belles en général et, de là, à aimer la beauté en soi. L'amour est déjà connaissance : et ce qu'il pressent, au comble de son tumulte, c'est l'ordre qui est au-delà du chaos empirique.

La méditation sur la mort conduit, dans le *Phédon*, à la même conclusion. Dans l'opération de connaissance, nous expérimentons déjà que nous sommes immortels. Qu'avons-nous, dès lors, à craindre la mort, puisque, dès maintenant, nous sommes au-delà? Ainsi l'affectivité même comprend son propre dépassement vers la sérénité du savoir.

Du politique au théorique

Ce savoir qui est ainsi promis, il importe, cependant, de l'affermir et de l'édifier. La construction de la *science* est la seule vraie réponse que l'on puisse faire à l'*opinion*. La méthode, nous l'avons déjà définie. Elle consiste à utiliser *positivement* l'art du dialogue élaboré par Socrate. En fait, la mise en œuvre du savoir est en même temps la preuve de sa validité. Dès lors, un dialogue didactique comme la *République* — qui est comme le « manuel » sur lequel s'appuient les étudiants de l'Académie — va développer la science en même temps qu'il en déterminera les conditions d'édification. Il s'agit d'un type de production — qui deviendra le modèle, désormais, de toute production théorique — qui, à chacun des moments de son processus, justifie sa propre apparition. Les ponctuations stylistiques des deux interlocuteurs, Adimante et Glaucon, qui pourraient paraître ressortir au procédé, ont pour fin profonde de souligner ceci : qu'il n'est d'autre preuve que celle qui se donne dans et par l'échange discursif et la réalité même de l'adhésion de tout interlocuteur possible. La vérité est l'œuvre et la conclusion du dialogue.

La question posée par la *République* est celle de l'essence de la justice. Ne nous y trompons pas : ce problème est le problème philosophique par excellence. *Justice* veut dire ordre, efficacité et rationalité. Il s'agit de savoir s'il est possible de définir un statut de l'homme tel qu'échappant à la violence et à la surenchère inéluctable que celle-ci suscite, le discours pacifié s'impose comme juge et comme guide. Il s'agit de savoir, plus profondément, à quel type de conduite — individuelle, politique et « religieuse » — l'homme doit se conformer pour que se réalise l'ordre, la raison, c'est-à-dire la bonne correspondance entre l'organisation du *cosmos*, celle de la Cité et la hiérarchie dans l'âme.

Le thème du grand dialogue didactique est donc triple : il doit déterminer à la fois le statut de l'âme juste, l'ordonnance politique qui l'exprime et la rend possible et la réalité qui fonde l'un et l'autre. L'âme juste, sa nature sont écrites en si petits caractères qu'il est difficile de les déchiffrer. Mais ce qu'est la Cité de justice, plus aisément nous pouvons l'établir. En la définissant, c'est un paradigme de raison que nous atteindrons. Le dialogue sur la justice a pour centre, dès lors, la constitution de la « république », de la Callipolis, de l'État réussi. Et cette constitution a le privilège de déterminer les conditions de la conduite individuelle correcte.

Efforçons-nous donc — par le moyen du dialogue, c'est-à-dire du discours accepté et, par conséquent fondé — de construire la Cité parfaite, la *Callipolis*, celle qui correspond à la nature même de la « socialité », caractéristique de l'homme. Dans cette genèse idéale de l'État, la première forme qui, bien évidemment, se donne est celle du régime patriarcal. Le texte du *Politique* — qui présente dans un récit mythique « la philosophie de l'histoire » platonicienne — s'articule de la même manière : après l'Age d'or (au cours duquel les hommes étaient directement régis par les dieux et se trouvaient, de la sorte, « naturellement » justes), lorsque survint le cataclysme, l'humanité dut s'organiser selon l'ordre du travail; privée du secours divin, elle le fit d'abord dans la frugalité. Alors, précise l'analyse de la *République*, le pouvoir politique et le pouvoir paternel étaient confondus. Le commerce se réduisait au troc et la division du travail était simple, chacun produisant suivant son habileté et fournissant au petit groupe les biens nécessaires. On vivait gaiement et simplement, dans cette harmonie élémentaire où chaque besoin rencontre bientôt, pour ainsi dire sans médiation, de quoi le satisfaire.

En entendant cette description de la société patriarcale, Glaucon s'indigne : c'est là, dit-il, une société de pourceaux! [1] Socrate — c'est désormais Platon qui parle — accepte l'objection : il comprend, tout en le déplorant, que l'homme veuille plus et mieux que cette ordonnance simple. Que l'homme aille donc vers le luxe et la multiplication des besoins! Qu'il cède à la « civilisation », puisque telle est, semble-t-il, son exigence! Il veut « des lits, et des tables, et d'autres objets mobiliers, et, bien entendu, des mets cuisinés, et des parfums en essence ou bien à brûler, et les petites amies, et les pâtisseries... Et naturellement aussi toutes ces choses que nous mentionnons en premier lieu, maisons, vêtements, chaussures, on ne doit plus les tenir pour être celles qui répondent aux nécessités de la vie; mais en avant la peinture, en avant la broderie! Ayons

---

1. *République*, 372d.

de l'or, de l'ivoire et tout ce qui est de cet ordre [1]! »

Dès lors, la Cité enfle. La division du travail se complique au rythme même où les besoins se multiplient. Le désordre est en route. Le désir de « vivre » l'a emporté sur celui d' « exister ». Il faut aller sur ce chemin et Socrate sent bien qu'il serait dérisoire de le refuser. Mais qu'on sache, au moins, à quoi, alors, on s'expose et quels sont les remèdes. Une famille que le destin promeut en Cité, un organisme qui sécrète la pléthore, un monde qui s'abandonne à son devenir doivent s'ordonner s'ils ne veulent pas se perdre. Acceptons donc le fait de la « civilisation » puisque le style du dialogue (et la réalité qui le corrobore) l'impose.

La Société, désormais, a besoin de gardiens qui l'organisent, qui la défendent contre les intrusions étrangères, qui assurent son « autarcie » et maintiennent, avec sa survie, son unité. Qu'on veuille la « civilisation », certes! Mais qu'on réponde précisément à ce qu'elle exige! C'est là ce que ne savent point comprendre l'oligarchie spartiate ou la démocratie athénienne. L'une et l'autre s'épuisent à justifier leur tradition, celle-là sa tradition « passéiste », celle-ci sa tradition novatrice. L'une et l'autre méconnaissent l'essentiel : qu'il y a une « révolution » à opérer.

La première confie le pouvoir aux gens biens nés, la seconde aux élus du peuple ignorant et versatile. Or c'est à la compétence qu'il importe de le donner. La mesure initiale consiste donc à éduquer les gardiens de telle sorte qu'ils sachent résister aux appétits sensibles, qu'ils refrènent leurs désirs et n'aient d'autre but que ce à quoi ils sont destinés : la sauvegarde de la collectivité. Ces hommes, qui seront les bergers bienveillants et avisés du troupeau, il faut les sélectionner dès l'enfance. Des épreuves physiques, allant de la simple gymnastique jusqu'aux exercices cynégétiques et guerriers, permettront de découvrir ceux qui, par nature, sont capables de dominer leur corps. Ces adolescents *courageux*, on leur apprendra, de plus, à ordonner leur affectivité par un bon usage de la musique. Celle-ci devra être purifiée.

---

1. *République*, 373a.

Aujourd'hui — au sein de cette navrante « théâtrocratie » qu'est devenue Athènes —, elle n'est qu'occasion d'exalter les sentiments les plus vils et les plus niais; comme sa compagne, la poésie, elle imite servilement les mouvements du désir et se complaît aux délires de l'imagination. Alors, elle assurera, par sa rigueur, le *contrôle* de celui-là et de celle-ci. Elle sera servante de la raison, non de la passion...

Voici donc les gardiens sélectionnés. Comment doivent-ils vivre pour que l'emprise des appétits ne risque point à nouveau de les soumettre. Ils restaureront, dans leur communauté, les conditions de la cité patriarcale. Ils n'auront rien qui ne soit commun. Ils vivront ensemble sans que chacun ait la moindre propriété. Ils ignoreront l'usage de la monnaie et n'auront d'autre occupation que de renforcer par des exercices répétés leur courage, et bientôt, leur savoir. Le peuple des agriculteurs et des artisans — les « non-sélectionnés » — vivant, dans la paix, sous leur protection, fournira à leur subsistance. Les gardiens seront des guerriers qui assurent, à l'intérieur, l'ordre juste et qui, à l'extérieur, défendent l'intégrité de la Cité sans jamais attaquer.

Ces prescriptions, cependant, pour précises qu'elles soient, sont encore insuffisantes. Puisqu'il s'agit de définir une division du travail efficace au sein de l'État, allons jusqu'au bout et n'hésitons pas à poser les vrais problèmes. L'ordre social, qui est à la fois la condition et l'image de la *science*, doit maintenir l'*unité organique* de cette multiplicité qu'est la Cité. Il convient donc d'éliminer tous les facteurs qui risquent de compromettre cette unité. Un élément de désunion a été exclu : dès maintenant, il ne saurait y avoir de conflits à propos de la possession des richesses. Les agriculteurs et les artisans ne possèdent rien que leur « force de travail », qu'ils mettent à la disposition de la collectivité; les gardiens, eux non plus, n'ont aucun bien et offrent à tous la ressource de leur courage avisé. Reste un dernier obstacle : la famille, qui est fondée sur la division de l'activité sexuelle.

Lorsqu'il aborde cette question, Socrate multiplie les précautions : il sait qu'il va choquer ses interlocuteurs;

mais il sait aussi qu'il doit aller jusque-là s'il veut administrer sa preuve. Il démontre, d'abord, qu'on doit cesser
d'exclure les femmes du « travail politique »; sans doute,
la nature ne qualifie pas ces dernières aux mêmes tâches
que celles qui sont accomplies normalement par les hommes.
Est-ce une raison de ne point les faire participer à l'entreprise commune? Elles peuvent, elles aussi, être guerrières
et productrices, selon leurs compétences qui, qualitative-
ment, sont aussi grandes que celles des hommes. Il établit,
ensuite, avec une égale rigueur, que, du même mouvement,
il faut admettre le principe de la communauté des femmes
(et des hommes), c'est-à-dire la communauté des enfants.
Les magistrats fixeront les dates et les modalités des « mariages » (provisoires) : les rejetons qui naîtront de ces unions
seront élevés en commun, par les soins de l'État, et devront
être considérés collectivement comme les descendants de
la génération précédente, prise, elle-même, collectivement.

Telle serait la Cité rationnelle. Adimante et Glaucon,
séduits par la force de la démonstration, en conviennent.
Est-ce tout, cependant? Quel est donc cet « on », cet anonyme, qui préside à la sélection des gardiens et décide des
« mariages »? Il faut franchir une nouvelle étape, la plus
difficile, celle qui, plus que le communisme ou la communauté des femmes et des enfants, suscitera l'opposition.
Cette construction abstraite, cette genèse idéale n'a de sens,
en effet, que si la *forme* sociale ainsi définie est, non seulement strictement observée, mais encore effectivement
fondée. Il ne suffit pas de l'opposer à l'effectivité du désordre
générateur de violence. Il faut qu'elle soit autre chose qu'une
rêverie. Il faut qu'elle désigne, au-delà de l'expérience
banale et contingente, une autre expérience, nécessaire
et plus profonde.

Le philosophe-roi

Bref, à quelle condition le songe prend-il, sinon réalité,
au moins consistance? Que le philosophe naisse gouvernant

ou que le gouvernant naisse ou devienne philosophe? C'est
là, en apparence, encore, une condition formelle, « utopique » :
elle détermine un champ nouveau, qui va être au fondement
de toute la métaphysique classique. Demeurons, pour
l'instant, au sein de la logique du Socrate de la *République*.
Le gardien, tel qu'il a été défini jusqu'ici, a un rôle négatif :
il évite la désunion. Il ne peut avoir de fonction positive
et imposer l'organisation rationnelle que s'il *connaît* cette
dernière. Il doit être *philosophe*. Une semblable affirmation
ne manquera pas de choquer l'opinion publique. Comment
les philosophes se présentent-ils, en effet? De deux manières :
il y a les rêveurs, qui passent leur temps à construire des
systèmes absurdes, tout entiers perdus dans leurs abstrac-
tions; il y a les bavards, qui ouvrent des écoles, attirent la
jeunesse par leurs arguments spécieux et prétendent,
en tous les domaines, porter des jugements péremptoires.
Les premiers sont inutiles; les seconds, dangereux. Sans
doute faut-il convenir que cette image du sens commun
n'est pas sans légitimité. Mais cette situation tient, non
à l'essence de la philosophie, mais à la manière dont elle
est entendue. Certes, les philosophes semblent rêver; mais
c'est qu'ils voient plus loin. Face à cette incompréhension,
les moins solides d'entre eux se laissent, dès lors, contaminer.
Socrate accepte, lui, d'être moqué; Alcibiade ne le supporte
pas : il est séduit par la démagogie et use des facilités que
lui apporte le « naturel philosophique » pour assouvir ses
passions personnelles.

Dans la Callipolis, la philosophie retrouve son essence.
Elle se donne comme connaissance de l'absolu, comme activité théorique, qui, assurant ses propres fondements, se
définit comme incontestable. Mais, en vérité, que connaît-
elle et d'où lui vient cette vertu de s'exprimer dans un
discours qui résiste à l'épreuve du dialogue et de la contestation immanente que celui-ci implique? Pour répondre
sérieusement à cette question il faut encore revenir en
arrière. De quoi parlent les *opinions*? Nous le savons désormais : elles n'expriment que les intérêts et les caprices des
individus ou des groupes. Mais à quelles sollicitations

cèdent-elles? La réponse est présente dans l'interrogation même : l'homme de l'opinion — le *philodoxe* — se laisse fasciner par le monde de la perception; même s'il y calcule, même s'il s'efforce d'en jouer, il se laisse prendre à ses pièges; il l'accepte comme seule référence à laquelle on puisse se rapporter. Et c'est précisément à cette soumission qu'il doit son malheur...

Dès lors, l'alternative présentée il y a quelques pages : violence ou justice — qui est, finalement, d'ordre politico-moral —, s'articule d'une autre façon. Il s'agit maintenant de savoir à quoi, *dans la connaissance*, il importe de se fier. Ceux-là qui, dans la naïveté des bons sentiments ou dans l'hypocrisie des prévisions efficaces, se fient à la perception et aux mouvements de l'âme que celle-ci engendre sont condamnés, tôt ou tard, à succomber, positivement ou négativement, à la violence. Qu'ils aillent en ce chemin et, comme le tyran Archélaos — qui est un des modèles décisifs du *Gorgias* — acceptent, après avoir tué et parjuré, d'avoir infiniment peur.

La connaissance

Mais il y a une autre voie que celle de la brutalité et de la peur. Pour qu'on s'y engage, il suffit qu'on accepte ce *fait* que *connaître* n'est pas seulement *percevoir*. Cela est évident, d'ailleurs : si les critères de la perception étaient les seuls auxquels on puisse faire appel, on en viendrait, au sein du monde sensible même, à l'absurdité. Dans le *Ménon*, par exemple, Socrate met un enfant inculte en situation de démontrer, par ses seuls moyens, une loi géométrique fondamentale. La perception, pourvu qu'on la contrôle par un exercice raisonné, se dépasse d'elle-même. Elle est, en sa nature, si profondément connaissance qu'elle ne se connaît elle-même que comme reconnaissance.

C'est cette surprise de la conscience percevante se découvrant pensée connaissante que Platon exprime par l'idée de l'*anamnèse* : l'âme a déjà « vu » ce qu'elle découvre (ou invente) dans un autre monde, sinon elle serait incapable d'opérer le moindre tri au sein du chaos des qualités sensibles. Elle *doit* l'avoir vu. Dit autrement, cela signifie que *connaître*, c'est percevoir autre chose que ce qui est perçu ; c'est accéder à un autre monde, qui est seul *réel*, sinon tout s'abîmerait dans le kaléidoscope des impressions et de leur chatoiement.

La nouvelle théorie de la connaissance — qui fonde la nouvelle culture, c'est-à-dire la bonne politique — doit faire une hypothèse, moins acceptable encore que les précédentes et plus agressivement novatrice encore : qu'il existe une réalité non perçue, mais « entendue », qu'il y ait des Idées, des Essences qui soient plus réelles que ce qu'on tient, en général, pour réel et qui soient, précisément, l'objet de ce savoir rationnel. A son tour, la théorie de la connaissance s'infléchit ; elle débouche sur une théorie de l'Être.

A la fin du livre VI de la *République*, Platon invite ses auditeurs à imaginer un segment divisé en quatre parties inégales de telle sorte que : $\dfrac{\overline{AC}}{\overline{CB}} = \dfrac{\overline{AD}}{\overline{DC}} = \dfrac{\overline{CE}}{\overline{EB}}.$

$\overline{AD}$ représente tout ce à partir de quoi nous sommes obligés de former des conjectures : par exemple, les reflets des choses à la surface des eaux et des miroirs, les œuvres d'art représentatives ; c'est le degré le plus bas de l'Être, celui qui est le plus proche du non-Être ; y règnent l'imprécision, l'instabilité, la confusion. La section suivante désigne le monde sensible proprement dit, les animaux et les « réalités » naturelles ; c'est le lieu de l'expérience perceptive ; comme l'avait déjà souligné Héraclite et Parménide, cet univers est emporté par le flux perpétuel qui ne cesse de faire et de défaire ; sitôt que, sur la foi d'une constatation, on fait, à son propos, un énoncé, celui-ci révèle son inanité : ce qui était dit comme étant, déjà n'est plus ; la couleur et la forme que l'on croyait « vraies » déjà se dissolvent. La perception *comme telle* est sans vérité. L'ensemble de

ces deux segments constituent « le sensible » (le *Timée*
s'efforcera, plus tard, de construire une doctrine de la perception et des « qualités sensibles »; mais, précisément, par
l'analyse théorique de la *République* il l'aura éclairé).
Lui faire confiance est le lot de ceux-là qui, exclus de toute
éducation, laissent sommeiller leur âme au sein de leur
corps...

Mais l'âme a des forces pour s'éveiller. Il suffit que Socrate-
la-torpille prenne la parole au *Banquet* pour que se dissipent
les vapeurs du vin et se dessine le vrai visage d'Érôs, penseur exigeant. La section $\overline{\text{CB}}$ est celle de l'intelligible;
elle s'exprime dans le discours contrôlé (il ne sera plus nécessaire, maintenant, de donner cette précision : un discours
non contrôlé n'est pas un discours, mais seulement le bruit
que fait la passion). La recherche qui se défie du sensible,
en un premier moment, s'attache à élaborer des conventions
qui vont lui permettre de réaliser l'accord intellectuel.
Ainsi procèdent les savants, c'est-à-dire les mathématiciens
qui posent arbitrairement des principes, des « hypothèses »
à partir desquels se développent, dans la rigueur, leurs
raisonnements. Il s'agit là d'un moment décisif puisqu'il
signale la rupture entre l'ordre de la chose et celui du concept.
L'erreur, toutefois, serait de croire que, du même coup,
le problème du statut du savoir est résolu.

La réflexion platonicienne est ici, pour son temps, d'une
originalité exceptionnelle, et, pour le nôtre, d'une importance capitale. Il faut souligner, en premier lieu, ce fait
banal que la distinction, à laquelle nous sommes accoutumés,
entre la science et la philosophie est toute récente (elle a,
tout au plus, un siècle et demi). Or Platon, qui invente la
philosophie, pressent, pour ainsi parler, qu'un *modus
vivendi* (ou une hiérarchie) devra être établi entre les disciplines qui, comme les mathématiques (et, plus tard, la
physique), exigent qu'on accepte leur domaine de développement et cette science qui revendique le privilège, peut-être
fou, de rendre compte de la constitution et du traitement
de tous ces domaines. Platon n'est pas pythagoricien;
s'il l'est, s'il veut qu'on soit géomètre ou arithméticien,

c'est qu'il tente de fonder, au-delà, le savoir qui transforme les « hypothèses » de ceux qui ont su « mourir au sensible » en vérités incontestables.

On doit souligner en second lieu — il s'agit de nous — que cette volonté de distinguer, dans ce qui ressortit à l'ordre théorique — la section de l'intelligible —, ce qui provient d'une simple acceptation de cet ordre et ce qui résulte d'une volonté de constituer cet ordre et de le légitimer comme tel. En posant qu'il existe un segment $\overline{EB}$, la philosophie platonicienne installe l'activité théorique en son domaine spécifique. C'est à ne pas avoir entendu son enseignement et à s'être compromise successivement (et d'une manière contingente) avec les religions, les disciplines empiriques, les idéologies politiques, bref à ne pas avoir distingué soigneusement $\overline{CE}$ et $\overline{EB}$ que la philosophie, de mode culturel décisif, est devenue ce qu'elle est : un éclectisme bavard, pédant et inefficace.

Le Bien

Il importe que les « hypothèses » soient prouvées : qu'elles ne soient pas le fruit d'une simple convention, mais l'expression de ce qui est, de ce à quoi on peut légitimement faire confiance. La dernière section est celle du pur intelligible ; elle représente le monde des Idées ou des Formes. Sur la nature exacte de ces réalités ultimes, il faudra revenir. La détermination de cette nature sera précisément l'objet privilégié de la discipline que nous connaissons sous le terme « métaphysique ». Pour l'instant, c'est seulement par analogie que nous pouvons essayer de comprendre ce que sont les Idées et ce qu'est leur principe. Telle est précisément la fonction pédagogique du fameux mythe de la Caverne, que précède, dans l'économie du texte platonicien, l'analyse de la comparaison Soleil-Bien. Le domaine des Idées est aux notions scientifiques ce que sont, dans l'univers sensible, les choses perçues à leur reflet dans les eaux et les miroirs. Plus généralement, la réalité idéale dans son ensemble entretient ce même rapport avec le sensible en général. Ainsi, l'Idée a un double statut : elle est d'abord un modèle qu'imite au niveau du discours l'ordre « scientifique »; mais, plus généralement, est-elle le paradigme que copie le donné phénoménal? L'Idée est très précisément ce dont parle le discours de la droite philosophie (comme le donné sensible est ce dont parle l'opinion).

Dès lors, ses caractères sont exactement antithétiques de ceux de la chose perçue. Celle-ci est changeante; celle-là sera immuable, elle échappera aux dissolutions qu'impose le devenir; celle-ci est confuse; celle-là sera distincte et, du coup, on en pourra donner une définition rigoureuse; celle-ci est opaque; celle-là sera transparente; celle-ci se diversifie en contenus multiples; celle-là aura la pureté formelle. La chose perçue dépend de la situation de celui qui la perçoit; l'Idée est en soi; la première oppose au savoir l'écran de ses obscurités; la seconde offre à l'Esprit libéré la transparence intégrale de son intelligibilité; la première est chaos; la seconde est ordonnance. Entre les choses, les relations sont obscures et incertaines; les Idées forment un système, que la dialectique découvre et que le savoir philosophique reflète.

Le principe de ce système, c'est, nous dit Platon, le Bien; celui-ci assure l'unité de cette diversité ordonnée. A la fin du livre VI de la *République*, le Bien est comparé au Soleil; de même que le soleil, ici-bas, éclaire et donne vie aux êtres naturels, de même, dans l'univers intelligible, le Bien organise et fait connaître les Idées... Ce Bien est principe de vérité et d'unité; et l'on sait que pour les Grecs, ce que nous appelons, nous, aujourd'hui, domaine moral et domaine esthétique, ne forme qu'un tout : le Bien est aussi beauté. Ce qu'il est en soi, ce que recouvrent ces dénominations, le discours de l'homme dont l'âme, quoi qu'elle fasse, reste rivée au corps ne peut l'exprimer. Du Bien plus encore que des Idées, on doit parler par analogie... Cette difficulté — « les belles choses sont difficiles », aime à répéter Platon —, celle, finalement, d'une trop grande clarté, trop grande pour qu'elle soit dite, a été utilisée abondamment

dans l'histoire ultérieure de la pensée. Les interprètes du
platonisme, ceux qui voulaient le reprendre comme ceux qui
tenaient à le reviser, ont remplacé l'Idée des Idées, définie
seulement par analogie, par cela qui convenait à leur doctrine : Dieu ou l'impératif catégorique, selon les moments
idéologiques...

Ne nous hasardons pas à une nouvelle interprétation
qui risquerait d'être tout aussi contingente. Disons simplement qu'en faisant du Bien le Soleil des Idées, Platon
donne consistance ontologique à la conception socratique
selon laquelle la solution du problème de la conduite (politico-
morale) et celle du problème du Savoir sont liées : savoir,
ce n'est pas seulement connaître ce qui est, c'est appréhender
ce qui vaut, c'est déjà agir selon l'ordre qui convient tout
à la fois à l'homme, à la société et au *cosmos*. Le « préjugé »
que reprendra toute la métaphysique classique et qu'exprimait Descartes dans sa formule fameuse « il suffit de bien
juger pour bien faire » est ici tout entier défini. Un Bien
sans savoir n'est pas un *bon* savoir.

Bref, de l'ordre de l'Être à l'ordre du Vouloir « la conséquence est bonne ». La discussion sur le problème de la
justice débouche, dans la *République*, sur une analyse
politique qui elle-même réclame son fondement ontologique.
La question du comportement individuel renvoie à la
question même de l'Être, par le moyen de la définition de
l'État correct. Désormais, les catégories essentielles de la
philosophie sont mises en place; avec les problèmes spécifiques qu'elles entraînent.

L'éducation

Toutefois, la victoire de la philosophie n'est pas assurée.
Si les pédagogues modernes ont donné une importance
excessive à l'allégorie de la Caverne, au point qu'on pourrait
croire que ce récit mythique est la conclusion de la *République*, c'est qu'ils n'ont pas vu que Platon, lui, avait d'autres
preuves à administrer, contre la multiplicité des opinions

communes, contre les sophistes, contre les poètes, contre
les hommes de métier, contre les politiques, contre ceux
qui font des récits historiques. Le philosophe sait qu'il y a
des Idées, que les essences existent. Il sait que si elles n'existent pas, alors autant vaut s'abandonner au désordre de
l'animalité. Mais ceux qui ne « savent » pas ne *le* savent pas.
Il convient donc de parfaire la pédagogie. La suite normale
du mythe de la Caverne, c'est la description méticuleuse
du *cursus studiorum* que doivent suivre ceux qui ont
été sélectionnés comme aptes à devenir magistrats.

Au gardien qui aura fait les preuves de sa « volonté »
de justice, on apprendra les « disciplines éveilleuses »,
celles qui enseignent, de par leur pratique, à se défier du
sensible, à éduquer l'œil de l'âme. Mais ces disciplines, de
ce fait même, changeront de statut : elles seront tournées
vers ce qui les dépasse, vers la philosophie. Soit, par exemple,
l'astronomie : l'astronome, selon l'opinion, est celui qui
regarde les cieux, les étoiles et les planètes, qui s'absorbe
dans cette perception et qui, de cette observation, recueille
des leçons qu'il exprime sous la forme d'énoncés généraux
et peu conséquents, et de prescriptions particulières et vagues.
Or l'astronomie, prise philosophiquement, c'est-à-dire orga-
nisée selon les concepts qui président à son activité, ne
peut être que la science des corps abstraits en mouvement.
Anticipant sur les démonstrations de Galilée et de Descartes, Platon met en évidence le fait qu'aucune « science
régionale » (selon lui, arithmétique, géométrie plane, géométrie des volumes, astronomie, « musique » — science des
nombres harmoniques) n'atteint son objectif que si elle
rompt avec les habitudes perceptives.

Les « disciplines éveilleuses » permettent au futur gouvernant de « pratiquer » l'intelligible. Mais c'est une pratique
plus déliée encore qui va accomplir la science : la dialectique. Dans le *Sophiste* et le *Politique*, Platon donnera de
la méthode dialectique une définition plus technique et
la développera dans ses applications; ici, il la situe. Elle est
la « science » ultime; elle achève le *cursus studiorum* et son
usage conduit à la connaissance même des Idées, qui est

une *théoria*, une « contemplation ». Elle est, avant tout, une discipline du discours, de cette forme de discours par quoi le savoir advient : le dialogue. Elle consiste à apprendre à formuler, à propos de chaque problème « concret » envisagé, les questions grâce auxquelles ce problème sera posé en termes si corrects que, progressivement, la bonne réponse ne puisse manquer d'être donnée. La bonne réponse : celle qui exprime l'essence même et apporte l'intelligibilité dernière.

La dialectique est l'exercice qui mène à la connaissance de l'Essence et du système des Essences, c'est-à-dire du Bien. Elle est l'œuvre propre de la philosophie originaire. Il faut remarquer ici qu'en la définissant de cette manière, Platon s'oppose à une tradition que les sophistes avaient cultivée. Dans le sens courant, la dialectique est comprise comme le procédé dont use l'homme de bon sens pour régler ses difficultés en discutant avec ses concitoyens; elle est ce grâce à quoi l'homme qui ne possède pas de compétence particulière se tire d'affaire; quant aux « compétents » — des géomètres aux cordonniers —, compétence qui ne s'applique qu'à des secteurs fort restreints, ils possèdent des techniques particulières. Isocrate, qui est loin d'être « le misérable rhéteur » que présentait Dilthey construira, contre Platon, une « philosophie des gens moyens », des « honnêtes citoyens », qui reprend cette perspective commune; Aristote lui-même, fondateur de la « science nouvelle », suite et négation du platonisme, l'ontologie, replacera la dialectique à ce niveau général d'efficacité.

Fonction de la philosophie

En accordant à la dialectique cette fonction suprême, Platon définit la philosophie comme une *spécialité*. Elle est, non pas ce qui appartient, au fond, aux non-compétents (ou aux compétents hors de leur compétence), mais une compétence particulière qui, comme telle, exige un long et pénible apprentissage et qui permet de dominer un domaine propre. Mais ce domaine, qui s'exprime dans le « dialogue dialectique » conquérant progressivement l'universalité, détermine l'intelligibilité de tout ce qui est et de tout ce qui paraît être. Le philosophe est un *spécialiste*, mais le *spécialiste de l'universel*. Ainsi s'instaure une autre tradition, qui soulèvera bien des polémiques dont l'importance a été et demeure considérable : celle qui spécialise la philosophie pour en mieux assurer l'empire.

Le Savoir, à quoi conduit « la droite philosophie », est contemplation, vision intellectuelle de ce qui est effectivement dans l'ordre et la signification où cela est. Le gardien, parfaitement éduqué, est devenu magistrat. Désormais, il est en droit de donner des ordres à tous (de leur mentir même, précisera Platon dans le *Politique*, pour assurer la sauvegarde de la Cité, qui est, en même temps, sauvegarde de chacun de ceux qui l'habitent). Il doit le faire : il y est contraint. Sans doute préférerait-il se consacrer exclusivement à cette entreprise de connaissance. Mais il sait bien qu'il lui faut veiller au maintien de l'État rationnel, faute de quoi l'entraînement sensible ne tardera pas à s'imposer tandis que la possibilité qu'un « philosophe droit » vise et enseignesera, à nouveau, exclue. Il gouvernera donc. Il fera régner la justice : il imposera ici-bas l'ordre que le *cosmos* indique et que la Raison définit. Pour bien comprendre la sélection sur quoi repose le gouvernement de la Cité réussie, acceptons cette conception d'ensemble : la « nature » a fait naître trois types d'hommes. Les premiers ont un caractère de bronze : en eux dominent les appétits sensibles, auxquels spontanément ils obéissent; le ventre les guide. Les seconds ont un caractère d'argent : c'est l'impétuosité qui les gouverne; ils sont naturellement irréfléchis, irascibles; ils n'hésitent pas à risquer leur vie. Les troisièmes, que nous dirons faits d'or, n'ont de plaisir que dans la pensée spéculative. En fait, chaque homme participe à ces trois types; mais, en chacun, il y a une dominante. L'opération sélective, qui a lieu dès le plus jeune âge, a pour fin de déterminer la dominante. Les âmes de bronze, qui doivent se soumettre en tout aux prescriptions de la Cité, fourniront à la subsistance de tous; elles serviront l'agriculture et l'artisanat. Les âmes d'argent savent vaincre l'inclination au sensible; mais elles ne savent pas rompre avec lui : le guerrier risque sa vie, par passion, mais il ne sait pas pourquoi; lui aussi doit obéir. Il obéira aux âmes d'or que l'éducation philosophique conduira à la connaissance de ce qui est véritablement.

Cette hiérarchie dans l'obéissance a le mérite d'amener chacun des types à la vertu qui lui convient. En tant qu'il obéit aux gardiens, le « ventre » est contraint d'être tempérant; en tant qu'il comprend qu'il doit obéir aux magistrats, le « cœur » du guerrier se domine et s'exerce au courage lucide; en tant qu'il connaît la fonction impériale de la Raison, la « tête » se réjouit de réaliser ce qu'elle veut profondément. La justice est bien cela : non une vertu, mais l'organisation des vertus. Que la Cité soit donc divisée en trois classes : ceux qui assurent la production matérielle, ceux qui veillent à la défense de l'État, ceux qui administrent; que l'insertion de chacune de ces trois classes soit fonction non de l'hérédité (le principe de l'éducation sélective joue à chaque génération), non des habitudes sociales, mais de la compétence. Chacun, dès lors, sera vertueux et la Cité sera *géométriquement* harmonieuse; chacun pourra vivre selon ce qu'il est.

Il pourra *vivre*. Le malheur de la Grèce, selon Platon, est d'avoir défini les conditions dans lesquelles une vie proprement *humaine* est possible, mais de n'avoir jamais précisé les conditions de cette possibilité. La *République* propose un modèle : il est aristocratique. Ce serait commettre un anachronisme inacceptable que de le condamner au nom de l'exigence moderne de démocratie (ou de l'avaliser par référence au fait technocratique contemporain). La démocratie athénienne, que Platon combat, est une démocratie militaire qui laisse, *en droit*, à quelque trente mille citoyens (*en fait*, moins de dix mille, semble-t-il) la possibilité juridique de décider pour quatre cent mille individus. Quant à l'accusation selon laquelle Platon aurait été un partisan, voire un propagandiste, de la Sparte oligarchique,

elle tombe du seul fait qu'à Sparte gouverne une caste
de guerriers recrutés héréditairement — le contraire de la
compétence philosophique!

Cependant, il s'agit, certes, de cela, mais aussi de bien
autre chose. La *République* n'offre pas seulement une solution « politique » : elle lie étroitement cette solution à une
théorie du Savoir, à une conception de ce qui est, du statut
de l'animal homme et de son devenir dans le *cosmos*...
L'accès à la philosophie est politique (au sens large); la
question de la justice est celle par quoi il faut commencer.
Mais la philosophie est déjà au-delà du politique : elle n'en
dépend que parce qu'elle s'y alimente.

Si l'homme peut échapper à la violence — à l'injustice
subie ou commise —, il convient qu'il sache à quoi il s'engage : à penser. Or penser, qui est « une belle chose »,
est difficile. Et il faut penser le tout : la pensée elle-même
et sa possibilité.

IV. L'ORDRE DE L'ÊTRE

Sensible et intelligible

La possibilité, c'est, en premier lieu, l'existence même des
Idées. Il faut préciser immédiatement : des Idées *séparées*.
La constitution de la philosophie comme Savoir fondamental
— rien, à cet égard, n'est changé (et ne peut changer)
depuis Platon — suppose la réalité de l'intelligible (ou,
si l'on préfère, la réalité de l'idéalité, c'est-à-dire l'idéalité
du réel). Mais la philosophie originaire, platonicienne,
confère aux essences un statut qui va poser un ensemble
articulé de problèmes que la métaphysique, dans son devenir, ne va cesser de reformuler et de « résoudre ». Les Idées,
selon Platon, sont transcendantes au sensible : tout se passe
comme si le fondateur de l'Académie, soucieux de combattre
efficacement les approximations des non-philosophes et
des antiphilosophes, devait passer « à la limite ».

Pour que le discours universel ait un objet, pour qu'il ne soit pas un discours vide, il faut que le système des Idées soit. Ce système et le langage qui l'exprime sont, en tant que tels, auto-suffisants : ils existent en soi. En aucune manière, ils ne dépendent. Ils tirent de soi leur justification. Ils n'en restent pas moins en relation avec cela même qu'est l'homme dans le monde phénoménal. Le philosophe vit ici-bas et l'ordre qu'il a à défendre, c'est au sein du devenir qu'il doit le faire. La question de la relation, d'une part entre ce qui est et ce qui apparaît et, d'autre part, celle parallèle, entre le discours philosophique et celui de « l'opinion » ne peut manquer de se reposer.

La critique aristotélicienne va bientôt radicaliser cette question : elle définira ainsi une des interrogations cruciales de la métaphysique; elle invitera la « science fondamentale », au prix de difficultés considérables, à renoncer à la théorie des Idées séparées. Car le Stagirite pense que l'immanence des Essences à la réalité phénoménale est, finalement, plus acceptable que leur transcendance. Que cette transcendance soit nécessaire : c'est ce à quoi, semble-t-il, Platon, quant à lui, n'a jamais renoncé; qu'il faille essayer d'en déterminer plus précisément la nature, c'est aussi ce à quoi il s'est attaché. L'enjeu est considérable : il engage à la fois, comme nous venons de le noter, ce qu'on a appelé depuis « la théorie de la connaissance » et l' « ontologie ». Y a-t-il deux discours, s'exprimant, certes, dans la même langue, mais se développant selon des critères différents, l'un — celui du savoir — pouvant s'instituer comme juge de l'autre, de tous les autres? Y a-t-il deux réalités distinctes, l'une réelle, l'autre apparente, la réalité étant tutrice de l'apparence?

Bref, puisque ce serait folie que de nier l'existence, même précaire, de l'apparence, il convient — parce que la tâche du philosophe est actuelle — d'examiner le genre de relations qu'entretiennent l'existence (apparente) et l'existence (réelle). Pour parler de ces relations, l'analyse platonicienne s'articule selon deux directions principales : la première est strictement logique; la seconde a une portée ontologique

et se manifeste dans un mythe. Le sensible « participe »
(métékheï) de l'intelligible; il a affaire *avec lui*; il en est
séparé, mais cette séparation — qui est confuse — n'est
pas étrangeté. En un premier sens, l'Idée (ou essence ou
forme — par opposition au matériau qui s'altère et périt —)
est cela qui permet à un jugement d'être durablement vrai.
Au sein du monde soumis au changement, n'importe quoi
peut être dit de n'importe quel sujet, puisque aucun principe
ne préside à l'énonciation. L'Idée est cette *réalité* stable
et transparente grâce à laquelle un sujet — le sujet de la
phrase — peut être exactement qualifié. « Callias est juste » :
voici l'énoncé qui est dénué de sens, qui peut être l'objet
de toutes les contestations, de toutes les roueries sophistiques, s'il n'existe pas une essence de la justice. Mais
« justice » se dit aussi autrement : par exemple, dans la
phrase « la justice est une vertu ». A l'ordre du discours
contrôlé doit correspondre une organisation des essences.
Le *Sophiste* et le *Politique* montrent que la méthode de la
division, de l'analyse, permet de situer, à propos d'un problème « concret », ce jeu rigoureux de renvois successifs
grâce auquel un ensemble unifié de phrases prend une signification univoque. On ne sait ce qu'on dit que si l'on a
défini de quoi on parle. De quoi parle-t-on? Des essences,
précisément, et de leur hiérarchie.

Il reste à savoir pourquoi cette « méthode » est finalement
plus opérante que les techniques dont usent les sophistes
et les rhéteurs. Le discours philosophique *vaut mieux*,
à l'intérieur de ce combat « logique » qu'est le dialogue,
que l'argumentation sophistique. S'il en est ainsi, c'est
que s'y manifeste, non seulement un ordre des raisons, mais
aussi un ordre de l'Être. La supériorité du discours dialectiquement contrôlé, supériorité sur les autres langages,
celui du politique, du poète, du devin, de l'homme de
métier, du « brave homme », a pour fondement le fait qu'il
s'adresse à ce qui est. Le mythe de l'artisan divin du
Timée fonde l'image géométrique de la *République*. Jadis,
il y avait, d'une part, le monde intelligible, se conservant
dans son immuable pureté et, d'autre part, le « récep-

tacle », lieu confus où s'épandent d'indéfinis changements. Les dieux ordonnèrent au Démiurge de prendre pour modèle l'univers des essences et de forger à sa ressemblance le matériau illimité. L'ouvrage fut aussi bien fait qu'il était possible : cette réalité sensible qui est la nôtre en résulte. Il est mixte : le matériau modelé, soumis à la génération et à la corruption, résiste à l'information divine ; constamment il s'y oppose et la détruit... Ici-bas, les Formes s'effilochent et se perdent.

Le statut de l'Idée

L'Idée — si nous schématisons cet ensemble de textes —, c'est donc, en même temps, une *catégorie logique* qui permet le jugement, un *modèle* et, aussi, une *cause*. Elle est le principe à la fois logique, épistémologique et réel de l'intelligibilité. Platon ne se leurre aucunement sur les obscurités que présente sa conception de la « participation » de l'essence et de l'apparence. Dans le *Parménide*, le vieux philosophe contraint même le jeune Socrate à aller jusqu'aux implications dernières de la théorie qu'il propose : il faut supposer, pour être rigoureux, qu'à toute donnée sensible correspond une Idée qui en est la cause et la raison, que toute relation obscure entre « choses » a pour paradigme une relation idéale transparente, bref, qu'il existe un double intelligible, ordonné, unifié, du désordre phénoménal. Il faudra donc qu'il y ait une Idée — belle, claire et intégrée au système du Bien — du cheveu, de la boue et de la crasse.

Aristote, répétons-le, reprendra cette problématique et conclura qu'il faut renoncer à la théorie des Idées séparées. L'admirable de la conception platonicienne est qu'elle ne se laissera pas prendre à cette alternative abstraite, qu'elle maintiendra la difficulté et tentera d'en développer les conséquences aux divers niveaux où elle se présente.

Les dialogues appelés dialogues de la maturité, le *Théétète*, le *Parménide*, le *Sophiste*, le *Politique*, le *Timée*, le *Critias*,

le *Philèbe* administrent les « illogismes » de la théorie de la
« participation » et prennent ceux-ci en charge. En vérité,
se produit, semble-t-il, un double mouvement : d'un côté
le souci que le philosophe doit avoir de s'y reconnaître
dans le sensible le conduit à considérer ce dernier comme
un « mixte » — un mixte, non un mélange indistinct —
à l'intérieur duquel les traces de l'intelligible, cause et
modèle, peuvent être repérées; d'un autre côté, la nécessité
de donner au savoir philosophique, analogiquement et
formellement défini par la *République*, un contenu effectif,
l'entraîne à conférer à l'intelligible une consistance plus
grande, à développer *matériellement* la science nouvelle,
afin de la mieux opposer aux faux-savoirs, fondés sur
l'*opinion*; un autre « mixte », du même coup, s'institue, qui
a l'aspect extérieur des discours des savants, mais qui,
lui, justifie de sa légitimité.

Le sensible n'est plus abandonné à l'inintelligibilité qui,
cependant, le caractérise; l'intelligible ne se réduit pas à
un formalisme pur qui demeure, toutefois, à son principe.
La participation-séparation du théorique (de la philosophie)
et de l'empirique (de l'existence quotidienne) indique
des interrogations vraies, c'est-à-dire des questions et
des réponses, en droit, au moins, correctement formu-
lables.

Concernant le premier mouvement, celui qui vise à
assimiler ce qui, dans le donné phénoménal, ressemble à
l'essentiel, le *Philèbe*, semble-t-il, fournit un bon exemple
de la démarche platonicienne. Le problème posé est
« concret » : il s'agit du plaisir comme critère du jugement
et de la conduite. La subtilité de l'argumentation, l'abondance des références indiquent, s'il en était besoin, que
l'affaire est d'importance. Les intellectuels ne cessent d'en
discuter; l'homme nouveau s'est libéré des interdits étroits
de la religion; une positivité révolutionnaire s'est instaurée,
qui fait valoir les « droits » de la nature contre les prescriptions traditionnelles; faut-il penser, pour autant, que
« pour le bonheur de notre vie, les plaisirs sont ce qu'il y a
de plus efficace », « que les inclinations des bêtes témoignent

souverainement [1] »? C'est précisément ici que la méthode platonicienne — la dialectique — témoigne de sa puissance démonstrative : plus encore que dans les dialogues socratiques, le texte joue successivement des exemples qualifiés de « concrets », des raisonnements, des reprises terminologiques ; il entremêle réfutations de « disputeurs » et analyses logiques. La conclusion, c'est qu'il met le plaisir à sa place, là où, selon son intelligibilité propre, il doit être, si l'on accepte, comme fondement, l'hypothèse des Idées. Dérisoires et simplistes sont les hédonistes, tout autant que le sont les religieux ; il y a à définir le plaisir selon son essence, opération qui commence seulement lorsqu'on accepte de critiquer la « notion commune » du plaisir, notion à partir de quoi, confusément, jusqu'ici, se sont développées les discussions et les pratiques du plaisir...

Le *Philèbe* résout une question morale. Dans une optique analogue, le *Théétète* pose un problème concernant la théorie de la connaissance. Sans doute les dialogues dits socratiques avaient-ils déjà soulevé des interrogations de cet ordre ; sans doute n'étaient-ils guère plus « concluants » que ne l'est le *Théétète*. Ici, cependant, s'introduit un aspect nouveau, l'aspect proprement dialectique. Ceux-ci se contentaient de prendre l'*opinion* au piège de ses contradictions ; armé de l'instrument logique maintenant élaboré, ce dialogue-ci réfute les thèses des théoriciens qui avaient réfléchi sur cette question. Y est reprise, en particulier, la critique que développait déjà le *Protagoras* contre la conception selon laquelle « l'homme est la mesure de toutes choses » ; mais, cette fois, elle est rapportée à son fondement qui est, selon Platon, la notion héraclitéenne de la mobilité universelle : s'il faut admettre, en effet, que c'est à l'homme tel qu'il est dans sa réalité empirique qu'il est laissé de juger de ce qui est bon et de ce qui est mauvais, de ce qui est vrai et de ce qui est faux ; c'est que l'être tout entier est emporté dans le flux incessant du devenir et que chaque énoncé, vrai à cet instant pour celui-ci, ne l'est point pour un autre

----

1. *Philèbe*, 67b.

et, à l'instant suivant, cessera de l'être pour n'importe qui... Bref, Platon situe sa doctrine comme « dépassement » et comme solution des théories déjà développées : non seulement celles des sophistes et des partisans du bon-sens traditionnel, mais aussi celles qu'il rattache respectivement à Héraclite et à Parménide, les tenants de la mobilité indéfinie et ceux de l'éternelle immuabilité; il montre, dialectiquement, par l'analyse du concept même du savoir, que les uns et les autres s'interdisent, finalement, de porter le moindre jugement efficace. Il ne conclut pas mais il établit, avec clarté, ce que n'est pas, ce que ne saurait être le savoir : ni sensation, ni simplement jugement vrai (au sens de l'*opinion*), ni même jugement vrai accompagné de sa justification. La constitution de la connaissance suppose non une refonte partielle des modalités de l'énonciation, mais une mutation complète de l'Esprit. C'est là ce qu'indique la reprise, dans le *Théétète*, de la célèbre opposition, établie par le *Sophiste*, entre « les fils de la Terre », qui n'arrivent pas à se déprendre des passions, et « les amoureux des essences », qui n'ont d'autre fin que de développer en eux le principe divin...

Ces deux textes, le *Philèbe* et le *Théétète*, mettent bien en évidence, semble-t-il, la première tâche de la doctrine platonicienne ayant défini ses principes. Il s'agit d'abord de prouver l'efficacité de la théo⌐ie des Idées contre ceux qui, non plus seulement sophistes, mais aussi « philosophes », ont cru pouvoir s'en passer et cela, dans le domaine sensible même, celui du plaisir comme guide de la conduite ou de la perception comme critère de la vérité, par exemple. Ce genre de problématique, la métaphysique ultérieure le développera amplement : la question des rapports du sensible et de l'intelligible, de l'empirie et du concept constituera un de ses problèmes majeurs. Elle le développera, à l'époque contemporaine, comme interrogation cruciale de « la théorie de la connaissance ». De la querelle des universaux aux débats actuels concernant la fonction de l' « expérience » dans la formation des savoirs, c'est toujours la nature de cette relation qu'on essaie d'élucider.

Mais, en même temps (ce qui veut dire, selon les doctrines, conjointement ou concurremment), à ce travail qui vise à mettre la philosophie à l'épreuve du sensible, s'ajoute la charge d'élaborer le « corpus scientifique » lui-même. Il convient, au moment où on justifie la science, face à l'*opinion* ou aux philosophies insuffisantes, de la construire, c'est-à-dire d'organiser des systèmes d'énoncés portant sur des domaines rigoureusement définis et y portant l'intelligibilité maximale.

La cosmologie

La structure du *Timée* est fort révélatrice à cet égard. Le dialogue comprend non seulement le mythe de « fabrication » que nous avons déjà évoqué, mais aussi un récit sur la situation protohistorique d'Athènes; il comporte, surtout, une explication générale de l'univers, de ce dieu vivant et visible « où ceux qui sont visibles sont enveloppés, image de celui qui est intelligible, dieu accessible aux sens; le plus grand, l'excellent, le plus beau et le plus parfait, il est né unique, le Ciel où nous sommes, unique en son genre qu'il est [1] ». Platon y procède à une véritable déduction. Son point de départ n'est plus une critique du sensible et des croyances que celui-ci engendre. Partant de principes généraux d'intelligibilité, il établit comment, de ces derniers, en vertu de leur être même, se constitue la réalité telle qu'elle se donne à celui qui a été éclairé par la dialectique. Il rend compte ainsi des procédés de l'Univers (qui est vivant, sphérique, un et indivisible et, cependant, composé des quatre éléments : l'eau, la terre, l'air et le feu); cet Univers a une âme, harmonie de Même et d'Autre, source du mouvement et du cycle temporel, qui, dans sa spontanéité créatrice, a produit les vivants (« l'espèce céleste des Dieux ... l'espèce ailée qui parcourt les airs, ... l'espèce aquatique, ... celle qui a des pieds et vit sur la terre ferme [2] »). Il ana-

1. *Timée*, 92c.
2. *Idem*, 39c-40a.

lyse, à leur propos, le mécanisme et la fin des organes des
sens; il justifie l'organisation du corps humain. Il explique
l'ordre de la matière inanimée, entre autres par la comparaison avec les objets fabriqués : nous apprenons ainsi comment, à partir du « réceptacle », du chaos initial, le démiurge
a forgé les diverses formes de la matière, formes de plus en
plus compliquées, comment celles-ci ont acquis leurs qualités sensibles, comment l'ouvrier divin a construit l'homme,
mixte de la matérialité et d'âmes. De la sorte, sont déduites
l'anatomie, la physiologie, la pathologie humaines; une
thérapeutique en résulte, qui a valeur aussi bien corporelle
que morale...

Un tel texte est, pour nous, surprenant. Vingt-quatre
siècles de commentaires ne parviennent pas à l'éclairer. Et
ne n'est pas ici que nous pouvons prétendre apporter des
lumières nouvelles. Ce qui importe, d'ailleurs, c'est plutôt
de souligner trois aspects importants. Le premier concerne
la méthode : la dialectique dite descendante — la redes-
cente du philosophe dans la caverne — ne saurait être
comprise comme simple application de l'intelligible à la
pratique sensible; elle assure aussi la déduction théorique
du sensible lui-même. S'il faut d'abord fuir les phénomènes,
c'est pour mieux les sauver; et les sauver, c'est non seulement — comme nous allons le voir — agir dans le domaine
où ils exercent leur empire, c'est aussi et surtout les libérer
de leur incohérence première et construire des modèles
d'intelligibilité qui les rendent pensables. Avec des pré-
suppositions et des objectifs tout différents, Platon définit
ici une conception qui, dans sa signification méthodologique,
n'est point tellement différente de ce que nous appelons,
depuis le XVIIᵉ siècle, *science*. N'oublions pas que Galilée
s'est d'abord voulu platonicien...

Le second aspect se rapporte à l'analyse cosmologique
de Platon elle-même. Aristote et la doxographie ont insisté
sur l'importance qu'avait, à l'Académie, la mathématique;
ils signalent à ce propos l'existence d'un enseignement
ésotérique de Platon — qu'aucun écrit qui nous soit resté,
au moins, n'a consigné — dans lequel aurait été développé

et approfondi ce qui constituait l'essentiel de la doctrine pythagoricienne. Il y avait, en Grèce, à l'époque classique, des sectes religieuses (une religiosité dont nous avons peine à imaginer la nature) dont l'action était profonde, jusques et y compris les domaines pédagogique et politique. L'éducation secrète que transmettaient ces confréries était ponctuée de séances d'initiation au sein desquelles, probablement, théorie et pratique, sacralité et positivité s'entremêlaient. Les plus importantes de ces « sociétés de pensée » — parmi lesquelles la pythagoricienne — étendaient leur réseau sur l'ensemble des territoires où l'on parlait grec, des rives du Bosphore à l'Italie méridionale et à la partie orientale de l'Afrique du Nord. Le platonisme et son institution — l'Académie — étaient-ils intégrés à l'un de ces réseaux? On en a soutenu vigoureusement l'hypothèse. Il est plus sérieux de penser, étant donné l'état des informations que nous possédons, que, contre les sophistes, contre les politiques empiriques, mais aussi contre les hommes de métier (« physiciens », « médecins », « montreurs de miracles naturels »), Platon a donné la plus grande importance à une recherche mathématique et physique dont il préférait ne pas divulguer les résultats partiels tant il craignait que l'*opinion* ne s'en empare pour la démanteler sottement, comme elle avait sottement détruit le sens de l'enseignement socratique. Le *Timée* dévoile les éléments et la méthode de cette investigation. La gêne dans laquelle il met la pensée n'est pas moindre que celle qu'institue toute recherche cosmologique approfondie.

Il y a un troisième aspect : dans un tel texte, démonstrations, recours à l'imaginaire et récits mythiques interfèrent constamment. La méthode platonicienne est *démonstrative* et son outil est l' « art » dialectique. Cependant, fréquemment, le discours logique prend appui sur des images ou sur des allégories; souvent aussi, il débouche sur des récits mythiques. Aux techniques inductive et déductive, s'ajoutent donc des procédés reposant sur la valeur expressive de l'analogie ou de la métaphore. Pourquoi Platon en use-t-il ainsi? Quel est, dans son système, la fonction du mythe? Certains interprètes ont voulu unifier, à tout prix, la méthode platonicienne, les uns en réduisant le mythe à la dialectique, les autres en insistant sur le caractère mythique de la dialectique même. En vérité et à voir les choses simplement, le recours au fond légendaire, pris comme tel ou aménagé en fonction des objectifs propres de la doctrine, s'explique par le fait que le philosophe est lui-même partiellement son philosophe et qu'il s'adresse à des non-philosophes. Dans l'allégorie de la Caverne, le prisonnier qui s'est libéré de ses chaînes et qui en vient à la contemplation de la réalité vraie est ébloui par le grand soleil du Bien. Il s'habitue difficilement à la clarté de l'intelligible. Et lorsqu'il redescend auprès de ses compagnons, c'est l'obscurité retrouvée qui, cette fois, le gêne et le rend si maladroit à s'exprimer et à se conduire. Dans les deux cas, le langage du savoir est, lui aussi, partiellement, inapte à *dire* ce qui *est*. Doublement inapte : trop engagé dans le sensible, il échoue à dire complètement la réalité la plus haute; trop dégagé de lui, il a de la peine à faire entendre ce que, « là-haut », il a appréhendé. L'image, le mythe compensent cette insuffisance; la compensent, mais dans un sens positif, si l'on peut dire : le récit légendaire enrichit la dialectique, accroît sa vigueur et son expressivité; il ne contredit pas la logique; il ajoute une logique métaphorique à la logique de la démonstration.

La « philosophie de l'histoire »

Cette fonction du mythe, c'est dans l'analyse du destin de l'humanité au sein du *cosmos* qu'elle se manifeste le plus efficacement. La *République*, la *Politique*, le *Timée*, le *Critias*, les *Lois* s'interrogent sur les fins ultimes de l'homme, sur l'organisation convenable des sociétés, sur les relations existant entre les problèmes posés par la conduite individuelle et ceux qu'implique la réalité politique. L'ontologie platonicienne complète sa philosophie de la nature par une philosophie de l' « histoire ». Précisons bien que la notion d'histoire ici invoquée n'a pour ainsi dire rien à voir avec celle que nous utilisons aujourd'hui. Les Grecs, en effet, ne disposent point d'un concept du temps qui leur permette de penser la succession des faits comme suite dramatique et significative produisant des événements originaux. L'image privilégiée qui commande leur idée du temps est celle des révolutions astrales : leur imagination « historienne » est commandée par le schéma, non du vecteur orienté conduisant des origines à la « fin des temps », mais du mouvement circulaire. Mais cela ne veut pas dire que la culture grecque ait été fermée — comme on l'a assuré bien souvent — au fait de l'historicité. Des œuvres comme celles d'Hérodote et de Thucydide témoignent de l'intérêt porté par elle au sens des combats politiques, des luttes dressant les Cités, les Empires les uns contre les autres. Plus tard, la *Politique*, *La Constitution d'Athènes* d'Aristote constituent des recueils d'*histoire* constitutionnelle. Et Platon, lui, s'interroge sur la possibilité que recèle l'action humaine aux prises avec le devenir...

La « philosophie de l'histoire » platonicienne comporte trois moments articulés. Le livre VIII de la *République* analyse les modalités de la décadence; elle met en évidence les effets négatifs du devenir corrupteur; elle dévoile le processus par lequel cette corruption s'exerce et, de ce fait, indique les moyens par lesquels on peut lutter contre elle. Le *Politique*, le *Timée*, le *Critias* présentent, sous forme mythique, l'insertion de l'homme dans le devenir, les conséquences que celle-ci a pu avoir et les leçons qu'on peut en tirer. Les *Lois* construisent une Cité « de second rang » et proposent, peut-être, l'état définitif de l'enseignement politique du platonisme.

Le Livre VIII de la *République* commence par un texte fort obscur : Platon y explique les causes qui doivent, immanquablement, entraîner la dissolution de la Cité idéale, à supposer qu'on ait réussi à l'établir : les magistrats, par inattention, oublieront de respecter les règles qui, normalement, président aux mariages, c'est-à-dire à la procréation. Le résultat de cette inadvertance sera que viendront se mêler à la classe dirigeante des « caractères d'argent », plus préoccupés de faire valoir leur valeur personnelle de guerrier que de veiller au salut de l'État. A l'aristocratie du Savoir commencera à se substituer une oligarchie timocratique, le commandement d'une minorité obéissant au seul principe de l'honneur militaire. A ce stade, la sauvegarde de la Cité est encore assurée : l'ordre règne, mais le fondement de l'ordre est en train de disparaître.

Les guerriers qui commandent — l'allusion à Sparte est claire — vont entasser du butin; mais, férus d'honneur, ils cacheront ce produit misérable de leur courage. Les fils de ces hommes-là n'auront point les mêmes scrupules : ils voudront profiter des avantages que procure la richesse. A la timocratie va succéder l'oligarchie ploutocratique. L'État sera divisé en deux classes : les riches, descendants des guerriers et des conquérants, et les pauvres. L'appétit de la jouissance sera tel que les premiers étaleront de plus en plus ostensiblement leur pouvoir alors que les seconds s'enfonceront de plus en plus lourdement dans la bassesse de leur condition; jusqu'au moment où le peuple, excédé de misère et de souffrance, se révoltera et, triomphant de gouvernants affaiblis par les plaisirs, procédera, anarchiquement, au partage des biens.

A la ploutocratie se substitue, dialectiquement (au sens hégélien), la démocratie. Platon se plaît à décrire le régime, selon lui, enflé et malsain, qui a fait périr Socrate et qui a refusé d'entendre son enseignement. A dire vrai, la démocratie ne comporte pas de constitution : dans la mesure où elle confère à chacun, à n'importe qui, le pouvoir de statuer sur n'importe quoi, où elle méconnait la règle de la *compétence*, elle est un « bazar aux constitutions ». Chacun, selon son bon plaisir, interprète la loi; la passion individuelle l'emporte; le désordre devient la norme. La communauté s'écartèle en intérêts contradictoires; l'État est en train de périr...

Le péril est si grand que le peuple, las de s'abandonner à une licence sans borne, se livre à un homme, auquel il laisse le soin de rétablir l'unité. La suite de la démocratie, c'est la tyrannie. Au pouvoir de tous — impuissant — succède le pouvoir d'un *seul*, choisi au hasard, selon les circonstances. Il n'y a plus d'ordre, il n'y a plus de loi, mais seulement la volonté d'un individu qui, selon ses intérêts (et ceux de ses amis), selon son caprice, décide. La tyrannie est le comble de l'irrationalité : le devenir chaotique a triomphé. Le savoir est exclu : le tyran est l'antithèse exacte du magistrat philosophe. Celui-là fait de sa volonté la loi; celui-ci veut ce que la loi — inscrite dans l'intelligible — exige.

Ce discours sur la décadence est, on le voit, une lecture qui combine à la fois l'analyse institutionnelle et l'interprétation psycho-sociale. Il met le citoyen face aux problèmes qui, nécessairement, surgissent dans les États sensibles soumis à l'action dissolvante du devenir. Mais qu'en est-il de ce devenir lui-même? Comment et pourquoi agit-il? Choisissons, pour la clarté, parmi les diverses versions que Platon donne de ce problème, la formulation du *Politique*. Jadis, dans le temps très lointain où « le monde marchait dans le bon sens », les hommes étaient directement gouvernés par les dieux. En cet âge d'or, point n'était besoin de constitution politique : l'inspiration divine en tenait lieu. Les saisons étaient si tempérées, la nature si favorable que tout était donné à profusion; et, du même coup, il n'y avait aucun conflit ni entre les hommes et les animaux, ni entre les hommes. A l'époque de Cronos — c'est la divinité qui, selon ce récit légendaire, régnait alors —, la transparence était complète : la communication entre la nature, l'animalité et l'humanité s'établissait sans obstacle.

Or il se trouve que, « celui qui conduit le navire de l'univers, ayant pour ainsi dire abandonné la barre du gouvernail, alla se retirer dans la guérite de guet, tandis que le monde faisait marche arrière, cédant à son penchant prédestiné et congénital [1] ». Il s'ensuivit une inversion du monde; un ébranlement profond le secoua; des espèces entières furent détruites; le principe de la matérialité prit

1. *Politique*, 272b.

le dessus; l'indéfinité de son désordre imposa ses forces à l'exigence d'ordination. Les hommes — ceux qui subsistèrent au cataclysme — furent rejetés dans l'animalité : dans le dénuement, il leur fallut se réorganiser, inventer des principes de cohabitation, faire face à une nature désormais hostile. Les dieux, point tout à fait absents, leur firent don du feu et de l'industrie. Mais c'est sur elle-même que l'humanité, maintenant, devait compter pour survivre...

Le philosophe et le retrait des dieux

Pour ce qui est des techniques particulières — celles de l'agriculteur et du forgeron —, ils se tirèrent d'affaire. Ils n'eurent pas un tel succès en ce qui concerne l'art politique, l'art primordial, celui dont tous les autres dépendent. Car il n'est pas vrai de dire, hélas! comme le prétend Protagoras, que la divinité a donné à chacun, en ce domaine, la compétence. Les désordres, les conflits qui, depuis l'âge de Zeus, déchirent les Cités en sont la preuve.

Ce qu'il faut penser, c'est le retrait du Dieu, c'est la distance qui, désormais, éloigne l'homme de son insertion cosmique. Le *Critias* décrit les luttes qui, naguère — au début de l'empire de Zeus —, opposèrent l'Atlantide, royaume dominé par une rationalité exigeante, mais abstraite, et Athènes, alors gouvernée par les règles de la bonne proportionnalité; les livres III et IV de la *République*, le *Timée*, le livre III des *Lois* analysent la naissance de la société politique...

Le sens de ces divers textes est, semble-t-il, si on en extrait l'essentiel, qu'aucune doctrine, aucune pratique n'est parvenue jusqu'ici à compenser le retrait du dieu. La tâche de la « droite philosophie » est précisément de prendre une connaissance exacte de cet échec et de ses causes et de construire le discours grâce auquel, théoriquement et pratiquement, il sera possible d'assurer autant qu'il se peut la permanence du divin en l'homme, c'est-à-dire le pouvoir de la rationalité. Le livre VIII de la *République* est comme une leçon de technique politique : à chaque stade et quelle que soit la puissance corruptrice du devenir (du monde « dans le mauvais sens »), sont indiquées, entre les lignes, les dispositions institutionnelles que devraient adopter les gouvernants bien informés. Le *Politique* ne procède pas autrement. Et les *Lois*, après que le modèle de l'État « de premier rang » a été bâti par la *République*, recherchent méticuleusement les conditions effectives de survie d'une Cité.

C'est une Cité de « second rang ». Ceux qui la gouvernent sont en possession du savoir; les gouvernés — dans l'hypothèse que se donne Platon, celle de la fondation d'une Cité coloniale — n'ont pas été sélectionnés. Clinias le Crétois, Mégillos le Spartiate et l'Athénien anonyme discutent de la meilleure constitution à un tel État. Le principe essentiel de la *République* est maintenu; il s'agit de régler selon la raison, c'est-à-dire selon la justice, une unité faite d'éléments divers (sexes, caractères, professions). La fin de cette organisation est d'assurer la permanence de la communauté et, en la fortifiant sans cesse, de la rendre vertueuse. Étant donné la nature des citoyens, il n'est pas possible de prescrire l'égalité fonctionnelle de l'homme et de la femme, le communisme des biens et celui des femmes et des enfants. C'est un mixte qu'il faut créer qui tienne compte de la nature sensible et des exigences de la rationalité. Un mixte qui ne soit pas un *mélange*. Du mélange, la démocratie fournit la fâcheuse image; le pouvoir tyrannique, celui qui, par exemple, règne chez les Perses, impose, certes, l'unité; mais celle-ci dépend d'un principe empirique. Il faut aller au-delà de cette opposition abstraite du pouvoir de tous — qui est absence d'ordre — et du pouvoir d'un seul — qui est ordre contingent. C'est là ce qui détermine la constitution des *Lois*. Le pouvoir des magistrats s'entoure de sacralité; il a pour charge de régler méticuleusement l'existence de chacun. La formule des *Lois* est plus simple que celle de la *République* : elle tient compte de la diversité; elle n'en est pas moins impérative. Les douze livres de cet ouvrage

inachevé constituent une somme politique et institutionnelle d'une surprenante précision...

Il n'est d'aucun intérêt ici de suivre le détail de ces dispositions politiques et morales. Il suffit de rappeler que le
principe de l' « étatisme technocratique » établi dans la
République demeure. Il importe surtout de souligner, grâce
à ce texte, qui est une application de la théorie à un cas
empirique, le rôle que Platon attribue à la philosophie au
sein de la réalité cosmique. Celle-ci, pour reprendre la
métaphore du *Timée*, va désormais à « l'envers » et bien
qu'elle soit d'origine divine, la « matérialité » y corrompt
constamment l'œuvre du démiurge. Les dieux se sont reti-
rés. Le devenir, sans cesse, l'emporte et aucune des solu-
tions inventées par les hommes n'a réussi jusqu'ici à s'opposer à sa puissance dissolvante. Jadis, sans doute, les sociétés
patriarcales surent « limiter les dégats » en n'offrant aux
sollicitations sensibles qu'une prise minimale. L'humanité
n'a su ni voulu s'en tenir à ce destin modeste. Elle a désiré
« la civilisation »; et, en même temps qu'elle s'y précipi-
tait, elle a commencé à en sentir les conséquences néfastes;
elle a voulu y parer : poètes, prêtres, devins, hommes
politiques, « physiciens », techniciens en tous genres ont
prétendu résoudre les problèmes qu'une tradition exsangue
n'arrivait même plus à poser clairement. Tous ces prati-
ciens ont échoué : le sort malheureux de la Grèce en
témoigne.

La « droite philosophie » vient prendre la place des dieux
absents. A l'inspiration que ceux-ci, du temps qu'ils étaient
là, insufflait aux hommes, elle substitue l'enseignement;
elle remplace la connivence *avec* la réalité par la connaissance *de* cette réalité; la pratique immédiatement juste
étant maintenant irréalisable, elle définit le *détour théorique* grâce auquel ce qu'il y avait de divin pourra être
sauvegardé, renforcé. Sans doute faut-il faire un long
voyage et accepter l'*utopie*, ce monde intelligible, qui n'est
ni ici ni maintenant, qu'aucun homme ne mesure et ne
possède, et qui mesure et juge. On doit admettre qu'il y a
des Idées, présentes dans le sensible comme au-delà, que le

sensible imite; que le sens de la parole a sa vérité dans le
discours universel; que la méchanceté est méconnaissance
de soi et des autres, de l'Être même; que l'injustice est
déraison foncière, c'est-à-dire plus qu'erreur, *bêtise*. S'il
n'en est pas ainsi, alors il est impossible de distinguer
l'animal de l'homme et la parole n'est qu'un bruit.

Le philosophe, qui est à la place des dieux, met l'homme
à sa place : celle qui convient à un animal qui parle.

La force et la raison

La conclusion du platonisme, c'est l'histoire de la philosophie même, c'est-à-dire de ce genre culturel qui, par la
médiation des religions révélées, de la science inventée à la
Renaissance, des révolutions politiques, se trouve être à
l'origine de la civilisation aujourd'hui triomphante. La
doctrine platonicienne, comme telle, peut être doublement contestée. Elle est historiquement située : nous aurions
pu montrer, par exemple, que la Ville idéale de la *République* ou l'État colonial des *Lois* ne sont, dans leur organisation de « premier » ou de « second rang », que la réalisation imaginaire de ce qu'aurait dû être la Cité grecque (et
qu'elle ne pouvait pas être, étant donné son statut empirique); ou encore que la métaphysique platonicienne est
tributaire d'une physique et d'une mathématique dont
nous savons bien, maintenant, qu'elles sont, comme physique et comme mathématique, fort élémentaires. Il est
aisé de « réfuter » le platonisme — ou, à l'inverse, d'en
exalter exagérément la validité — en le situant dans l'ordre
progressif (ou régressif) du développement de l'Esprit.
On peut aussi — sur les indications même de Platon —
repérer les confusions, les incertitudes, voire les contradictions du système; ce sera le point de départ apparent de la
réflexion aristotélicienne; la métaphysique tout entière
s'est nourrie, depuis lors, de ce genre de mises en question;
la critique de l' « idéalisme » platonicien — tant dans le
domaine ontologique et épistémologique que dans celui

de la politique — a été (et demeure) un des ressorts de la réflexion philosophique.

Ces exercices ne sont pas mauvais pour la formation de la pensée. Ils omettent simplement ceci : que toute « réfutation » de Platon, opérée par la mise en situation historique ou par ses insuffisances logiques, présuppose le platonisme même. Comme nous l'indiquions dès le début de ce chapitre, pour réfuter Platon, il faut aller beaucoup plus loin : il faut se demander s'il y a quelque sens à penser qu'il y a du divin en l'homme et que ce divin se manifeste comme raison (définie comme universalité discursive).

Il faut avoir l'audace — qu'ont eue, chacun à sa manière, Marx et Nietzsche — d'interroger, au nom de l'existence théorique la plus rigoureuse, le primat de la philosophie.

Bibliographie sommaire

Trois traductions des *Œuvres complètes* de Platon sont utilisables. Celle d'E. Chambry et R. Baccou, 8 vol. Garnier éditeur; celle de l'Association Guillaume Budé, « Les Belles Lettres » (avec, souvent, de remarquables notices et introductions); celle de L. Robin, Bibliothèque de la Pléiade, N.R.F.

Quant à la bibliographie des commentateurs, nous la réduisons à quelques ouvrages essentiels. A. Diès : *Autour de Platon*, Paris, 1926; J. Moreau : *La construction de l'idéalisme platonicien*, Paris, 1939; B. Parain : *Essai sur le Logos platonicien*, Paris, 1942; A. Koyré : *Introduction à la lecture de Platon*, Paris, 1945; V. Goldschmidt : *Les dialogues de Platon*, Paris, 1947.

ARISTOTE

par Jean BERNHARDT

Quand on a reconnu en Socrate le Sage, en Platon le Maître, quel rôle attribuer au dernier venu, à la dernière figure du triptyque illustre? Ce sera sans doute celui du Professeur. Et en semblable compagnie, le qualificatif emporte plus de blâme que de louange ou, pour le moins, du respect mitigé de ressentiment plutôt que de l'admiration compréhensive. De quel poids la formidable influence du Système aristotélicien n'a-t-elle pas retardé, nous dit-on, le progrès de la connaissance moderne! Quelle résistance n'ont pas acquis les préjugés du sens commun et de la perception ordinaire en s'organisant chez Aristote par le moyen de la réflexion la plus ample et la plus précise! Ce goût didactique, lui-même, des distinctions techniques, ne doit-on pas le rendre responsable de toute une tradition ratiocinante et formaliste, sans vie et sans fécondité? Il n'est pas jusqu'à l'importance privilégiée de la Doctrine païenne au sein d'une Église qui ne contribue à lui donner aux yeux de beaucoup le visage fermé des dogmes où tout semble résolu d'avance, en des artifices qui épargnent la peine et bannissent l'espoir de tout effort nouveau de discussion et de recherche. — Or le plus étonnant dans ce portrait du Professeur au dogmatisme écrasant, terre-à-terre et en somme fondamentalement conformiste, c'est qu'il est entièrement faux. On a le droit, sans doute, de préférer d'autres grands philosophes et de juger même qu'il en est de plus profonds. Mais il faut de toute façon, pour mesurer en connaissance de cause la stature de ce penseur, commencer par reviser sa légende.

La légende

Tout d'abord, il est patent que jamais l'aristotélisme n'est parvenu dans la pensée occidentale à se tailler un monopole et à opprimer ainsi de façon durable et étendue les autres courants, souvent très opposés à ses positions maîtresses. L'adaptation thomiste, qui en fait pour l'Église la *philosophia naturalis* de l'esprit humain, lui donne une place prééminente, mais cela n'a lieu — on semble parfois l'oublier complètement — qu'au XIIIe siècle, son étude n'est imposée pour la licence qu'un siècle après, et c'est encore plus tard, au Concile de Trente, ouvert en 1545, que la *Somme théologique* de saint Thomas fut placée sur l'autel aux côtés des Écritures; entre-temps, la discussion des thèses aristotélico-thomistes qui, par parenthèse, pourraient se nommer souvent platonico-thomistes, s'était développée, avec une ampleur et une hardiesse extrêmes. Il est donc bien difficile de mettre sur le compte de l'aristotélisme un prétendu retard de la révolution scientifique moderne ou, aussi bien, d'en charger les Universités médiévales et leurs disputeurs éventuellement décadents. De plus, c'est se faire une idée singulière et, oserons-nous dire, bien dépassée, de la révolution galiléenne, que d'en promener la possibilité au hasard des siècles, en la déterminant seulement par l'existence ou par l'absence, elles-mêmes dues à de purs hasards malheureux ou bénéfiques, d'un régime de pensée prétendûment dominant et en refusant ainsi de la situer dans l'histoire des totalités sociales. En vérité, lorsque nous déplorons un prétendu blocage scolastique de la révolution du savoir, nous ne faisons que reprendre par conformisme et paresse les arguments polémiques dont avaient besoin les novateurs du XVIIe siècle pour se défendre contre le conformisme et la paresse des fonctionnaires sans pensée de la scolastique contemporaine.

Qu'en est-il, conjointement, de la soumission aux préjugés courants et à la perception naïve par laquelle l'aristotélisme s'opposerait fâcheusement à la hardiesse critique de la science moderne? Sans insister sur les difficultés que l'on rencontrerait à tenter de définir les préjugés courants et même la perception ordinaire d'une manière stable et anhistorique, observons d'une part qu'une philosophie n'est pas d'autant meilleure et plus vivante qu'elle s'oppose plus nettement aux intuitions, manières de sentir et besoins de tout un chacun, et d'autre part que la systématisation raffinée des connaissances « vulgaires » ne pourrait jamais s'opérer sans une véritable transmutation, comportant toutes sortes de remaniements et de corrections et l'invention de concepts nouveaux, ne serait-ce que pour préciser et ordonner la confusion et la disparate inévitables des contenus admis. Mais dans cette voie en un sens assez aristotélicienne, il est impossible de s'arrêter à des rectifications de détail et Aristote n'hésite pas à prendre le contrepied d'évidences fondamentales du sens commun, notamment celle de la mobilité et de la chute de la Terre. En effet, on s'imagine trop souvent que les Anciens croyaient spontanément la Terre au repos alors que déjà Thalès n'envisageait un tel repos que comme le résultat d'un équilibre neutralisant une tendance à tomber : c'est, dès les origines de la philosophie de la nature, aux tenants de l'immobilité et de la stabilité de la Terre, qu'il incombait de fournir la justification de leur thèse, contre la croyance commune à une chute indéfinie de la lourde masse terrestre. Aristote, pour sa part, ne compose pas, comme Thalès, avec le sens commun, il s'oppose à lui, dans les chapitres sur la Terre du traité *Du Ciel*, avec force raisonnements, appuyés sur l'expérience sensible, certes, mais nullement assimilables à des données perceptives simplement et immédiatement acceptées : la décision est emportée par le faisceau rationnel des preuves empiriques, au besoin contre tout embryon vulgaire et partiel de raisonnement et contre toute per-

ception particulière, si frappants et familiers qu'ils puissent
paraître. Un exemple net de disqualification de la perception est fourni par le traitement aristotélicien du mouvement du Soleil : contrairement, là encore, à ce que l'on
imagine d'ordinaire, les Anciens percevaient le soleil immobile dans le ciel et en rotation sur lui-même; il était parfaitement possible d'observer sans lunette, à travers les
brumes de l'aube ou du crépuscule, le mouvement des plus
grosses taches solaires. Aristote fait état de ces observations
et pour les réduire à une illusion, qu'il explique par l'éloi-
gnement : « La vue, en s'étendant au loin, devient vacillante et faible. Telle est sans doute aussi la raison du scin-
tillement apparent des étoiles fixes et de l'absence de scin-
tillement des planètes. » Cette interprétation permet au
traité *Du ciel* de réduire le soleil à la loi commune des
astres, « transportés immobiles sur les cercles auxquels
ils sont fixés ». Ainsi procédait le philosophe qu'on nous
présente si souvent comme idéalisant la perception naïve :
il savait bien, tout au contraire, distinguer les données
irréfutables de la sensibilité des interprétations sujettes à
erreur et à discussion, il savait dissocier du sensible les
significations contestables dont le recouvre un jugement
discrètement habituel.

Doit-on, enfin, reprocher à Aristote l'élaboration d'une
logique qui n'a tendu à se compliquer formellement loin de
la vie que chez les scolastiques tardifs, plus orientés vers les
subtilités de la théologie que vers l'étude de la nature dont
Aristote lui-même fut un observateur passionné? Cela
sans compter que les raffinements d'un formalisme ne se
réduisent nullement à une gymnastique dépourvue de sens;
notre époque est en position d'apprécier mieux que d'autres
une dette substantielle envers cet aspect de la tradition
aristotélicienne. Et ce n'est qu'un aspect : à qui se donne la
peine de lire les œuvres du philosophe, ne peuvent vraiment échapper sa richesse et sa puissance, écrasantes peut-
être et stérilisantes pour certains esprits trop dociles,
gênantes aussi pour certains penseurs trop différents, mais
visiblement fécondes, d'une manière ou d'une autre, pour

les plus grands. Le logicien a inspiré Kant, le biologiste Darwin, l'économiste Marx, à ne citer que des maîtres dont la pensée reste très vivante parmi nous et qui tous ont considéré Aristote comme un astre de première grandeur. Ceux-là même qui ont eu à combattre sévèrement sa doctrine ont souvent ressenti la force créatrice de sa pensée et ont bénéficié de ce qu'ils combattaient en lui. Ainsi Galilée : la distance est bien faible d'une thèse à celle qui la nie et se pose immédiatement par cette simple négation. Or sans prétendre diminuer l'originalité du père de la révolution scientifique moderne, il serait aisé de montrer, si c'en était ici le lieu, que les conceptions maîtresses du mécanisme prennent à peu près directement le contrepied de celles de la physique aristotélicienne. Beaucoup des éléments théoriques de ce choix décisif pour la société de notre temps sont même présents déjà chez l'ennemi vénérable, quoique avec une moindre importance et un sens différent.

Les travaux que toute une armée de spécialistes consacrent de nos jours à Aristote semblent tendre de plus en plus à faire revivre, derrière la figure du Professeur dogmatique, les difficultés, les efforts, les nuances, les méthodes de travail individuel et collectif d'un grand Chercheur.

L'œuvre et son élaboration progressive

C'est dans cet esprit que l'on s'est essayé à reconstituer les étapes de sa pensée, qui se présente à nous dans le bloc massif du *Corpus* publié à Rome au temps de Cicéron. Étrange est l'aventure (romancée?) qui aboutit à cette édition : avec elle resurgit un Aristote oublié très vite, semble-t-il, dans l'école du Lycée, passé d'héritage privé en héritage privé, confiné non sans dommage à l'abri de certaines convoitises dans une cave de Skepsis, en Troade, et finalement transféré d'Athènes à Rome par les soins de Sylla. Mis à part quelques écrits connus à Athènes et à Alexandrie, cet Aristote technique et « ésotérique » — notes et ouvrages d'enseigne-

ment —, était très différent de celui que l'on pratiquait
jusque-là : l'Aristote fleuri des dialogues platonisants et
des morceaux d'éloquence dans la manière d'Isocrate.
On se désintéressa progressivement de cette œuvre « exotérique » qu'admirait Cicéron et il n'en reste plus que quelques maigres fragments. Le *Corpus* lui-même qui l'a ainsi
supplantée est loin de nous offrir la totalité des travaux
techniques d'Aristote, si l'on en croit les anciens; on se
rassurera toutefois si l'on considère à la fois l'importance
intrinsèque de la collection et le fait que les trois catalogues
qui nous sont parvenus recouvrent à peu de chose près son
contenu. Cela admis, la question se pose de savoir non
seulement comment s'enchaînent ces deux Aristote, mais
aussi comment s'est élaboré le *Corpus*, ensemble vaste et
non toujours exempt de contradictions ou de divergences
internes, que l'on a tenté d'étaler et de dissocier dans un
développement historique. Il faut reconnaître que les
résultats ne sont pas à la hauteur de l'intérêt que présente
cette tentative, faute de moyens analogues à ceux qu'autorise le texte de Platon, dont la rédaction développée et la
présentation organique supportent l'application de critères formels, indépendants du contenu philosophique.
Nous esquisserons ci-dessous les grandes lignes les plus pro-
bables, en les situant dans la biographie générale du philosophe, qui est mieux connue.

Né en 384 avant Jésus-Christ à Stagire, colonie ionienne
de la Chalcidique (actuelle Thessalonique), Aristote appartient à une famille grecque au service du roi de Macédoine : son
père, Nicomaque, était médecin de celui de Philippe. A dix-
huit ans, il arrive dans la métropole culturelle, Athènes, où
il préfère à l'enseignement rhétorique d'Isocrate la formation de l'Académie; il rencontre Platon pour la première
fois au retour du deuxième voyage à Syracuse, en 365, et
ne quitte plus l'Académie jusqu'à la mort du maître, soit
dix-sept ans plus tard. Une première période se délimite
ainsi, marquée, en dépit de certains désaccords et d'une
originalité grandissante, par une impressionnante fidélité.
Ses premiers ouvrages importants sont sans doute l'*Eudème*,

dialogue sur l'immortalité de l'âme, et le *Protreptique*, discours pour exhorter à la vraie philosophie, à la contemplation (contre la rhétorique utilitaire d'Isocrate), l'un et l'autre écrits vers la trentaine. Un platonisme durci dans ses thèses les plus dualistes s'y manifeste, mais bientôt (simultanément peut-être), Aristote s'intéresse davantage à systématiser les procédés d'interrogation et de réponse en usage à l'Académie pour constituer une nouvelle méthode dialectique, plus confiante que celle de Platon dans la possibilité d'extraire le vrai des opinions communément reçues. Ce sont les *Topiques*, que précéda sans doute une première esquisse de nos *Catégories*. Un traité *Des idées* exposait et critiquait la théorie platonicienne en s'inspirant vraisemblablement des discussions de l'école, dans le même esprit que le *Parménide*. Faut-il plutôt rattacher cet ouvrage à la période suivante, ainsi que l'examen dialectique qui forme le livre II de la *Politique* et la théologie que renfermait le traité *De la philosophie*? Il est bien difficile d'en décider. Les deux premiers livres de la *Physique* sont aussi de la même époque, aux environs de la mort de Platon et du départ d'Aristote.

La principale raison de ce départ met encore en valeur la fidélité d'Aristote à l'esprit du platonisme, s'il est vrai qu'Aristote a voulu seulement rompre avec le nouveau maître élu à la tête de l'Académie, Speusippe, dont il goûtait peu les tendances trop techniquement mathématiciennes. Il accepte l'invitation de rejoindre un autre milieu platonicien, celui d'Assos, en Troade, au nord de Lesbos; c'est le tyran philosophe Hermias d'Atarnée, maître de la région, qui l'installe ainsi aux côtés de ses réformateurs locaux, les platoniciens Érastos et Coriscos. Une période de recherche et d'enseignement particulièrement intenses commence alors, en continuité avec les promesses de la précédente. Après avoir passé, en chef d'école, trois ans, à Assos, puis deux à Mytilène, dans l'île de Lesbos, Aristote devient en 343/342 précepteur d'Alexandre; il se consacre alors principalement à des recherches sur la littérature, surtout sur Homère, base traditionnelle de l'éducation

le désordre et l'inachèvement du Corpus aristotélicien. Or, il est significatif qu'un tel écart ne nous prive pas d'apercevoir le sens du platonisme et nous irions même jusqu'à dire qu'en dépit de notre ignorance, certes regrettable, sur son enseignement de l'Académie, Platon en ses dialogues se livre à nous tout entier. Même si l'on doit être un peu moins optimiste, surtout à cause des incertitudes de la chronologie, à l'égard d'Aristote, on reste en mesure, croyons-nous, de présenter sa pensée dans ses intentions fondamentales et dans son unité substantielle, pourvu que l'on prenne conscience de son originalité.

Le génie d'Aristote est foncièrement différent de celui de son maître et c'est très tôt qu'il s'engage dans une voie différente, encore que fortement marquée par l'enseignement reçu.

A Platon, Aristote emprunte indubitablement la racine de son idéal de la sagesse et de la science, en unissant étroitement ces deux notions et en définissant la science comme la connaissance vraie et certaine dont la parfaite stabilité doit s'opposer aux fluctuations de l'expérience immédiate et des opinions, ou, ce qui revient au même, comme la connaissance rationnelle du nécessaire dont la parfaite clarté doit dépasser les constats contingents et démontrer le pourquoi des choses. L'intellectualisme de Socrate et de Platon est ainsi maintenu et de façon très consciente : n'oublions pas que le même mot, *eidos*, désigne ce que nous traduisons plus volontiers par *Idée* quand il s'agit de Platon et ce que nous traduisons régulièrement par *forme* dans la distinction aristotélicienne de la forme et de la matière. Toujours attentif à se situer dans le prolongement des doctrines antérieures, Aristote se veut délibérément le continuateur de ce que nous nommons dans un sens à son égard trop restrictif « la philosophie des Idées » : cette philosophie, il prétend l'achever ou du moins la perfectionner en éliminant les erreurs de ses prédécesseurs et en développant les traits par où il les juge au contraire bien inspirés. Il reconnaît à Socrate le mérite d'une recherche de l'universel et de la définition, mais il lui adresse en même

temps une critique qui va dans le sens de Platon : Socrate
a eu le tort de se limiter au domaine moral. En effet, par-
delà Socrate, Platon renouait, en la transformant profondément, certes, avec la philosophie antérieure de la nature.
Le principe de cet élargissement antisocratique du socra-
tisme reçoit la pleine approbation d'Aristote. Néanmoins,
à ses yeux, une faute capitale a été commise par Platon,
dont Socrate pour sa part était exempt : « Socrate ... n'a
pas séparé du moins l'universel de l'individu, et il a eu raison
de ne pas les séparer. Les faits le montrent clairement :
sans l'universel, il n'est pas possible d'arriver à la science,
mais la séparation de l'universel est la cause de toutes les
difficultés qu'entraîne la doctrine des Idées. » Cette séparation gravement erronée s'explique : Platon a subi dans sa
jeunesse l'influence du mobilisme héraclitéen et n'a jamais
pu en conséquence trouver dans le monde sensible lui-
même les éléments stables dont la science fait son objet.

Aristote se veut donc plus platonicien que Platon; il
redresse le platonisme et se rapproche en un sens de Socrate
pour tracer la droite voie de la véritable philosophie des
Idées. Il est bien exact que la science vise le nécessaire et
l'universel, mais c'est en ce monde-ci et non dans la fiction
d'un second monde distinct du monde sensible qu'elle
doit les chercher. Nous saisissons de la sorte l'originalité
d'Aristote telle que pouvait la concevoir Aristote lui-
même. Mais quelle que soit la vigueur de sa critique, qu'il
convient de ne pas trop hâtivement déclarer naïve, comme
on le fait souvent, on ne peut se contenter de sa lettre pour
déterminer suffisamment l'opposition de ces deux penseurs.
Ce n'est pas un Aristote manqué que combat réellement
en son maître l'Aristote réel; il faut faire état d'une divergence qui se situe au niveau des projets fondamentaux.

Si l'on admet, en effet, une genèse idéale, la procession à
partir d'une source absolue et unique imposant d'en haut
à une indétermination radicale des déterminations hiérarchisées de solidité et de précision décroissantes, si l'on
admet ce schéma au centre de la réflexion de Platon, on
comprendra qu'il répond à une question que ne se pose pas

Aristote. Cette question consiste à se demander pourquoi
le monde est ce qu'il est, avec toutes les déterminations
que l'on observe dans le sensible (non pas en voulant les
ignorer) et elle implique que le monde ne renferme pas en
lui-même son propre sens : pour le comprendre, il faut,
selon Platon, en dériver ou tenter d'en dériver la constitution d'un principe supérieur d'existence et de légitimité.
Chez Aristote au contraire, en dépit de certaines apparences, la question d'origine serait de trop et le monde se
suffit; bien plus, c'est d'abord chaque partie du monde et
chaque aspect de la réalité qui, pris en eux-mêmes, sont des
données indivisibles, autonomes, sans raison d'être extérieure, impossibles à dériver de quoi que ce soit d'autre.
« Chercher pourquoi une chose est elle-même, c'est ne rien
chercher du tout. » Aux yeux d'Aristote, l'ordre du monde
est une donnée première, de soi évidente et de soi nécessaire en son immutabilité : il ne s'agit que de l'apercevoir
et de l'analyser. Ce qui est à penser, pour atteindre le savoir,
ce sont désormais des différences, des éléments de composition, des liaisons et des correspondances, articulations
immanentes du seul monde à jamais pensable, structures
multiples et entrecroisées dont est manifeste l'incompati-
bilité avec le système unitaire du second monde platonicien. Une telle opposition donne seule son relief à la critique
aristotélicienne de la doctrine des Idées « séparées » : à la
prendre en elle-même, cette critique ne fait guère que répéter des objections bien connues de Platon et plus stimu-
lantes que dirimantes; de même, on n'aura raison de dénoncer des insuffisances graves dans la méthode platonicienne
de division que si l'on se donne d'avance, avec Aristote,
ce que recherchait Platon, la détermination des genres et
des espèces, et si l'on maintient la méthode sur le terrain
d'Aristote, celui de la mise en ordre de l'expérience, alors
que la division platonicienne, sauf à prendre d'abord le sens
d'un jeu d'assouplissement et d'apprentissage, ne s'exer-
çait qu'au niveau des relations purement intelligibles. Et
c'est justement cette mise en mouvement des Idées loin
du monde, dans la pure intériorité de l'âme, qui reste

étrangère et contraire aux préoccupations d'Aristote.

Un bon moyen d'illustrer et de rendre encore plus sensible cette opposition fondamentale serait d'examiner avec quelles transformations de sens certains thèmes platoniciens sont repris par le libre disciple. Nous choisirons deux exemples. Au deuxième livre du traité *De l'âme*, parlant de la génération, Aristote s'inspire, très vraisemblablement, du passage correspondant du *Banquet* de Platon où Socrate se laisse conter par Diotime comment la procréation permet à une vie mortelle d'approcher par le renouvellement des générations la divine immortalité où elle ne peut atteindre. Cette conception se prête si bien d'avance à l'aristotélisme qu'on s'est parfois demandé si elle n'impliquait pas la négation, pour le moins, de toute possibilité d'accès à l'absolu transcendant au monde en devenir. A bien lire le texte, pourtant, on y voit soigneusement réservé le problème de l'existence même de l'âme et la quasi-immortalisation de la vie n'y constitue qu'un thème préparatoire destiné à faire ressortir, dès ses manifestations les plus humbles, un désir d'éternité qui doit se fortifier et se purifier jusqu'à franchir les limites du monde en devenir pour donner du même coup leur sens accompli aux élans imparfaits et spontanés de la vie.

C'est seulement chez Aristote que le thème de la quasi-immortalisation acquiert pour ainsi dire son indépendance : la procréation a beau y provenir d'un désir de « participer à l'éternel et au divin autant que possible » et impliquer ainsi une référence au pôle suprême, elle ne constitue pas un palier à dépasser pour s'élever jusqu'au salut éternel; son aspiration au divin se cantonne dans les limites de la perpétuation des espèces et s'y satisfait entièrement, illustration typique de la permanence des formes non séparées dans le devenir. Le second exemple montrera encore mieux que, dans l'aristotélisme, aucune ascension ne s'opère vers quelque source absolue d'être et d'intelligibilité. Dans un fragment du traité *De la philosophie*, donc dans un texte ancien, une image rappelle la Caverne d'où Platon incite les humains à sortir pour qu'ils parviennent à la lumière du vrai : Aristote y fait l'hypothèse de gens qui auraient toujours vécu sous la terre et qui seraient un beau jour sortis à la lumière du soleil. La ressemblance avec le célèbre passage de *la République*, suffisante pour prouver la filiation, ne va pas plus loin. Aristote n'évoque pas une caverne d'esclaves misérables, mais « de lumineuses demeures ornées de sculptures et de tableaux »; rien ne pousse les hommes à tenter de s'en évader et au lieu de gravir péniblement la pente qui mène à l'entrée de la caverne, ils ne sortent de leur palais souterrain que parce qu'à un certain moment, le sol s'ouvre au-dessus d'eux. Ils ne s'efforcent donc pas, comme chez Platon, à une conversion difficile qui les ferait quitter la vision gouvernée par le monde sensible pour en adopter une autre, gouvernée par un monde intelligible. Il est vrai qu'Aristote entend utiliser son hypothèse imaginaire dans l'intérêt d'une thèse qui reste assez platonicienne : il en tire l'affirmation d'une démiurgie divine. Mais pour s'en persuader, ses troglodytes se fondent sur le monde familier de l'expérience souterraine et saisissent par analogie avec leur art la causalité divine à la source des merveilles terrestres et célestes visibles à la surface. L'essentiel est que disparaît toute conversion de l'esprit, dans un simple élargissement de l'expérience; si l'on peut encore parler d'un mouvement ascendant, ce mouvement se suffit et se fonde sur son point de départ, de sorte que l'on ne saurait rien concevoir de plus opposé à l'esprit de la dialectique ascendante de Platon. Et les Dieux auxquels parvient ce raisonnement ne peuvent être au plus que les grands frères des artisans humains. A ce stade de la pensée d'Aristote, la dérivation du monde à partir d'un absolu transcendant est déjà compromise par un nouveau mode de pensée, par le mode de pensée proprement aristotélicien qui, sans nier l'ordre hiérarchique du monde, respecte l'autonomie de chacun de ses niveaux et vise à en articuler l'inventaire.

Cette recherche d'un équilibre entre unité et diversité doit nous garder d'imaginer qu'Aristote a jugé son maître trop épris de transcendance et que la critique du second

monde platonicien vise, de façon quelque peu socratique,
à faire redescendre la philosophie du ciel sur la terre. En
réalité, le Maître et le Disciple manifestent un intérêt égal,
quoique non identique, pour les problèmes d'ici-bas et ni
l'un ni l'autre n'y bornent leur réflexion. Aux yeux d'Aristote, la grave erreur de Platon est de s'être laissé prendre
au piège des mots et d'avoir commis un énorme pléonasme :
l'altérité du second monde a tout juste le tort, chez Platon,
de se réduire à une identité redoublée, c'est un double
verbal du monde offert à nos sens. Aristote reproche à
Platon ce que plus tard les rationalistes reprocheront à
l'aristotélisme : l'explication par le redoublement verbal.
Mais il n'en résulte en aucune façon chez Aristote un refus
de la transcendance : bien au contraire, la hiérarchie des
niveaux autonomes implique une multiplicité de degrés
transcendants les uns aux autres dans l'unité du monde
et peut-être, finalement, une coupure particulièrement
nette entre toutes les réalités matérielles et le divin. A ce
sommet, l'Acte pur de toute matière donne à penser que la
transcendance du monde platonicien des Idées, par sa
réduction à la parfaite unicité, se réalise enfin en se débar-
rassant des *duplicata* du monde sensible. Davantage : la
transcendance des niveaux supérieurs sur les niveaux inférieurs se trouve renforcée par l'absence de tout rapport de
genèse, tant et si bien que les niveaux inférieurs pourraient
courir un risque de dépréciation plus grand que chez Platon. Mais à la vérité, c'est tout de même Aristote qui s'intéresse avec le plus de liberté aux réalités les plus humbles,
car si l'unité génétique du monde platonicien tend finalement à en sauver tous les niveaux, l'indépendance même
de chacun arrive encore mieux au même résultat chez
Aristote. « En toutes les parties de la nature, il y a des
merveilles » proclame le livre premier des *Parties des animaux*. En fin de compte, Aristote restaure sur d'autres
bases l'équilibre et la complémentarité établis par Platon
entre la théologie et le sens de la terre et, si l'on a pu
méconnaître ses préoccupations théologiques ou les croire
incompatibles avec sa science du monde sensible, c'est

seulement parce qu'il peut s'intéresser au monde sensible plus immédiatement que Platon, mais d'un seul mouvement il fait ressortir la transcendance du divin en se passionnant pour l'étude du monde sensible. Le tout est l'unité subtile d'une diversité donnée.

Mouvement, discours, distinctions et correspondances cardinales

A son tour, chaque être qui tombe sous notre expérience n'a d'unité que composée ou même reste incapable de surmonter une distance de soi à soi, une intime scission caractéristique du devenir. Réunir chaque être à lui-même, discerner comment se rassemblent ses différences, ce travail en étroit rapport avec la distinction et la hiérarchisation des êtres s'exprime et s'articule dans le discours humain en même temps que les êtres périssables se font et se défont dans le mouvement du devenir, dont le discours humain subit lui aussi la loi. Cette solidarité qui n'est pas obtenue, comme on l'a cru parfois, grâce au décalque spontané, dans le registre de la philosophie, d'une grammaire aux structures contingentes, manifeste plutôt la relative homogénéité du monde de la mobilité, telle qu'elle pouvait apparaître à un penseur convaincu qu'à travers le langage la pensée est capable de viser adéquatement les choses. C'est dans cet esprit que doit être défendu le grand principe de non-contradiction qui est nécessairement respecté par tout véritable savoir et qui exprime la consistance qu'à travers ses différences maintient en soi tout être. Aristote ne se contente pas d'en poser immédiatement l'évidence, il entreprend de le légitimer contre les attaques des sophistes. Contentons-nous tout d'abord de définir le principe comme exigeant le respect de la cohérence intellectuelle. Aristote ne se satisfait pas d'une formulation aussi vague, mais elle suffit en première approximation, en face des attaques directes où le sophiste prétend passer à sa guise du pour au contre et avancer n'importe quelle assertion sans que l'on puisse y trouver à redire, du simple fait qu'il choisit de refuser le principe et se dérobe par suite à toute argumentation cohérente. Certains, dit Aristote, « prétendent, d'une part, que la même chose peut, à la fois, être et n'être pas, et, d'autre part, que la pensée peut le concevoir ». Il n'est évidemment pas question de tenter une réfutation démonstrative, puisque l'on commettrait ainsi une pétition de principe. Mais une double légitimation est possible. Dans l'attitude du sophiste, Aristote dénonce un refus de dialoguer, une volonté de réduire au verbalisme la fonction de signification du langage : insurmontable en théorie, le refus du principe avoue sa faiblesse en détruisant pratiquement le dialogue. C'est le sophiste qui nie lui-même sa propre entreprise, en retirant son sens à la communication linguistique. Cette réfutation dialectique se suffit en un sens : le sophiste n'a plus qu'à se taire, mis hors du jeu par l'inconsistance de son choix. Mais dans le livre Gamma de la *Métaphysique*, où se trouve cette « exécution », Aristote la fait précéder par une sorte de mise à l'épreuve du principe dans la solitude et l'immanence de la réflexion : « Il n'est pas possible de concevoir jamais que la même chose est et n'est pas, comme certains croient qu'Héraclite le dit : car tout ce qu'on dit, il n'est pas nécessaire qu'on le pense. » Ici, le principe de non-contradiction se fonde sur une impossibilité éprouvée par la pensée dans son exercice immédiat : la possibilité de l'incohérence, qui est absence de pensée plutôt que pensée perverse, réserve en effet l'impossibilité absolue qu'éprouve la pensée comme telle de s'effectuer dans la contradiction. Cette heureuse impuissance signifie que *dans son être* la pensée est cohérence et ne saurait penser ses objets, les êtres, que selon la cohérence. L'être de la pensée suffit ainsi à révéler et à légitimer le principe de non-contradiction. A partir de quoi l'on comprend mieux la faiblesse du sophiste, dont la fausse conduite résulte d'une impossibilité de pensée : tout comme son maître Héraclite, le sophiste en dit plus qu'il n'en peut concevoir.

Les attaques des sophistes et des philosophes qui leur

sont apparentés ont pris parfois une orientation oblique qui consiste à accepter en apparence le principe, tout en le dénaturant et en l'utilisant, ainsi déformé, pour détruire, une fois encore, toute communication et tout discours. Tantôt on affirme d'un sujet des attributs divers en les mettant tous sur le même plan, ce qui ne manque pas de le pulvériser ; le « sophisme du *voilé* » illustre cette démarche dans les *Réfutations sophistiques* : devant un homme voilé, j'affirme ne pas le connaître ; mais, une fois le voile enlevé, je suis obligé d'admettre que je le connais, car c'est Coriscos ; donc je connais et ne connais pas le même homme. Au départ, pour que la richesse des attributs que peut accorder à un être le discours n'entraîne pas de contradiction, on croit nécessaire de n'en privilégier aucun et de les tenir tous en quelque sorte à égale distance de l'être qu'ils qualifient. Mais cet être perd ainsi finalement toute consistance, les attributs ou bien perdent tout lien d'attribution ou bien s'agglomèrent contradictoirement en un sujet qui ne sera pas seulement Coriscos voilé et non voilé, connu et inconnu, mais le sujet unique de tous les attributs qu'on voudra... Tantôt, au contraire, persuadé d'entrée, avec l'école mégarique, que le principe exclut toute attribution, on se représente le monde comme un éparpillement de réalités ponctuelles et dépourvues de toute relation ou même on en revient, poussant à son terme la logique de la démarche, à l'unicité absolue de l'être parménidien. Richesse et pauvreté des attributs aboutissent ainsi au même échec, sous des formes à peine différentes. Dans le premier cas, ce qui manque, c'est un point fixe, un sujet premier, c'est-à-dire l'essence ou substance, l'être qu'est chaque être en lui-même, l'*ousia* exclusive de toute autre en sa consistance propre, mais susceptible de recevoir des attributs distincts d'elle. Dans le second cas, l'*ousia* tient toute la place et ce qui manque, c'est la reconnaissance des attributs comme d'une certaine sorte de réalité distincte de celle des essences. On avait successivement, dans la confusion de l'essence avec ses attributs, fait s'évanouir l'essence, dans la réduction des attributs à des essences, supprimé tout attribut. La

racine commune de cette double erreur est une extension
illégitime de la notion de contradiction, elle-même permise
par des conceptions trop simples de l'être : il n'y a pas
contradiction entre essence et attribut du seul fait que l'on
réunit ces termes distincts, car ils ne sont pas distincts
comme une essence l'est d'une autre, ou un attribut d'un
autre attribut de même genre; ils appartiennent à des
genres distincts et la *catégorie* de l'essence s'oppose chez
Aristote aux autres catégories, aux catégories proprement
dites de tous les attributs ou accidents.

Cette grande division de l'être est de première importance :
elle donne sa juste mesure au principe de non-contradiction
et rétablit dans ses droits le jugement d'attribution dont
l'exercice spontané attestait déjà les possibilités de cohérence. Au reste, lorsque la pensée éprouve qu'elle ne peut
s'effectuer dans la contradiction, cette contradiction impossible en son être est envisagée par Aristote entre des attributs de cette essence qu'est le sujet pensant et non pas entre
un attribut et l'essence : deux jugements contradictoires
sont deux attributs incompatibles dans l'unité essentielle
d'une même pensée. Ainsi s'enracine dans l'être le premier
principe du savoir, dont la formule exacte est la suivante :
« Il est impossible que le même attribut appartienne et
n'appartienne pas en même temps au même sujet et sous
le même rapport. » Ce qui revient à dire que deux jugements
contradictoires (l'un affirmant, l'autre niant l'appartenance
de l'attribut au sujet dans les conditions précisées),
ne peuvent être ni vrais ni faux tous deux : le principe, nettement formulé en termes d'attribution, éclaire la pratique
spontanée du discours humain et sépare formellement le
vrai du faux et l'être du néant.

Aristote estime continuer et redresser ainsi l'effort de
Platon. Après avoir déjà approché de fort près, dans *La
République*, l'énoncé correct du principe de non-contradiction, Platon n'a pas su distinguer l'être de l'essence de
l'être des accidents, si bien qu'en réduisant toutes choses
à une unité génétique, il ne pouvait que transgresser le
principe et se résigner à tolérer des contradictions dans la

pensée et dans l'être. Dernière figure de la participation,
dont la notion impliquait la confusion du même et de l'autre,
de l'un et du multiple, de l'être et du non-être, la communauté des genres marque au fond la victoire du sophiste,
dans le dialogue de ce nom; on peut même y déceler les
deux erreurs de la sophistique et des mégariques, car les
grands genres du *Sophiste*, tous établis sur le même plan,
se mettent en rapport sans aucune distinction d'essence
et d'accident et l'être, qui n'est que l'un d'entre eux, se
renferme dans une signification unique, d'inspiration parménidienne. Les contradictions étaient dès lors inévitables,
en dépit de la réduction du non-être à l'altérité : seule, dans
l'optique d'Aristote, la distinction des deux sens de l'être
explicite clairement et fait fonctionner avec justesse le
principe de non-contradiction.

La distinction de l'essence et de l'accident risque toutefois
de faire à son tour difficulté, ce qui donne accès à un autre
couple important de notions. L'essence et l'accident ne
doivent pas être séparés : un accident n'existe qu'autant
qu'on l'attribue à une essence et si le mode d'être de l'essence
ou substance est la subsistance par soi, l'indépendance,
celui de l'accident est la subsistance dépendante, l'être
subordonné. Cette dépendance n'est pas seulement le fait
des accidents au sens propre, c'est-à-dire de ceux qui sont
liés de façon contingente et temporaire à l'essence, par exemple l'accident « voilé » quand il est dit que Coriscos est voilé,
mais aussi des attributs essentiels qui, dérivant nécessairement et en permanence de l'essence, ne se confondent pas
non plus avec elle, pourtant, comme par exemple la valeur
précise et constante de la somme des angles dans le triangle.
Il est vrai que l'on peut se demander si cette distinction
de l'essence et des attributs essentiels est maintenue avec
rigueur par Aristote, mais elle subsiste au moins en ceci
qu'à l'unité en un sens indivisible de l'essence s'opposent
les attributs essentiels en leur multiplicité. Qu'il s'agisse
donc d'accidents proprement dits ou d'attributs essentiels,
tenus ou non pour des composantes de l'essence, le même
risque de contradiction apparaît, qu'il eût fallu aussi bien

évoquer à ne considérer que l'essence seule, unité de toute manière composée, si elle est positivement définissable. Ainsi, il y a un lien, une unité et une identité mêmes, entre l'essence et, au sens le plus large, ses propriétés, bien que, par sa consistance, elle soit nettement autre que chacune et indivisible en face de leur pluralité. Le progrès réalisé sur la sophistique et l'esprit mégarique se trouve ainsi compromis et l'on peut avoir la tentation de retourner aux options destructrices que l'on vient de disqualifier. A l'encontre de cette tentation rétrograde, on saura conserver les avantages acquis si l'on distingue dans l'être, en sus de l'essence et de l'accident, l'acte, *energeia* et la puissance, *dunamis*.

Dans sa signification la plus complète, cette distinction invite à concevoir comment deux êtres différents peuvent entrer en relation, comment l'un peut agir sur l'autre et l'autre subir l'action du premier : toute relation serait impossible entre eux ainsi que tout changement en chacun, s'ils devaient faire figure de monolithes fermés sur eux-mêmes, à la manière mégarique. Une action, un effet déterminé a pour condition, dans le sujet où cet effet se produit, une certaine réceptivité appropriée, une disposition à accueillir l'effet; il y faut aussi, du côté de l'agent, avant même qu'il agisse, la capacité d'agir, de produire cet effet. Ces deux dispositions sont des puissances, l'une passive, l'autre active, dont le concours permet la réalisation effective d'une détermination, l'acte. Une puissance est ainsi une capacité de devenir autre, c'est-à-dire d'être déjà de soi-même, par avance, porteur en quelque manière d'une détermination que l'on ne possède pourtant pas effectivement; ou encore, sans mouvement réel, le mode d'union d'une base activement ou passivement déterminable avec une détermination distincte d'elle. La puissance active est sans doute plus proche de l'acte que la puissance passive, car elle n'est autre qu'une virtualité qui passe à l'acte dès qu'elle ne rencontre pas d'obstacle externe, tandis que la puissance passive, possibilité orientée vers l'acte, mais sans aucun pouvoir de réalisation, reste par elle-même moins déterminée et comporte intimement, en tant même que possibilité passive d'actualisation, la possibilité contraire de ne pas recevoir la détermination effective. Il n'en demeure pas moins que l'une comme l'autre, les deux sortes de puissance constituent des intermédiaires entre identité et altérité, entre non-être absolu et être en acte et elles accordent ainsi un statut au changement et à la composition. On peut affirmer que l'essence est l'accident en puissance, soit comme puissance passive que détermine l'agent qui cause l'accident, soit comme puissance active imposant des déterminations à une puissance passive. Quant à la composition de l'essence, elle n'entre plus en contradiction avec son unité : la notion de puissance est relative, ce qui est en puissance par rapport à tel acte est en acte par rapport à une puissance inférieure, de sorte que les diverses déterminations de l'essence entrent dans des rapports d'acte à puissance où elles trouvent leur unité. La dualité de la puissance active et de la puissance passive peut, par suite, résider dans un même être concret, seules les essences réalisées par l'art humain dépendant de puissances actives à elles extérieures, comme par exemple l'essence d'une maison. On voit jusqu'à quel point les êtres du monde aristotélicien sont distants d'eux-mêmes et comment le philosophe a fort à faire pour tenir sur eux un discours cohérent.

Les termes du problème, à savoir les articulations de l'expérience et l'autodestruction de toute logique trop raide, conduisent Aristote à utiliser la notion de puissance : ce n'est pas une solution glorieuse, mais un effort pour traduire l'ordinaire étrangeté de l'expérience sans mettre en péril la cohérence du discours. Aussi la distinction de l'acte et de la puissance, malgré l'ampleur de son usage, n'est-elle pas faite pour mettre en rapport n'importe quoi avec n'importe quoi et c'est toujours à partir de l'acte correspondant que l'on peut délimiter telle puissance précise. Le principe de non-contradiction est sauvegardé de deux manières. D'une part, l'un et le multiple, le même et l'autre se concilient en se distribuant selon la distinction. D'autre part, si une puissance enveloppe deux aspects contraires, si pouvoir être et pouvoir ne pas être vont ensemble, ces deux aspects s'opposent tous deux à l'impuissance, et cela dans un domaine déterminé : pouvoir être telle détermination et ne pas pouvoir l'être ne se confondent pas, les *contraires* s'opposent ensemble à l'impuissance correspondante pour former avec elle un couple d'attributions *contradictoires*, affirmation et négation nettement exclusives l'une de l'autre relativement à un même sujet. Le principe de non-contradiction prend ainsi du recul en face du flottement, de l'indécision des êtres, et c'est pour lui le moyen d'en reconnaître le caractère modéré et d'être respecté en fin de compte, en circonscrivant les puissances sans prétendre faire pénétrer sa loi dans l'intime ambiguïté de chacune.

La distinction de l'acte et de la puissance n'a pas, toutefois, pour unique fonction de ménager cette conciliation. Il importe de souligner que l'être en puissance ne s'abolit jamais dans la détermination qui l'actualise et qu'il demeure un substrat pour cette détermination, un *upokeimenon* sans lequel la détermination ne pourrait s'actualiser : proche du couple de l'acte et de la puissance passive est celui de la forme et de la matière; ils se recouvriraient même parfaitement (la forme pouvant correspondre aussi à la virtualité de la puissance active), si, précisément, alors que le premier couple insiste sur les conditions d'un passage, les pôles d'une relation et l'unification d'un composé, le second couple n'envisageait plutôt de façon statique la constitution de l'être, particulièrement de l'être complet et concret, du *sunolon*, essence ou substance au sens le plus réaliste. L'*ousia*, comme *sunolon*, est un composé de forme *(morphè, eidos)* et de matière *(ulè)*. Il est clair que sans cette persistance du substrat, on en reviendrait à la philosophie platonicienne des Idées séparées. La forme, en effet, comme structure de la substance, comme détermination essentielle et unifiante, est l'élément intelligible du composé. Mais la matière ne se réduit pas au sensible et sa notion ne répond pas seulement à une intention de réalisme; doublement relative, comme la puissance passive, c'est-à-dire relative à une forme, mais aussi relative en son indétermination, qui n'est absolue qu'au plus bas degré, celui de la « matière première », la matière ne saurait être prise dans un sens général autrement que de façon abstraite ou, comme dit souvent en pareil cas Aristote, « logique ». Le sens le plus profond de la distinction forme-matière est celui d'un rapport hiérarchique qui se répète, abstraitement semblable à lui-même, du plus déterminé au moins déterminé, du plus parfait au moins parfait, sur les multiples degrés de l'échelle des êtres.

Telles sont les trois distinctions cardinales de l'aristotélisme : essence-accident, acte-puissance, forme-matière. Toutes trois ont pour fonction de servir de schèmes d'intelligibilité à la représentation d'un monde ordonné de réalités autonomes en devenir. Aussi peut-on y rattacher la théorie des quatre raisons ou facteurs explicatifs, c'est-à-dire, en termes usuels, la théorie des quatre « causes » : la cause matérielle correspond à la réceptivité de la matière, tandis que les trois autres correspondent à divers aspects du rôle de la forme. La cause formelle s'identifie en effet à la forme en tant que la forme rend compte des propriétés qui en découlent nécessairement; la cause finale est la forme en tant que la forme comme but et achèvement rend compte du processus qui y aboutit; la cause efficiente ou motrice est la forme encore, cette fois en tant qu'agent, ou cause au sens moderne, de ce processus, car une forme est toujours en dernière analyse l'agent spécifique des processus qui conditionnent le surgissement d'une forme identique (la forme est l'agent de sa propre répétition). Aristote dit lui-même que « souvent causes formelle, finale et motrice se ramènent à l'unité ». La célèbre théorie des quatre causes ne fait donc que préciser la corrélation fondamentale de la forme et de la matière. Plus important sans doute que le caractère quadripartite de cette division est le rapport de la causalité ou liaison explicative avec les notions vues plus haut : Aristote aboutit dans le détail à une grande finesse d'analyse en distinguant la cause par soi ou essentielle de la cause par accident et la cause en acte de la cause en puissance. Les

distinctions que nous venons d'évoquer forment bien chez
Aristote un ensemble organique.

Le devenir des êtres et le système du monde

Au début des *Météorologiques*, des indications nous sont
données sur l'ordre dans lequel il convient de traiter les
questions relatives au monde en devenir : on commencera
par les principes généraux (livres I-II des écrits de *Physique*),
de là on passera à l'étude du mouvement naturel en général
(livres III-VIII); ensuite on étudiera les astres et, au
centre du Monde, la Terre (livres I-II *Du ciel*), les éléments
et leur génération mutuelle (livres III-IV), la production
et la destruction des êtres individuels *(De la génération
et de la corruption)*, avant de passer aux « météores », c'est-
à-dire aux changements qui se produisent dans l'atmosphère
et qui inaugurent l'analyse de réalités complexes *(Météorologiques)*; reste alors, en effet, à traiter des vivants,
animaux et plantes, en général et les uns « à part » des
autres, c'est-à-dire dans le détail des particularités spécifiques (les différents ouvrages consacrés aux animaux et
aux plantes ne se laissent guère distribuer selon cette distinction, mais il y a pourtant un ordre de lecture, qui va,
en laissant de côté le simple recueil de faits que constitue
l'*Histoire des animaux*, du traité *Des parties des animaux* à
celui *De la génération des animaux*, en passant par ceux
De la marche des animaux, De l'âme, etc.). De cette démarche
qui va du plus général au plus particulier, esquissons les
principaux moments.

Le point de départ est l'évidence de la pluralité en mouvement, affaire d'expérience que ne doit pas troubler une
ratiocination aveugle aux distinctions qu'il est nécessaire
de faire, comme nous l'avons vu, dans l'être et dans l'unité;
une recherche des principes du devenir est donc légitime.
De plus, on voit bien que le devenir n'est pas désordonné
au point de ressembler à un chaos et que tout ne naît pas
de n'importe quoi. Si l'on est attentif à ce que dévoile

le langage, on se rend compte que les pôles d'un changement, le point de départ et le point d'arrivée, recouvrent l'un et l'autre des réalités différentes. On peut dire qu' « un homme devient lettré », que « de l'illettré devient lettré » ou qu' « un homme illettré devient un homme lettré ». Il y faut un couple de contraires, comme la tradition le savait, mais cela ne suffit pas, puisque comme tels, les contraires ne font que se repousser et le langage lui-même signale la nécessité d'un substrat, point commun aux deux pôles et permanence assurant l'unité et la continuité sous la différence et l'opposition. Les trois principes, c'est-à-dire les deux déterminations contraires d'une part, d'autre part le substrat, qui n'est aucun des deux contraires, forment un système parfait : les contraires ont besoin d'un sujet, d'un substrat existant et cela suffit à leur mise en rapport; le substrat, inversement, n'a besoin que des contraires au nombre de deux pour être marqué par la différence du changement. Il ne subsisterait des difficultés que pour qui s'embarrasserait dans le problème de l'attribution, où substrat et détermination font à la fois un et plusieurs; nous avons vu déjà comment Aristote résout cette contradiction et comment le substrat manifeste la puissance des contraires qui caractérise la matière. Ainsi les contraires ne se valent pas, car la puissance des contraires se dit d'une détermination positive, à laquelle tend la matière comme préordonnée à la réalisation d'une forme, et d'autre part de ce qui n'est que l'absence de la détermination positive, dont la matière est initialement privée : les deux contraires sont forme et privation, par exemple « lettré » et « illettré », ou « blanc » et « noir », « chaud » et « froid », etc. Le devenir se laisse donc analyser selon les trois principes internes du substrat, de la forme et de la privation. On peut même étendre ce qui est dit des changements de qualités à la génération des substances : bien que la contradiction (du non-être à l'être) y remplace la contrariété (d'être à être), il demeure une opposition et la nécessité d'un substrat. Au reste, même dans les changements de qualités, il y a passage du non-être à l'être, en ce sens que la privation affectant le substrat est non-être par accident (et semblablement passage de l'être à l'être, en ce sens que le substrat privé de la forme est être par accident) relativement à l'être nouveau qu'apporte la forme.

Tout en traitant ainsi du devenir en général, Aristote met l'accent et sur les déterminations stables qui limitent chaque changement et sur leur spécificité qui interdit de dissoudre les différents types de changement dans l'abstraction d'une sorte de flux universel. Le devenir a toujours un but, une orientation correspondant à la nature des êtres en devenir et alors que les modernes pensent plus vite à la Nature universelle qu'à la nature des êtres singuliers ou tout au moins des types particuliers, les Anciens ont en général l'attitude opposée. La notion de nature chez Aristote ne prend son sens fort que lorsqu'elle implique particularité et différence et se rapporte au changement : *phusis* en grec signifie d'abord « action d'engendrer, de produire, de faire naître », et Aristote définit le terme pour sa part comme « principe de mouvement et de repos », plus précisément « principe et cause de mouvement et de repos, immédiatement et essentiellement présent en ce en quoi il se trouve ». Tout dans la Nature renferme en soi un tel principe, y compris les objets artificiels qui, comme tels, sont inertes, mais restent des réalités naturelles dont les techniques ne suppriment pas la puissance de changement : un lit en bois n'a pas de nature à titre essentiel, mais il en a une par accident, en tant que bois. Ont une nature à titre essentiel les éléments, feu, air, eau, terre, les composés inanimés, comme la pierre et le bois, les organes des vivants, enfin les organismes vivants : cet ordre de complexité croissante permet de classer en grands ensembles les réalités naturelles et surtout de montrer que la notion de nature doit s'entendre comme relative à plusieurs niveaux. Par exemple, il est dans la nature de la terre de tendre vers le bas. Or la terre entre dans la composition des vivants qui sont donc, eux aussi, pesants, bien que ce ne soit pas « immédiatement » et en vertu de leur nature propre. Il y a donc un rapport entre la nature et le couple matière-forme qui répète, comme la nature, son schème à plusieurs niveaux, tout en étant lié comme elle au problème du changement. Aristote se demande si la nature consiste dans la matière ou dans la forme; la question se pose principalement parce que si la nature doit par définition permettre le passage de la privation à la forme, il semble difficile de ne pas l'identifier à la matière qui pourtant n'est que puissance passive, préordonnée et indispensable à la forme, certes, mais incapable d'en produire la détermination intégrale. La nature est en fin de compte la forme, et non la matière, mais la forme en relation avec une matière à informer (la forme est alors principe de mouvement) ou avec une matière informée (la forme est alors principe de repos). Dans le premier cas comme dans le second, la forme a beau ne pas se surimposer à l'être naturel qu'elle détermine, il subsiste pourtant entre elle et la matière une dualité qui n'est pas sans analogie avec la dualité plus visible et plus brutale des réalités artificielles, en sorte que les schèmes artificialistes ont sans doute plus de titres à être privilégiés dans l'aristotélisme que les schèmes d'inspiration dite biologique, auxquels on réserve souvent cet honneur. Cette dualité se répercute sur le statut de la forme elle-même, tantôt puissance active et tantôt acte en parfait exercice, force tendant à son propre épanouissement et finissant normalement par atteindre ce point d'arrivée qui est une sorte d'adéquation paisible et rayonnante entre la détermination intelligible et la matière qu'il lui convient d'organiser. La notion de nature, de *phusis*, signifie que la forme n'est pas véritablement elle-même tant qu'elle n'est pas parvenue à son plein exercice dans une matière parfaitement appropriée.

Le mouvement au sens général, le changement, requiert des précisions à son tour, car en l'encadrant entre son commencement et sa fin, on risque de négliger le passage comme tel. Par un approfondissement plus que par une mise en question de sa distinction entre l'acte et la puissance, Aristote définit le mouvement comme « l'acte de ce qui est en puissance en tant que tel », ce qui veut dire que la puissance peut être considérée en tant qu'acte, dans son actualité propre de puissance et que tel est le mouvement,

« acte imparfait ». Entre la puissance comme pure puissance et l'acte complet et parfait qui lui correspond, il existe bien un intervalle d'actualisation où la puissance entre en acte, puisqu'elle reste continûment présente tant que l'actualisation n'est pas achevée et que pourtant elle a cessé d'être pure puissance dès que l'actualisation a commencé. Cette définition subtile ne présente du reste ni plus ni moins de difficulté que le statut de la forme aux deux bornes de l'intervalle. Aristote exprime seulement avec plus de netteté ce qu'est le mouvement qu'il ne dégage les implications de la notion de phusis.

Le mouvement peut pourtant être pris dans des sens différents. On peut réserver ce nom au changement de lieu ou mouvement local, on peut l'étendre à tous les genres d'être admettant la contrariété, c'est-à-dire aux catégories de qualité, de quantité et de lieu, et même aller jusqu'aux contradictoires, jusqu'au changement substantiel, génération et destruction des essences, dont le cas n'est pas absolument hétérogène aux autres, ainsi que nous l'avons noté. De toute manière, bien que l'on puisse traiter dans l'abstrait du changement en général, et bien que certaines de ses formes en impliquent d'autres et que toutes impliquent le mouvement local, il est clair que, comme toujours, Aristote met l'accent sur les différences et qu'il ne cherche à opérer aucune réduction. D'autre part, le mouvement requiert l'élucidation de certaines notions qui lui sont liées dans la recherche antérieure, en particulier dans la dialectique de Zénon et chez les atomistes. Il faut comprendre, tout d'abord, que l'infini, l'*apeiron*, c'est-à-dire ce qui est privé de limite, ne saurait jamais être donné comme un tout dont toutes les parties existeraient simultanément; il existe bien d'une certaine manière, sans quoi l'on ne comprendrait ni la suite du temps, ni celle des nombres, ni la divisibilité des grandeurs, mais il n'existe qu'en puissance, en affinité et non en opposition avec le mouvement (dont la *finalité* implique une conception *finitiste* du Monde). De même, le lieu, *topos*, existe bien, puisque des corps différents peuvent avoir le même lieu tour à tour et que, de plus, vers des régions distinctes du monde tendent les éléments, selon leur nature à chacun, par exemple le feu vers le haut ; le lieu n'est pourtant que la limite du contenant immobile et contiguë à ce qu'elle renferme, comme un vase qu'on ne pourrait déplacer, car lorsqu'un corps se déplace, il n'abandonne pas derrière lui une portion d'espace désormais vide.

On voit qu'Aristote, toujours animé par le désir de mettre en valeur les êtres particuliers, ne se préoccupe aucunement d'édifier une théorie unitaire de l'espace : le lieu d'un corps est simplement la délimitation de la place que lui laissent ceux qui l'environnent, d'où résulte notamment que toute chose au monde est toujours en un lieu, excepté le monde lui-même, que rien ne vient jamais envelopper. En rapport étroit avec celle du mouvement local, la question du lieu touche également à celle du vide, dont la réalité a paru aux atomistes une condition nécessaire du mouvement. Il n'en est rien, selon Aristote, car, dans le plein, le mouvement peut se faire par tourbillon ; dans le vide au contraire, il n'y aurait pas la moindre différence susceptible d'orienter le mouvement dans une direction plutôt que dans une autre ou aussi bien de l'achever ici plutôt que là ; la condensation et la raréfaction ne requièrent pas d'interstices vides dans les corps, elles s'expliquent comme des degrés d'intensité dans le plein et on ne peut admettre à la rigueur une quasi-existence du vide qu'à titre de puissance, semblable en cela à l'infini, parce qu'il n'y a pas de limite à la raréfaction. Le vide ainsi rendu à son néant, on s'éloignera moins que jamais de l'analyse du changement en étudiant le temps, bien que le temps ne puisse se confondre avec les changements multiples et plus ou moins rapides, lui qui est un et uniforme. Un laps de temps se reconnaît à la distinction dans le mouvement d'un avant et d'un après, à la distinction de deux « maintenant » limitant un intervalle ; le « maintenant », permanence potentielle accompagnant des événements différents les uns après les autres, assure ensemble la continuité du temps et la délimitation de ses parties, en se fondant sur la puissance qui accueille des attributs successifs, c'est-à-dire sur le substrat permanent, sur la matière de l'être en mouvement, qui marque la première la continuité et les différences potentielles. C'est ainsi que le temps scande le devenir de l'être et peut se définir « le nombre du mouvement selon l'avant et l'après ». Toutes ces notions, infini, lieu, vide, temps, portent le signe de cette actualité de la puissance comme puissance, de cette actualité imparfaite, dont Aristote s'est servi pour définir le mouvement. Il réfute dans le même esprit les arguments dialectiques de Zénon en montrant que tout continu est divisible à l'infini et que s'impliquent réciproquement à l'infini la divisibilité de l'étendue, celle du mouvement et celle du temps.

Reste, touchant le mouvement en général, une question capitale, celle de son origine; question qui semble déjà réglée, il est vrai, si l'on prend à la lettre la définition de la *phusis*. Mais la nature n'est pas une source absolument première de mouvement. Elle n'est principe que du point de vue d'une analyse interne du devenir, qui a besoin d'agents externes, produisant ou alimentant, selon les cas, les êtres naturels et conditionnant ainsi leurs mouvements naturels. D'autre part, Aristote démontre l'éternité du mouvement en général : son argumentation, en ce qu'elle a de plus profond, revient à utiliser l'irréductible imperfection, l'irréductible inachèvement du couple acte-puissance; les deux termes en sont liés trop solidement et ils sont en même temps trop distincts pour que l'on puisse admettre, dans l'ordre chronologique, soit une première puissance, soit aussi bien un acte dernier. Mais, précisément, le mouvement est incapable de se soutenir de lui-même en cette éternité imparfaite, ou plutôt la scission que marque le couple acte-puissance ne peut jamais être menée vers sa suppression, d'ailleurs temporaire, et jamais absolument unifiante, s'il ne se trouve pas une force motrice d'un autre ordre à la source ultime de ces actualisations dont nous avons l'expérience. L'imperfection du mouvement se manifeste notamment en ce que toute chose mue est mue par une autre : il est donc nécessaire de poser un terme premier, soustrait à la mobilité des corps, à la dualité de l'acte et de la puissance (étant bien entendu qu'une régression à l'infini ne règlerait rien, puisque, par définition, l'origine absolue ne pourrait que s'y dérober sans fin; étant entendu aussi que le mouvement local, impliqué par toutes les formes de changement, ne saurait, comme certaines d'entre elles, s'expliquer suffisamment par une causalité réciproque). Incorporel, éternel, purement en acte, immobile, le Premier Moteur est ainsi l'objet d'une inférence nécessaire à partir de notre expérience du monde sensible. Comment comprendre sa nature et son action? En lui coïncident de façon absolument parfaite forme et acte : l'Idée, l'Intelligible s'y possède sans restriction, libéré de toute matière, donc de toute inadéquation à soi-même; Dieu est vie toujours égale de l'intellection et de l'intelligible identiques l'un à l'autre. On peut dès lors se faire quelque idée de la nature de son action : intelligible suprême et bien suprême, c'est par son attirance qu'il entretient l'ordre cosmique et alimente l'énergie qui s'y déploie. Une comparaison éclaire, au premier livre *De la génération et de la corruption*, les recherches du dernier livre de la *Physique* et du livre Lambda de la *Métaphysique* : « Il nous arrive de dire, écrit Aristote, qu'une personne qui nous fait de la peine nous touche, sans que pourtant nous la touchions nous-mêmes. » Le Moteur non mû et incorporel, donc impossible à toucher, impossible aussi, sans doute, à localiser autrement que par métaphore, est la Cause finale qui meut par l'amour qu'elle suscite. Cet amour, *Éros*, risque d'être mal compris et de nous ramener une fois de plus à la recherche erronée d'une origine du mouvement au sein du monde de la mobilité. Ici, Aristote est très proche de Platon, pour qui but suprême et source première de toute action coïncident, en sorte que l'élan de l'érôs et cette richesse unie en lui au dénuement ne peuvent provenir que d'en haut : l'amour ne répond pas à une vision par une initiative; il consiste en une attraction subie, dont la cause finale est du même coup la cause motrice. Aristote ne diffère de Platon qu'en accentuant la transcendance du principe suprême (la seule Idée, ou presque, qu'il garde intacte du platonisme, pour en faire la clef de voûte de son propre système). Mais si l'Acte pur du disciple est plus nettement inaccessible que le Bien de Platon, au point qu'on le dirait même étranger au monde, dont l'imperfection ne saurait en effet le « toucher » d'aucune manière, lui dont la perfection s'enferme en lui-même, il ne s'agit plus seulement de différence. L'opposition des deux auteurs devient flagrante, en raison de cet abandon de toute perspective de genèse ontologique dont nous avons déjà souligné l'importance chez Aristote. On ne peut pas trouver, et il n'y a pas lieu de chercher en Dieu, le pourquoi des formes auxquelles Dieu imprime le mouvement qui leur permet de se maintenir à la fois précairement et éternellement dans l'être. L'ordre même selon la hiérarchie duquel descend la communication des énergies actualisantes ne fait qu'épouser la hiérarchie spontanément ordonnée des formes immanentes au cosmos. Dieu n'est ainsi que le premier terme d'une mise en place qu'il ignore. Aussi n'est-il pas étonnant que, but ultime de toutes choses en apparence, il tienne beaucoup plus d'une sorte de visée organisatrice d'ensemble sous laquelle se poursuivent, chacune à son niveau propre, des finalités particulières et autonomes. Nous avons vu que la procréation, si elle se rapporte sourdement au pôle suprême, ne recherche et n'obtient rien de plus que la perpétuation des formes spécifiques. L'éternité de l'Acte pur est en quelque manière concurrencée, sur un plan inférieur, par ces formes maintenues à jamais, de même que son immobilité est concurrencée, sur un plan inférieur, par leur fulguration, par leur surgissement instantané, à l'issue du mouvement de l'actualisation.

Esquissons très brièvement la hiérarchie du monde, dans l'ordre descendant. Au plus près de Dieu s'étagent les sphères des corps incorruptibles, vivants éternels qui sont mus du mouvement le plus proche de l'immobilité, à savoir le mouvement circulaire uniforme, sans manque et sans progrès, sans commencement ni fin. Le premier ciel est la mobile sphère des étoiles, qui enveloppe le cosmos, dont le

centre fixe est le lieu naturel de la Terre, sphère en repos.
Un système complexe de sphères concentriques, inspiré
d'Eudoxe de Cnide, le grand mathématicien et astronome,
ami de Platon, s'efforce de décomposer les mouvements appa-
rents du Soleil, de la Lune et des planètes. Tout mouvement
éternel exigeant une cause éternelle, ces divers mouvements,
bien distincts du mouvement unitaire de la sphère des
fixes, requièrent une pluralité de Moteurs immobiles et
immatériels, dont le rapport au Premier Moteur soulève
au reste un problème difficile que nos textes laissent en
suspens. Ainsi est constitué le monde « supralunaire » (assez
mal nommé, car la Lune en fait partie) qui s'oppose à notre
monde « sublunaire » comme la région des corps éternels,
affectés du minimum de mouvement et de matière et
situés au plus près ou sous l'influence la plus directe du
Premier Moteur, s'oppose à la région de la Physique proprement dite, où grandit l'imperfection et où la multiplicité des corps corruptibles, recevant des moins imparfaits
aux plus humbles une part de plus en plus faible de l'énergie
d'en haut, ne maintiennent, sous l'influence du ciel, une
certaine sorte d'ordre qu'à travers beaucoup de désordre
et même de conflits. La génération de tel être commande
la destruction de tel autre et les mouvements naturels de
l'un violentent aisément la nature d'un autre, à commencer par les éléments. Ceux-ci se caractérisent par des couples
de qualités sensibles opposées deux à deux, chaud et froid,
sec et humide, se combinant en élément chaud et sec (feu),
tendant vers le haut, et à l'opposé en élément froid et sec
(terre), tendant vers le bas, vers le centre du monde, puis,
à titre intermédiaire, selon les deux autres combinaisons
possibles, chaud-humide et froid-humide, respectivement
en air et en eau. Il y a là une série continue qui permet une
transmutation circulaire dans les deux sens : le mouvement
en est sans fin grâce à l'inclinaison de l'écliptique qui produit les saisons, c'est-à-dire la prépondérance variable des
qualités contraires. Les quatre éléments sont à la base de la
constitution de tout ce que renferme le monde sublunaire,
ils sont les causes matérielles, c'est-à-dire les conditions

fort insuffisantes, mais nécessaires, de toutes les réalités physiques plus complexes. Le schème que nous connaissons, forme et matière, acte et puissance, se répète du plus au moins parfait, des déterminations les plus hautes de la vie jusqu'aux combinaisons élémentaires dont les transmutations impliquent l'existence de la matière première, de cette matière qui seule est absolument informe, indéterminée, ne pouvant être l'acte qui correspondrait à une puissance plus basse.

L'un des intérêts majeurs d'Aristote, c'est le monde des vivants (dont l'étude occupe en volume presque le tiers du *Corpus*). Les vivants sont les êtres les plus complexes, les plus richement déterminés du monde sublunaire. En passant sur le détail, la plupart du temps remarquable de précision et d'exactitude, et fondé aussi bien sur des observations personnelles et des dissections que sur des enquêtes menées auprès des chasseurs, des pêcheurs, etc., retenons ici les méthodes et conceptions d'ensemble. D'abord, c'est dans ce domaine qu'apparaît le plus clairement la priorité de l'acte sur la puissance et de la forme sur la matière, que l'on considère la génération de l'organisme individuel ou l'activité de son âme. Dans la génération collaborent la détermination spécifique de la forme et l'énergie qui lui vient d'en haut, mais si l'homme est en ce sens engendré « par le soleil », c'est tout de même « l'homme », l'homme adulte en l'épanouissement de sa forme, qui « engendre l'homme », c'est-à-dire la forme comme puissance active de la semence, comme adulte en puissance. La vie est pour ainsi dire une technique supérieure par laquelle, en se communiquant à une matière appropriée grâce à un mouvement approprié, une forme est capable de conserver à son *duplicatum* le pouvoir actif que l'art humain n'est jamais capable de transmettre à ses produits. A partir de l'état de semence, l'épanouissement progressif de la forme développe dans un ordre déterminé une série de fonctions. Nommée *phusis*, nature, lorsqu'il s'agit de réalités plus simples, la puissance active de la forme est l'âme de l'être vivant, c'est-à-dire « la forme d'un corps naturel ayant la vie en puissance », plus précisément « l'entéléchie première d'un corps naturel organisé », selon les formules successives du traité *De l'âme*, qui constitue pour une grande part un ouvrage de biologie générale, plutôt que de ce que l'on appellerait aujourd'hui psychologie. Cette définition signifie que l'âme est la forme parfaite et immuable, en tant que détermination achevée du type spécifique, et la puissance active adaptée à la puissance passive de l'organisme qui lui correspond : comme telle, l'âme est la *faculté* vitale qui *peut* entrer en plein exercice en « animant » son corps, dont elle dirige, en effet, toutes les fonctions afin de s'en servir comme d'un instrument; l'âme est cause formelle, motrice et finale du développement, de la conservation et de l'exercice de l'organisme auquel elle est liée. En ce sens, on a beau ne pas manquer d'arguments pour reconnaître une évolution de la pensée d'Aristote qui, en biologie, serait allée d'une sorte d'animisme instrumentiste à l'hylémorphisme du traité *De l'âme*, ainsi que nous l'avons rapporté plus haut, il demeure que, même en ne se distinguant plus du corps à la manière d'un être numériquement distinct d'un autre, l'âme conserve sur le corps une absolue priorité et continue à le traiter comme un instrument naturel. Que la forme travaille la matière pour y épanouir son acte ou, par surcroît, pour s'y reproduire, sa précellence éclate dans cette hypertechnique de la vie, par laquelle les espèces assurent leur maintien en cycles de croissance et de génération indéfiniment répétés.

Les diverses fonctions de la vie ne sont pas toutes présentes en chaque type de vivant, si bien que la fonction de nutrition et de génération, par exemple, présente chez tous les vivants, d'une part est la condition nécessaire, la cause matérielle, des fonctions supérieures et, d'autre part, délimite le groupe de vivants qui n'est pourvu que d'une âme nutritive, à savoir les végétaux. La hiérarchie des fonctions va de pair avec une hiérarchie classificatrice des grands groupes biologiques. Dans le détail de la classification, Aristote s'est efforcé de reconnaître les genres par le moyen de ressemblances de structure et pour ainsi dire

de construction; chaque espèce résulte de la détermination
formelle d'un genre par une pluralité de différences qui le
font ainsi passer de la puissance à l'acte. On remarquera
que, sensible à la continuité, aux ébauches et préfigurations,
aux correspondances interspécifiques et intergénériques,
Aristote est résolument et absolument fixiste : il ne saurait
y avoir dans son système la moindre possibilité de passage
d'une espèce à une autre, les formes spécifiques étant, par
l'équilibre général du cosmos que soutient le Premier
Moteur, comme par leur statut de causes indissolublement
finales et motrices à son exemple, assurées de se reproduire
telles quelles pour l'éternité. Il ne suffit pas que l'on puisse
passer du regard et en paroles d'une mâchoire à un bec
ou que l'on reconnaisse l'homologie d'un bras et d'une aile
pour être un évolutionniste et un transformiste : selon
Aristote, les espèces sont ordonnées dans une hiérarchie
fixe qui, prise dans le sens descendant, manifeste une unité
intelligible à travers des dégradations de plus en plus
accentuées. L'homme, au sommet, jouit de la station verti-
cale et l'ingestion des aliments se fait chez lui par le haut;
les animaux se courbent vers la terre, perdant l'élan vers le
ciel, ils ont le thorax trop lourd; quant aux plantes, c'est
bien pis, car, si elles semblent retrouver la verticalité
humaine, c'est simplement qu'elles sont sens dessus dessous,
la bouche en bas, achevant le retournement esquissé par les
animaux et terminant la série. Mais ce que parcourt ainsi
l'intelligence est en soi invariable.

Le monde sublunaire n'est pourtant pas parfaitement
réglé. On comprend qu'il s'y produise des événements
dépourvus de sens, à commencer par la destruction et la
mort, par rapport aux êtres détruits ou morts. Ce qui est
causalité naturelle pour tel être est du même coup, pour
tel autre, causalité mécanique et violente (tout le problème
de l'intervention expérimentale en biologie se trouve par
là posé). La causalité mécanique peut d'ailleurs s'orienter
par hasard vers une fin distincte de celle que poursuivait
la cause naturelle (ou aussi bien la cause intentionnelle
et humaine) dont elle n'est que l'autre face. Elle peut aussi

être indifférente, comme c'est le cas, chez les vivants, pour beaucoup de variations individuelles à l'intérieur de l'espèce, ou déplorable, lorsqu'elle produit des monstres. Sans doute de tels effets sont-ils assez rares, de même que la génération spontanée, vérité d'expérience pour Aristote, ne peut concerner que des espèces inférieures. Mais au fond, en notre monde sublunaire, il est difficile de tracer une ligne de démarcation bien nette entre la réussite et l'échec, entre le but atteint et le but manqué, entre la forme et la déformation, entre l'être achevé et l'être imparfait. Aristote ne compare-t-il pas les animaux à la fois aux enfants, qui marchent à quatre pattes, et à des nains? Animalité, immaturité, monstruosité s'identifient, ou peu s'en faut, dans la relativité sublunaire des actes et des puissances.

L'organisation de la connaissance et le problème de l'être

L'homme, sommet de la hiérarchie sublunaire, est le seul de ses membres à rechercher la science. Nous avons dit comment Aristote recueillait l'héritage intellectualiste de Socrate et de Platon. Nous avons vu ensuite selon quelles lignes maîtresses il se représente le monde. Mais Aristote ne s'est pas cru dispensé d'une analyse attentive des processus et des structures organisées de la connaissance et une longue tradition, appuyée par les logiciens modernes les plus autorisés, estime que l'*Organon*, jugé très neuf par son auteur lui-même, constitue la part la plus durable et la plus riche d'enseignements de toute cette œuvre si vaste et si variée. Quoi qu'il en soit, nous ne pouvons ici insister sur le détail technique qui seul fortifierait suffisamment cette appréciation pour lui restituer tout son poids, sinon pour lui permettre d'emporter tout à fait la conviction de chacun. Ce qu'il paraît essentiel de relever, c'est d'abord que la science n'est vraiment la science, aux yeux d'Aristote, que dans le déroulement dogmatique, parfaitement et définitivement organisé, de ses démonstrations contraignantes et indiscutables au sens littéral de ce terme. Cet idéal est bien entendu un terme final, un aboutissement dont la seule fonction constructive sera au plus celle d'une vérification ultime; la science en acte acquiert une sorte d'immobilité.

On peut étudier, en général, les liaisons nécessaires dont la science sera la connaissance rationnelle et les conditions auxquelles doivent satisfaire les principes des démonstrations : ainsi procèdent les *Analytiques*. Une liaison nécessaire fait dépendre un effet d'une cause et une conséquence d'un principe; on formera un raisonnement qui, à partir de propositions antérieurement établies ou reconnues, conclue à la nécessité de la liaison : dans ce passage de la déduction se dévoile la nécessité, et on y repère la cause ou raison de la dépendance immuable. Le raisonnement, syllogisme en grec, est l'instrument de la science. Pour Aristote, il s'agit toujours de liaisons du type prédicat-sujet : par exemple, si un prédicat A est affirmé de tout sujet B et si B est à son tour un prédicat affirmé de tout sujet C, alors nécessairement A doit être affirmé de tout C. Il en est ainsi parce que tout C est B; B, moyen terme opérant le passage des prémisses à la conclusion, est la raison ou la cause de la nécessité conclue. On trouve dans les *Premiers analytiques* une formalisation et une systématisation de différents types de raisonnements attributifs qui apparaissent aujourd'hui comme une théorie restreinte et non élémentaire, mais de tout premier ordre, exactement comme l'œuvre d'Euclide dans le domaine mathématique. Aristote n'a d'ailleurs pas inventé le syllogisme, que l'on voit à l'œuvre chez Platon et, par exemple, dans la démonstration de l'immortalité du *Phèdre*, mais Aristote a voulu établir le système complet et précis des types de syllogismes, de façon à les rendre clairement et rationnellement contraignants, par là exempts de tout choix subjectif et plus ou moins mal justifiable. Sauf à violer le principe de non-contradiction, le syllogisme conclut *vi formae*, par la vertu de sa forme, on oserait presque dire par sa mécanique. Il va de soi que la forme ici, dans sa généralité vide, s'oppose à un contenu et n'a pas, avec l'*eidos* qui informe une matière, d'autre lien que de se ranger avec tout eidos sous la loi commune, logico-ontologique, de non-contradiction.

Aussi la forme du syllogisme ne se suffit-elle pas. A un raisonnement démonstratif, c'est-à-dire entrant dans le registre de la science, il faut un contenu, et de plus un contenu éprouvé au niveau des prémisses, car la cohérence de la forme s'accommode du faux, tant que le faux est lui aussi cohérent. Il faut disposer de deux prémisses énonçant deux liaisons nécessaires déjà établies et ayant en commun un moyen terme : la vertu du syllogisme ne consiste qu'à en tirer analytiquement, par explicitation de l'implicite, la troisième liaison qui en résulte nécessairement. Cette conclusion est le seul gain du syllogisme, et ce gain est unique pour chaque syllogisme. Si l'on veut aller plus loin, faire un autre syllogisme, il faut disposer au moins d'une prémisse différente de l'une des deux qui viennent d'être utilisées, et il en faut même une différente de toutes deux si l'on utilise comme prémisse la conclusion précédente. Ainsi, à chaque étape, on a besoin de connaître par avance d'autres connexions nécessaires que celle que l'on va établir, si bien qu'il est inévitable de commencer par des indémontrables, axiomes et définitions, dont la justification ne peut être de l'ordre de la démonstration. La démonstration met en ordre toute une richesse déjà acquise par des méthodes plus fondamentales, d'autant que la démarche syllogistique, loin de ne réclamer qu'un petit nombre de principes, à la manière des mathématiques qui lui servent souvent d'illustration, procède toujours du plus au moins, comme le requiert son esprit analytique, en accord avec le pluralisme aristotélicien, ennemi de toute tentative de réduction génétique à l'unité. Ajoutons que l'acte même par lequel on choisira les prémisses à mettre en rapport n'est pas encore d'ordre démonstratif et relève d'une méthode de recherche qui ne saurait rien avoir, par définition, de l'assurance toute faite· de la démonstration. La hiérarchisation articulée et contrôlée des formes essentielles et de leurs propriétés est l'extrême pointe d'une ascension dont il faut retracer les grandes étapes à partir du bas.

Or, du point de vue de la connaissance, le niveau le plus bas est celui de la sensation, caractéristique des animaux et de l'homme en tant qu'animal. Avant, bien avant de s'élever à la science, la connaissance humaine part de la sensation et ne saurait pas plus s'en passer que la faculté ou âme sensitive ne peut se passer de la faculté ou âme nutritive. Il n'y a là qu'un cas particulier dans la continuité générale des paliers de l'échelle des êtres, chacun de ces paliers requérant le palier inférieur, puissance préordonnée et indispensable à son acte propre. Aristote n'hésite pas à affirmer, comme vérité d'évidence, que « si un sens vient à disparaître, une science disparaît nécessairement aussi, qu'il n'est plus possible d'acquérir ». Et ce que l'on peut avancer de la sensation ne sera pas sans analogie avec ce qui aura trait à l'intellection elle-même. Pour comprendre la connaissance, il faut arriver à rendre compte d'une certaine coïncidence entre son sujet et son objet, ou plutôt, car ces termes sont trop modernes, entre l'homme et les choses. Aristote fait appel, dans le cas de la sensation, en sus d'une puissance passive, non pas à une seule, mais à deux puissances actives, celle de ce qui est connu et celle de qui connaît, dont l'acte sera le même, la forme du connu étant reçue sans sa matière. Ainsi l'altération subie dans la sensation est fort différente d'une altération physique ordinaire; une telle altération est indispensable, l'organe sensoriel doit être modifié par l'agent externe, dans certaines limites, et acquérir la même qualité sensible : Aristote dit par exemple que l'œil se colore dans la vision. Mais la sensation est en elle-même autre chose : Aristote l'illustre dans le traité *De l'âme* par l'image célèbre de la cire et du sceau, celui-ci ne laissant sur celle-là que son empreinte, sans sa matière. Et à la faculté de l'agent sensible correspond la faculté non moins active de sentir, sans laquelle ce mode d'action, auquel ne se prêtent ni les choses non vivantes ni même les végétaux, serait impossible : la sensation est, dans le sentant, l'acte commun du sensible et du sentant. L'œil ne se colore pas seulement, il voit la couleur. Tel est le point de départ de toute connaissance.

Presque au même niveau intervient le « sens commun », qui surmonte la diversité des sens, aperçoit les sensibles communs (mouvement, grandeur), coordonne les sensations en les rapportant aux objets perçus, conserve les images, sensations affaiblies, et assure en somme l'unité de ce que nous nommons la conscience. Au-dessus du sens commun vient l'imagination qui évoque les images à volonté en l'absence des choses correspondantes; enfin s'exerce la faculté intellective, soit discursivement, « dianoétiquement », dans le déroulement des raisonnements scientifiques, soit intuitivement, dans l'activité suprême de l'intellect, *noûs*, dans la *noèsis* qui atteint les principes, ces principes dont nous avons à tout moment besoin pour organiser les démonstrations de la science.

La question est de savoir comment s'opère cette progression. En disant, dans le dernier chapitre des *Analytiques seconds*, que l'on passe de la sensation au souvenir, du souvenir répété à l'expérience, et de l'expérience à l'universel, Aristote veut montrer par quelle stabilisation progressive le flux des sensations diverses, semblable à une armée en débandade, parvient à se réorganiser et à s'immobiliser, tout à la fois, jusqu'au point où l'esprit accède à l'intuition des formes essentielles et de tous les principes. Mais comment comprendre que, d'une part, les sensations soient indispensables à l'intellection, même intuitive, et que, de l'autre, les observations répétées des cas singuliers, d'où l'induction tire une généralité empirique, ne puissent élever cette généralité jusqu'à la connaissance rationnelle d'une nécessité vraie? La réponse paraît bien tenir dans une application du schème déjà évoqué à mainte reprise : il y a continuité de puissance à acte entre les niveaux distincts de l'induction et de l'intellection, du regroupement empirique et de l'intuition rationnelle. Tous les procédés mis en œuvre en dehors de l'appareil définitif des démonstrations, tout ce qui est dialectique, recueil et confrontation d'opinions, énoncé de difficultés (« apories ») et de problèmes, participe d'une logique de la découverte qui vise à guider les investigations inductives dans la délimitation extérieure des formes essentielles et le repérage des possibles moyens termes. Quand ces recherches sont bien orientées, l'intuition intellectuelle les dépasse en les parachevant. La sensation contenait déjà l'intelligible en puissance; à l'autre bout de la chaîne, l'intellect le possède en acte. Sensation et intuition intellectuelle sont toutes deux infaillibles, chacune à son niveau propre d'actualité, l'une découvrant son sensible propre et l'autre la pureté d'une forme essentielle. La grande affaire est de ne pas s'égarer dans l'intervalle, lieu des exigences méthodiques et des tâtonnements et approximations de la recherche. Car on ne saurait croire sérieusement, selon Aristote, que les bases les plus sûres de la science se trouvent en notre intellect dès le début sans que nous les connaissions alors, attendant seulement, dans un état de latence, une occasion de se réveiller. L'intellect est, idéalement, toutes choses en puissance, tablette vierge (« table rase » selon l'image devenue si fameuse) sur laquelle viennent s'inscrire incorporellement les formes des essences, chacune en acte dans son unité organique. La faculté intellective, à ne l'envisager que dans cette passivité, ne suffit pas à faire passer à l'acte les formes, contenues dans les sensations en puissance seulement. Un agent est donc requis; Aristote distingue, au troisième livre du traité *De l'âme*, de « l'intellect capable de devenir toutes choses », « l'intellect capable de produire toutes choses », à titre d'aptitude, de puissance active semblable à la lumière « qui fait des couleurs en puissance les couleurs en acte ». Cette double faculté ainsi posée, l'intellect est capable de produire et de devenir toutes choses idéalement, à partir des sensations et de leur organisation empirique les principes passent à l'acte, la raison s'appuie sur l'expérience et l'élève au plan des certitudes dogmatiques. On a réuni toutes les conditions de possibilité de la science. La forme vide du syllogisme n'a plus qu'à recevoir le contenu des formes essentielles et à disposer les démonstrations des liens nécessaires qui rattachent à ces formes leurs propriétés.

En fait, il subsiste de notables difficultés, qui se laissent peut-être déjà deviner dans le caractère résiduel des arguments par lesquels Aristote met en place les principes : ni innés ni démontrables, il faut bien qu'on les tire de la sensation et de l'induction et comme ils requièrent davantage, il ne reste plus, au-dessus de l'induction, que l'intuition intellectuelle. Cette exigence, il est vrai, répond à une certaine réalité, au moins partielle, de la science déjà acquise, laquelle est susceptible en retour de prouver que cette exigence est réellement satisfaite. Néanmoins, dans sa recherche effective, Aristote semble se contenter souvent d'une universalité quelque peu vacillante et approximative, celle qui ne se maintient pas toujours et partout identiquement et qui se retrouve « dans la plupart des cas ». En outre, le caractère « à part » de l'intellect en l'homme, sa façon de provenir « de l'extérieur » dans la génération, son éternité, la dualité de ses puissances, tout cela, à la seule lumière des textes dont nous disposons, reste obscur et les efforts d'éclaircissement tournent rapidement, dans une tradition fort ancienne, au conflit de doctrines prolongeant la pensée d'Aristote selon des directions divergentes et également « possibles ». On comprend du reste la passion qui anime, à travers les siècles, ces débats dont l'objet intéresse les rapports de l'âme humaine avec le monde à connaître comme avec l'Intellect divin (identifié parfois à l'intellect actif requis par la science chez l'homme).

Un problème assez voisin a, en tout cas, longuement préoccupé Aristote : le problème de l'être. On s'attendrait qu'au niveau de l'être comme terme ultime et absolument rebelle, par sa simplicité et son universalité, à toute distinction, à toute relation, à toute nécessité de mise en ordre, aucun problème ne pût se poser. C'est pourtant à propos de l'être comme « genre suprême » que Platon a formulé et, dans *Le Sophiste*, tenté de résoudre la question peut-être la plus profonde et la plus importante de sa philosophie. Chez Aristote, il ne s'agit plus de chercher à comprendre l'être dans une communication avec d'autres genres suprêmes, ce qui, nous l'avons vu, entraîne d'après lui les pires confusions et contradictions. Mais, toute perspective d'unité génétique récusée, avons-nous lieu de nous sentir parfaitement satisfaits par l'organisation démonstrative du savoir, même en la supposant réalisée, même en passant outre aux difficultés et obscurités relevées il y a un instant?

Ce qui nous l'interdit, c'est la pluralité des significations de l'être, dont nous avons dû faire état dès notre entrée dans le système d'Aristote. La distinction de l'essence et des accidents, celles de l'acte et de la puissance, et de la forme et de la matière, ces différences indispensables, comme nous l'avons vu, à la cohérence du savoir, semblent maintenant faire obstacle à son véritable achèvement. Car l'être, le fait d'être un « étant », voilà un trait commun à toutes choses et la science aspire en conséquence à une certaine unité d'ensemble. Mais l'intelligibilité démonstrative impose, au contraire, ce que l'on pourrait nommer une pluralité de généralités particulières, chaque science, en même temps que gouvernée par des axiomes communs à tous les « étants », ayant ses principes propres et ne pouvant franchir les bornes d'un genre particulier. En effet, un genre ne peut se contenter de classer des espèces sans du même coup en exclure d'autres, si bien qu'il ne peut y avoir, comme nous dirions aujourd'hui, d' « ensemble de tous les ensembles ».

L'être n'est pas un genre, montre Aristote, sans quoi il comporterait des différences; or les différences qui spécifient un genre, le genre ne les engendre pas ni ne les produit par division, elles viennent du dehors actualiser le genre en espèces et ont toujours, chacune prise à part, plus d'extension non seulement que chaque espèce, mais même que le genre considéré. Les différences de l'être pris comme genre s'abîment donc dans le néant et, en essayant de faire de l'être un genre, on aboutit seulement à brouiller et effacer toute la richesse des différences, toutes les structures du cosmos. Et il en va tout naturellement de même, si, quittant le point de vue d'ensemble de l'organisation d'une science, on s'intéresse à tel ou tel être singulier. On le sait, l'unité en un sens indivisible d'un être ne saurait exclure une multiplicité interne, dont les dix catégories constituent les genres suprêmes, irréductibles à un seul (essence, temps, lieu, qualité, etc.), bien que tous soient capables, par définition, d'entrer dans une attribution et, par conséquent, d'*être*, simplement. L'être est un et dispersé, « équivoque », comme on dira plus tard; tendant sans s'y perdre à ce qu'Aristote appelle « homonymie », c'est-à-dire une dénomination unique pour des choses de nature différente, le terme qui le désigne semble à égale distance de l'exactitude et du verbalisme.

Existe-t-il donc un moyen de dépasser l'intelligibilité distributive des démonstrations? Le savoir comme sagesse veut, dit Aristote, parvenir aux principes premiers des choses et le sage doit posséder une connaissance d'ensemble, « le savoir de tout ». Précisant ces indications du début de la *Métaphysique*, le livre Gamma annonce qu' « il y a une science qui étudie l'être en tant qu'être ». Pour y parvenir, sans recourir au couple genre-espèce, il est possible de recourir à un autre mode de classement qui ferait de ses diverses significations des *pros en legomena*, c'est-à-dire des termes subordonnés « relativement à un » terme et à un sens premiers. On obtiendra ainsi une série ordonnée, comme dans le cas de la santé, on peut dire saines, à partir de la santé et en référence à sa nature, une suite de réalités diverses, ce qui la conserve, ce qui la produit, ce qui en est le signe, ce qui est capable de la recevoir. Le point de départ de cette méthode consiste, il est capital de le remarquer, à bien déterminer le sens premier, c'est-à-dire non pas à se demander ce qu'est la réalité commune de la collection à mettre en ordre, mais quel est le terme de la collection qui mérite le mieux la dénomination commune. La question que se pose Aristote est ainsi : Qu'est-ce qui est l'être, ou « l'étant », au sens plein? Il ne s'agit plus de comprendre l'être, comme chez Platon, en le mettant en communication (en rapport très étrange, pour Aristote) avec autre chose que lui : il faut mettre en ordre les différentes sortes d'être à partir d'un mode premier, à partir de l'être par excellence.

Dans un premier temps, Aristote fournit une réponse provisoire, qui rebondit en question : le mode d'être premier

est celui de l'essence ou substance, d'où dépendent visiblement les autres modes d'être, ainsi que le dit le très important livre Z (Zêta) de la *Métaphysique*, dès son début. La
question est alors de savoir ce qui est essence ou substance
au sens plein et premier; elle se pose parce que la matière a
quelque prétention au statut d'une essence, mais on sait bien
que l'essence au sens premier ne peut être que la forme essentielle, c'est-à-dire ce qui se définit comme le « ti ên einai »
ou d'après le latin, la *quiddité* : c'est la forme essentielle qui
détermine l'essence, l'individualisant ainsi au sens majeur,
tandis que l'individualité inférieure, numérique, qui distingue
deux êtres de même quiddité, est le fait de la matière. Mais
la réponse ainsi obtenue n'est pas définitive : il n'y a pas de
forme « en soi », au sens platonicien, pas d'Idée de la forme,
si l'on ose dire; une multiplicité de formes se proposent
ainsi à travers le cosmos comme mode d'être par excellence
et surtout ces formes sont relatives les unes aux autres et
hiérarchisées. On comprend par là, selon le livre E (Epsilon)
de la *Métaphysique*, que « s'il n'y avait d'autres essences
que celles de la nature, la physique serait la science première.
Mais s'il existe une substance immobile, la science de cette
substance doit être antérieure et doit être la philosophie
première; et elle est universelle ainsi, parce que première.
Et ce sera à elle de considérer l'être en tant qu'être ». L'être
par excellence est la Forme pure de toute matière, l'Acte
éternel et absolument immobile; plénitude de tout le reste,
c'est bien le terme premier de la série des sens de l'être :
tous les autres êtres, incorruptibles ou corruptibles, s'ordonnent par rapport à lui et l'imitent dans la mesure de
leurs moyens. Le schème d'une série descendante sauve une
certaine unité du discours et concilie l'ordre du monde
avec l'autonomie des formes particulières et l'irréductible
richesse des différences. On aimerait qu'Aristote eût laissé
plus de précisions sur cette ordonnance allant de la théologie
à l'ontologie, et de la région de l'unité parfaite à celle de la
scission, on y verra, en tout cas, l'unité profonde des livres
touffus et surchargés de la *Métaphysique*, la mise en ordre
du sage qui sait le tout sans tout savoir.

Note sur la morale et la politique

On nous pardonnera peut-être de ne donner que de brèves indications, dans les limites assignées à cet exposé, sur la morale et la politique d'Aristote, assez directement accessibles dans l'*Ethique à Nicomaque* et dans la *Politique*. L'une et l'autre se placent harmonieusement dans l'ensemble du système comme l'action humaine s'insère dans le monde de la scission, où il s'agit de devenir ce que l'on est, de s'accomplir à son juste rang. Le même sens de la relativité des niveaux et de la différence des conditions de tout ordre guide les analyses de ces deux ouvrages : rien, ou peu s'en faut, n'est bon pour n'importe qui et n'importe quand, que ce soit en matière de conduite individuelle ou en matière d'organisation collective. De plus, le risque d'échec que comporte toute action se redouble en un risque d'erreur dans l'ordre de la réflexion, car en morale et en politique, nous avons affaire à des problèmes trop complexes pour qu'il soit possible de les réduire à la raideur des schémas livresques. Comme en d'autres domaines, et plus encore, il faut tenir grand compte des opinions courantes et de celles des sages reconnus, sans tenter de se hausser à une rigueur mathématique. L'homme étant naturellement sociable, il y a liaison et non opposition entre morale et politique. Comment pourra-t-il être véritablement heureux? « Animal divin », il connaîtra le bonheur s'il peut développer normalement ses facultés physiques et morales, à partir d'un bon naturel orienté par une éducation convenable et si ne lui manquent pas, pour l'exercice de ces facultés, et notamment de sa faculté intellective, les conditions externes requises. Il n'est donc pas très facile d'atteindre au bonheur, et la part de chance (par contrecoup, de prudence aussi) qu'il comporte réserve, en tout état de cause, les plus hauts accomplissements à un très petit nombre d'hommes, dont la nature intermédiaire n'autorise d'ailleurs pas l'accession au bonheur absolument serein et intemporel de la divinité. Quant à la plupart des autres, ... il faudrait

l'impossible pour les libérer des tâches serviles, il faudrait
« que les navettes marchent toutes seules »... A l'heure où
les loisirs nous paraissent des vides béants et impossibles
à combler, sachons nous souvenir qu'Aristote se désolait
à la pensée de toutes les tâches nécessaires que des besognes,
pour lui accaparantes à jamais, interdisaient à l'immense
majorité de ses contemporains, leur interdisant, du même
coup, d'accomplir leur humanité.

Bibliographie sommaire

Textes. — La grande édition de référence est celle de l'Académie de Berlin, *Aristotelis Opera*, Berlin, 5 vol. in-4°, 1831-
1870 : vol. I et II par I. BEKKER, contenant les textes grecs
conservés d'Aristote; vol. III, traductions latines de la Renaissance; vol. IV, fragments des commentateurs grecs; vol. V,
fragments d'Aristote et *Index aristotelicus* de Hermann BONITZ,
répertoire analytique d'une valeur exceptionnelle. L'*Index*
de Bonitz a été réédité à Darmstadt en 1955; la réédition des
5 vol. a été entreprise par O. GIGON à partir de 1960. Complément précieux en raison de l'état du Corpus, l'ensemble des
commentateurs grecs (d'où était extrait le vol. IV ci-dessus) a
été ultérieurement publié par l'Académie de Berlin : *Commen-
taria in Aristotelem graeca*, 23 vol. (51 commentaires), 1882-
1909, plus un *Supplementum* de 6 vol. divers, 1885-1903.

La restitution et l'analyse des fragments d'Aristote, souvent
difficiles à découper et à situer, font l'objet en France d'une étude
persévérante sous la direction de P.-M. SCHUHL (Centre d'Étude
de la Pensée antique, Sorbonne). Première publication groupée :
Aristote : *De la richesse, de la prière...*, Paris, 1968.

La Collection de l'Association Guillaume Budé (Paris, les
Belles Lettres) qui donne texte et traduction française n'a pas
encore terminé son Aristote; physique et biologie y sont surtout représentées. Signalons les entreprises analogues de la
Bibliothèque Teubner en Allemagne (sans trad.), des Textes
classiques d'Oxford (la trad. angl. en vol. autonomes) et de la
Bibliothèque classique Loeb (Londres, texte et trad.).

Parmi les grandes éditions commentées, relevons : le *Traité
de l'Ame*, par G. RODIER, Paris, 1900, 2 vol. (voir aussi, du même,
une éd. annotée du l. X de l'*Éthique à Nicomaque*, Paris, 1897);
la *Métaphysique*, la *Physique* et les *Analytiques*, par W. D. ROSS,
Oxford, 1924-1949, 4 vol.; le livre I des *Parties des Animaux*,

par J.-M. LE BLOND, sous le titre, *Aristote, Philosophe de la vie, le premier livre...* Paris, 1945. Dans la Coll. Budé, les Introductions sont souvent importantes, par ex. celle de J. BRUNSCHWIG aux *Topiques*.

Traductions. — Il n'existe pas en français de bonne traduction de l'ensemble du Corpus (celle de BARTHÉLEMY-SAINT-HILAIRE est très insuffisante), mais l'excellent travail de J. TRICOT, traduction annotée et parfois assortie de commentaires développés (*Métaphysique*, nouvelle éd., 1953, 2 vol. et *Éthique à Nicomaque*, 1958) est très avancé (Paris, Vrin, à partir de 1933). Les premiers livres de la *Métaphysique* ont été commentés par G. COLLE (livres I-IV, 3 vol., Louvain, 1912-1931, avec trad.), le livre II de la *Physique* par HAMELIN (posthume, 1931, Paris, avec trad.), l'*Éthique à Nicomaque* par GAUTHIER et JOLIF (introd., trad. et commentaire, 2ᵉ éd. Paris-Louvain, 1970, 4 vol.). Les textes *Sur le plaisir* avaient été traduits et annotés par A. J. FESTUGIÈRE, Paris, 1946. Des morceaux choisis ont paru en trois volumes, sous les titres respectifs de *Physique et Métaphysique, Morale et Politique* et *Logique*, Paris, P.U.F. Pour la politique, il faut signaler particulièrement les morceaux choisis par R. WEIL, *Politique d'Aristote*, Paris, 1966.

Quelques études. — Parmi de nombreux recueils collectifs, citons : les *Actes du Congrès Guillaume Budé* de 1958, Paris 1960, contenant notamment un rapport de L. BOURGEY sur l'état des études aristotéliciennes; *Aristote et les problèmes de méthode*, Louvain 1960. Sur l'évolution d'Aristote, il faut mentionner le travail inaugural : W. JAEGER : *Aristoteles, Grundlegung einer Geschichte seiner Entwicklung*, Berlin 1923, trad. anglaise, Oxford, 2ᵉ éd. 1948 et l'un des plus importants à sa suite (1939), trad. en français : F. NUYENS : *L'évolution de la psychologie d'Aristote*, Louvain, 1948. Comme ouvrages d'ensemble ou de portée assez générale, retenons un peu arbitrairement d'une foule immense, même à s'en tenir au français, les titres suivants :

ALLAN (D. J.) : *Aristote, le philosophe*, Louvain-Paris, 1962 (la 1ʳᵉ éd. anglaise est de 1951).

AUBENQUE (P.) : *Le problème de l'être chez Aristote*, Paris, 1962; 2ᵉ éd. 1966 (thèse magistrale à laquelle il faut joindre le compte rendu critique de J. BRUNSCHWIG, dans *Rev. philos.*, 1964, nᵒ 2, pp. 179 et suiv.).

— *La prudence chez Aristote*, Paris, 1963.

HAMELIN (O.) : *Le système d'Aristote* (cours posthumes), Paris, 2e éd. 1931.

LE BLOND (J.-M.) : *Logique et méthode chez Aristote*, Paris, 1939.

MANSION (A.) : *Introduction à la physique aristotélicienne*, Louvain-Paris, 1913, 2e éd. revue et augm. 1945.

MOREAU (J.) : *Aristote et son école*, Paris, 1962.

PHILIPPE (M. D.) : *Initiation à la philosophie d'Aristote*, Paris, 1956.

ROBIN (L.) : *Aristote*, Paris, 1944.

ROSS (W. D.) : *Aristote*, Paris, 1926 (1re éd. angl. 1923, nombreuses rééd. dont une mise à jour, trad. JEAN SAMUEL, Paris-Londres, 1971).

THUROT (Ch.) : *Études sur Aristote : politique, dialectique, rhétorique*, Paris, 1860.

VUILLEMIN (J.) : *De la logique à la théologie, cinq études sur Aristote*, Paris, 1967.

Nous ne pouvons passer sous silence, bien que parus dans une revue très spécialisée, les beaux articles de L. BLANCHE envers lesquels notre exposé a contracté une dette : « Les paradoxes du Système du Monde », dans *Rev. Enseignement philosophique*, 1968, nos 5 et 6, 18e année. — Signalons enfin deux admirables vues synthétiques de la physique d'Aristote, l'une plus courte : A. KOYRÉ, *Études d'histoire de la pensée scientifique*, Paris, 1966, pp. 154-160 — l'autre, plus développée : M. CLAVELIN, *La philosophie naturelle de Galilée*, Paris, 1968, chap. I.

IV

LES PHILOSOPHIES HELLÉNISTIQUES :

STOICISME, ÉPICURISME, SCEPTICISME

par Pierre AUBENQUE

La mort d'Alexandre (323 av. J.-C.), point de départ de ce que les historiens nomment l'époque hellénistique, ne marque pas seulement une césure dans l'histoire de la Grèce. Suivie de peu par la mort en 322 du dernier philosophe classique de la Grèce, Aristote, elle coïncide avec une rupture tout aussi nette dans l'histoire de la philosophie, rupture que les mutations historiques liées à la conquête des cités grecques par la Macédoine ont contribué à provoquer.

Ce n'est pas un hasard si le plus ample et le plus complet des dialogues de Platon s'intitulait la *République* et si c'est dans le cadre d'une réflexion sur l'État qu'il y exposait sa théorie philosophique. La perte de l'indépendance des cités grecques a pour premier effet, dans l'ordre spirituel, de dissocier l'unité de l'homme et du citoyen, du philosophe et du politique, de l'intériorité et de l'extériorité, de la théorie et de la pratique, bref, cette « belle totalité avec soi » qui caractérise, selon Hegel, l'âge classique de la Grèce, ce temps où l'homme se sentait chez soi dans la cité. Au moment où le cadre traditionnel de la cité grecque s'efface devant un Empire dont les décisions échappent à la critique comme à la délibération de ses sujets, le philosophe se trouve confiné soit dans la théorie pure, soit dans la prédication simplement morale, dès lors que la politique, forme la plus haute de la *praxis* pour les Grecs, cesse de dépendre de lui pour relever d'un maître étranger. C'est le moment où la liberté de l'homme libre, qui jusque-là se confondait avec l'exercice des droits civiques, se transmue, faute de mieux, en liberté intérieure; où les idéaux grecs d'autarcie et d'autonomie, qui cherchaient jusqu'alors à se satisfaire dans la cité, se trouvent confiés aux seules ressources spirituelles de l'homme individuel; où la spéculation sur la nature tend à n'être plus que l'auxiliaire d'une morale préoccupée avant tout de procurer à chacun le salut intérieur. Mais c'est aussi le moment où la dissolution même des anciens cadres politiques, en même temps que les brassages de populations consécutifs à la conquête d'Alexandre, feront naître des solidarités nouvelles : ce temps verra la naissance du *cosmopolitisme*.

Moins soucieuses de dire l'Être que de consoler ou de tranquilliser les hommes, les philosophies de l'époque hellénistique n'atteindront pas à la vigueur théorique du platonisme ou de l'aristotélisme. Leur physique même sera souvent d'emprunt. Préoccupées de donner une réponse immédiate aux problèmes d'adaptation posés à l'individu par les transformations sociales, elles auront un caractère et une fonction « idéologiques » plus marqués que les philosophies de l'âge classique. D'un autre côté, elles sauront atteindre un niveau d'universalité suffisant pour figurer, en face des épreuves de la vie, diverses attitudes possibles de la conscience, qui apparaîtront vite comme autant de catégories intemporelles ou de stéréotypes culturels proposés à l'homme d'Occident. Il suffit de nommer les trois grands courants hellénistiques : stoïcisme, épicurisme, scepticisme, pour s'apercevoir qu'il s'agit là de trois « arts de vivre » qui, par-delà les circonstances historiques de leur apparition, resteront en tous temps offerts à notre imitation. C'est à l'époque hellénistique que naît le concept populaire de la philosophie, qui désigne un certain art, difficile certes, mais en droit accessible à tous, de vivre heureux même dans des circonstances contraires. C'est à un tel concept que se réfère encore aujourd'hui l'expression : « prendre les événements avec philosophie ».

Les trois courants hellénistiques n'en sont pas moins très différents les uns des autres. On pourrait opposer le dogmatisme des deux premiers — stoïcisme et épicurisme — au scepticisme qui constitue le troisième. Il faut ajouter que, si les deux premiers se sont développés dans deux écoles organisées, le troisième est plutôt un état d'esprit commun à plusieurs penseurs ou écoles d'origines diverses.

I. LE STOÏCISME

Ses représentants

Le stoïcisme tire son nom du Portique (Stoa), lieu d'Athènes où se réunissaient ses adeptes. A la différence de l'épicurisme, il n'est pas lié à l'autorité incontestée d'un unique fondateur. La doctrine stoïcienne s'est plutôt constituée progressivement par les apports successifs des trois premiers chefs de l'école : Zénon de Cittium (332-262), qui, après avoir été le disciple du cynique Cratès, fonde la nouvelle école vers 300 avant Jésus-Christ; Cléanthe d'Assos (vers 312-232) et Chrysippe (277 — vers 204), qui a mérité le titre de second fondateur du stoïcisme en rétablissant et en confirmant l'unité de l'école contre les dissidences de certains disciples et les attaques, d'inspiration « probabiliste », de la Nouvelle Académie. A partir de là, l'enseignement stoïcien se transmettra, avec une continuité étonnante, pendant plusieurs siècles. Si le moyen stoïcisme, représenté essentiellement par Panétius (180-110) et Posidonius (vers 135-51), qui ont eu le grand mérite historique d'introduire le stoïcisme à Rome, trahit des contaminations platoniciennes ou aristotéliciennes, le nouveau stoïcisme, ou stoïcisme impérial, marquera un retour à l'orthodoxie de l'ancien stoïcisme. Ce nouveau stoïcisme, qui s'est développé à Rome sous l'Empire, est lié à trois grands noms : Sénèque (né vers le début de l'ère chrétienne, mort en 65), Épictète (né en 50, mort entre 125 et 130) et Marc Aurèle (121-180, empereur en 161). Ces trois penseurs, dont les œuvres nous ont été conservées pour l'essentiel (alors que les écrits de l'ancien et du moyen stoïcismes ne nous sont plus accessibles qu'à travers des résumés ou des citations d'auteurs postérieurs) seront les véritables propagateurs du stoïcisme en Occident. C'est à travers eux que Guillaume du Vair, Charron, Montaigne, Corneille, Vigny et tant d'autres, connaîtront les leçons de la sagesse stoïcienne.

Un philosophe de la totalité

La philosophie stoïcienne est la première de l'histoire à se dire et à se vouloir « systématique ». Si le mot *systéma* désignait déjà en grec la constitution d'un organisme ou d'une cité, ce sont les anciens Stoïciens qui l'ont appliqué pour la première fois à la philosophie. Ils voulaient signifier par là que la philosophie est un *tout*, que l'on peut certes diviser en parties pour les besoins de l'enseignement, mais à condition d'apercevoir que chaque partie est solidaire des autres et que l'abandon d'une seule partie ou d'une partie de partie entraînerait la ruine de l'ensemble. Cette exigence formelle s'appuyait en fait sur l'intuition d'un univers parfaitement organisé, jusque dans le moindre de ses détails, par l'action d'un principe unique, de sorte que la cohérence de la philosophie ne fait que refléter la *sympathie* — autre terme stoïcien — des différentes parties de l'univers. Il n'en reste pas moins que cette exigence — ou cette intuition — totalitaire fera à la fois la force et la faiblesse du stoïcisme. La force : car il s'obligera par là à retrouver partout, que ce soit dans la proposition vraie, dans le phénomène naturel ou dans l'action droite, une seule et même structure. Mais aussi la faiblesse : car il s'interdira tout progrès, tout passage, non seulement d'une partie à l'autre de la philosophie (puisque tout est dans tout), mais aussi de la non-philosophie à la philosophie. Le stoïcisme ne s'apprend pas; « philosophie-bloc », comme l'a

dit É. Bréhier, il ne peut faire l'objet d'approximations
graduelles : celui qui progresse vers la sagesse y a aussi
peu de part que celui qui ne s'est pas mis en marche vers
elle, de même, rapportera Plutarque, que « celui qui, dans
la mer, est à une coudée au-dessous de la surface, n'étouffe
pas moins que celui qui est plongé à cinq cents brasses »
(*Des notions communes contre les stoïciens*, X).

Le stoïcisme n'en est pas moins contraint de distinguer,
à des fins pédagogiques, trois parties de la philosophie :
logique, physique, morale, et de se demander dans quel
ordre elles doivent s'enseigner. Si Chrysippe admet que
l'on doit terminer par la physique, puisque la théologie est
le mystère dernier auquel la physique doit nous introduire,
la plupart des auteurs stoïciens voient dans la morale la fin
à laquelle doit tendre tout l'effort philosophique. La physique, en nous révélant l'ordre cosmique, nous indique par
là même l'ordre auquel nous devons conformer notre vie.
Quant à la logique, les auteurs stoïciens, surtout ceux du
nouveau stoïcisme, prendront bien soin de rappeler qu'elle
ne doit pas être négligée, mais dans l'exacte mesure où
l'art de bien penser est la condition de l'art de bien vivre.
La logique ou dialectique, dira Épictète, a trois utilités : elle
peut seule nous apprendre à discerner les représentations
raisonnables de celles qui ne le sont pas, à appliquer nos
prénotions du bien et du mal aux cas particuliers et à rester
cohérents dans nos résolutions (*Entretiens*, I, 7).

Il ne faudrait pas croire cependant, comme pourrait le
suggérer une lecture hâtive de Sénèque, d'Épictète ou de
Marc Aurèle, que les auteurs stoïciens ont sacrifié la spéculation à l'urgence de la prédication morale. Leur théorie
philosophique, si elle se distingue par la simplicité voulue
de ses principes en réaction contre les longues élaborations
platonico-aristotéliciennes, n'en est pas moins caractérisée
par des intuitions originales, dont la philosophie moderne
n'a reconnu le prix qu'après avoir elle-même secoué le joug
d'une tradition métaphysique qui, dans l'ordre théorique,
dérivait en droite ligne de Platon et d'Aristote.

Une logique de l'exprimable

Cette originalité se rencontre d'abord dans la logique stoïcienne. Si Aristote passe à bon droit pour le fondateur de la logique, c'est aux stoïciens que nous devons l'usage du substantif « logique » pour désigner la science du vrai et du faux. Le fait que la logique soit pour les stoïciens une *science* est lui-même une innovation importante. Car elle ne l'était pas pour Aristote, qui ne la mentionnait pas dans sa classification des sciences, tant il paraît avoir été persuadé que la logique n'est pas une science parmi d'autres, mais plutôt la « forme » ou l' « instrument » du savoir en général. Si les stoïciens font, pour la première fois, de la logique une « science », c'est qu'ils lui assignent un objet parfaitement défini, qui est le « signifié » ou l' « exprimable ». On ne peut saisir la spécificité de cet objet, qui n'est évidemment pas une « nature » au même titre qu'une pierre ou un arbre, que si l'on se réfère au langage (en ce sens, les stoïciens sont les premiers à prendre au sérieux l'étymologie du mot « logique », qui désigne une science ou un art du langage) et si l'on a fait l'effort de reconnaître que le langage ne porte pas directement sur les choses vers lesquelles il fait signe. Pour établir ce point, les stoïciens s'appuyaient, sur une expérience qui traduit de leur part une familiarité nouvelle avec un monde qui ne se réduit pas au monde grec. Supposons, disaient-ils, qu'un Grec converse avec un Barbare ignorant le grec et que le premier prononce, par exemple, le mot *kuôn* (chien). Le premier émet un *son*, que le second entend parfaitement. D'autre part, l'un et l'autre connaissent la *chose* (ici l'animal) que le premier entend désigner. Et pourtant ils ne se comprennent pas. Il faut donc qu'entre le son et la chose s'intercale un troisième domaine, qui est en quelque sorte le lieu de l'incompréhension et, dans le cas favorable, de la compréhension : c'est ce que les stoïciens appellent le *signifié*. Dans le phénomène du langage énoncé et compris, il faut donc distinguer le son (ou signifiant), le signifié et la chose. Nous devons savoir gré aux stoïciens d'avoir découvert les premiers (il faudra attendre Frege, à la fin du XIXᵉ siècle, pour refaire cette découverte) que le langage ne vise pas les choses directement, mais au travers d'un contenu de signification (le « sens » de Frege, le « signifié » des stoïciens), qui est la façon conventionnelle et éventuellement équivoque dont une chose ou un état de choses sont désignés.

Une difficulté subsistait cependant pour les stoïciens. Niant toute réalité métaphysique, ils ne reconnaissaient d'existence qu'aux corps. Quel statut attribuer dès lors aux signifiés — encore appelés « exprimables » — qui, n'étant pas des corps, ne sont pas à ranger parmi les êtres et pourtant n'en sont pas moins « quelque chose », puisqu'ils sont ce à travers quoi nous nous exprimons et que, méthodiquement isolés, ils peuvent faire l'objet d'une théorie? Les stoïciens donneront à cette question la seule réponse qui soit cohérente avec leur système : les exprimables sont des *incorporels*, donc des non-êtres; mais ces non-êtres tombent, en même temps que les êtres, sous une catégorie plus générale, qui est celle du « quelque chose » *(ti)*. Ces distinctions subtiles ont une portée plus considérable qu'il n'y paraît, car elles annoncent un dépassement de l'ontologie aristotélicienne, lequel s'achèvera avec le néoplatonisme : l'être se trouve dépossédé, au profit du « quelque chose », de son statut d'englobant universel. Les incorporels ne sont pas des êtres et ne sont pourtant pas exclus d'une philosophie qui se veut, dirions-nous aujourd'hui, matérialiste : l'exprimable partage ce statut singulier d' « incorporel » avec ces autres notions éminemment philosophiques que sont le temps, le lieu et le vide.

Une technique de manipulation des propositions

La logique proprement dite des stoïciens a été méconnue jusqu'au début de ce siècle, c'est-à-dire aussi longtemps qu'on s'est obstiné à y voir une version appauvrie de la logique aristotélicienne. En réalité, la logique stoïcienne s'établit sur des bases tout autres que la théorie d'Aristote. Le syllogisme aristotélicien s'appuyait sur la différence de quantité entre les concepts, les plus universels englobant les moins universels. Or les stoïciens ignorent la distinction de l'universel et du particulier et refusent même le concept. Pour eux, la proposition n'exprime plus l'inhérence d'un prédicat dans un sujet, mais réfère un événement incorporel, signifié par le verbe, à un sujet réel et individuel, désigné par le sujet. En fait, la proposition n'est « complète » que si elle comporte un verbe et un sujet : ainsi constituée, elle est indissociable. L'élément de la logique stoïcienne n'est donc pas le terme, mais la proposition, considérée comme un tout. Comme d'autre part tout discours suppose une composition, qui seule lui permet de progresser, le premier degré de la composition ne sera plus la proposition — synthèse de concepts selon Aristote —, mais la proposition composée, du type *Si p, q*, où *p* et *q* désignent non des termes, mais des propositions, par exemple : « Si le soleil brille, il fait jour. »

A partir de là, on parviendra, en se conformant à un nombre déterminé de schémas d'inférence, à des raisonnements du type : si *p, q* ; or *p* ; donc *q*. Ou encore : si *p, q* ; or non *q* ; donc non *p*. Exemple de cette dernière inférence : s'il fait beau, je me promène ; or je ne me promène pas ; donc il ne fait pas beau.

Les exemples ne doivent du reste pas faire ici illusion. La logique stoïcienne, à la différence de l'aristotélicienne, ne présuppose aucune spéculation ontologique sur la nature du rapport qui s'exprime à l'intérieur d'une proposition composée ou dans l'inférence d'une proposition à une autre. Ainsi le rapport d'antécédent à conséquent dans la proposition qu'on appelle improprement *conditionnelle* (si *p, q*) n'est pas un rapport *réel* de conditionnant à conditionné, par exemple de cause à effet : ce peut être tout aussi bien un rapport d'effet à cause, dans la mesure où l'effet est le *signe* de la cause (« s'il y a de la fumée, il y a du feu »). La logique stoïcienne, science des incorporels, déploie délibérément ses opérations à la superficie de l'être ; logique du sens, elle est une technique de manipulation réglée des propositions; elle permet de se mouvoir à l'intérieur d'une totalité étale et homogène, qui est l'ensemble des propositions *disant* le passé, le présent et le futur, sans que le passage logique d'une proposition à une autre recouvre un rapport réel de dérivation : ce n'est pas sans raison que G. Deleuze a comparé récemment ce monde clos et irréel qu'est l'univers stoïcien des significations avec les jeux logiques, parfaitement cohérents dans leur fantasmagorie, d'*Alice au pays des merveilles.* En un temps où, sous l'influence de Hegel, on attendait de la logique qu'elle exprimât la logicité de l'être, on ne pouvait qu'être déçu par la logique stoïcienne; aujourd'hui on verrait plutôt dans la neutralité théorique de cette logique et dans sa référence exclusive au discours ce qui lui permet de préfigurer le moderne calcul des propositions.

Le critère de la vérité

A la différence de la logique au sens strict, la théorie stoïcienne de la connaissance se préoccupe des conditions réelles de la découverte de la vérité. La vérité ne se manifeste selon les Stoïciens ni dans la proposition, comme le voulait Aristote, ni dans la sensation, comme l'affirmaient dans le même temps les Épicuriens, mais dans la représentation *(phantasia).* La représentation peut pourtant être trompeuse, d'où la nécessité de découvrir le *critère* de la représentation vraie. Ce critère est à chercher dans le caractère « compréhensif » de la représentation, par quoi il faut entendre un ensemble indissociable de traits qui ne sont pas sans annoncer la « clarté » et la « distinction » cartésiennes. Ce n'est pas un hasard si les Stoïciens sont les premiers à nous donner une théorie philosophique de l'évidence *(enargeia)* : la vérité n'est pas à chercher dans le rapport à l'objet extérieur, mais dans un certain sentiment subjectif qui accompagne la représentation vraie. L'évidence n'est pas pour autant contraignante; car l'acte proprement dit de connaissance, la « compréhension », présuppose, comme plus tard chez Descartes, l'*assentiment* que nous donnons à la représentation : assentiment que nous *devons* refuser à la représentation non compréhensive, mais que nous *pouvons* refuser aussi à la représentation compréhensive, encore que ce dernier refus soit le fait d'une âme malade, dont la raison est obnubilée par la passion. Zénon comparait le procès de la connaissance au mouvement d'une main qui se ferme : la main ouverte symbolise la représentation, la main qui se ferme l'assentiment, la main fermée la compréhension, la main fortement serrée la science. Cette métaphore suggère l'idée d'un dynamisme spirituel, qui a été revendiquée par les interprètes idéalistes du stoïcisme, comme Alain. Mais il faut se rappeler que ce dynamisme participe, pour les stoïciens, du dynamisme universel : l'acte de connaissance n'est pas l'expression d'une spontanéité qui s'imposerait à l'expérience, mais il est coïncidence avec le principe actif qui est à l'œuvre dans l'univers.

Une physique de la continuité et de l'immanence

C'est à décrire l'action de ce principe qu'est consacrée la physique stoïcienne. Ce principe est conçu comme une espèce de fluide, le *pneuma* (souffle vital), qui pénètre l'univers tout entier, aussi bien dans ses régions sublunaires que célestes. En vertu de sa tension, le *pneuma* agit à la façon d'un champ de force maintenant ensemble les parties de l'univers et empêchant leur dissipation dans le vide infini, assurant également l'individualité de chaque être à la façon d'une âme. Certains stoïciens, comme Cléanthe, assignaient une fonction analogue au Feu, envisagé moins dans son pouvoir d'éclairement que dans sa fonction technique et démiurgique.

Derrière la lettre de ces doctrines, il convient d'en apercevoir l'intention, par où elles se distinguent clairement de la physique aristotélicienne d'une part, de la physique épicurienne de l'autre. Aristote expliquait la constitution des corps par l'action de deux principes, la matière et la forme et il attribuait à la résistance de la matière les échecs éventuels de la forme, qui se manifestent dans les malformations et les monstruosités. Pour les stoïciens, au contraire, l'unité de chaque être est assurée, à travers la diversité de ses manifestations, par l'action du seul *pneuma* : la multiplicité des qualités est à la fois déployée et maintenue par une sorte de mouvement éternel de flux et de reflux du souffle vital, qui « s'étend d'abord du centre aux limites extérieures, puis, quand il a atteint la surface extrême, revient sur lui-même ». Cette « tension » *(tonos)* du principe vital permet également de surmonter, au niveau de l'univers tout entier, l'opposition de l'un et du multiple. Le stoïcisme, philosophie de l'immanence, refuse le dualisme de la philosophie précédente. Mais, d'un autre côté, le refus de tout principe transcendant d'organisation n'implique pas que le monde soit né, comme le prétendaient les épicuriens, d'une combinaison fortuite d'éléments. Ce principe immanent d'organisation, que les stoïciens nomment *pneuma* lorsqu'ils l'envisagent dans sa réalité physique, n'est pas autre chose que le *Logos* universel. Le monde n'est pas gouverné par un Dieu, mais il *est* lui-même Dieu, et le destin, qui lie entre eux les événements de l'univers, n'est qu'un autre nom de la Providence. Ainsi n'est-il rien dans la nature qui arrive contre la raison; la monstruosité, la maladie, la souffrance, la mort ne sont des maux qu'en apparence : le philosophe, capable de rapporter le détail à l'ensemble, reconnaît qu'ils s'inscrivent dans l'ordre universel, de même que la partie d'un tableau ne prend sa signification que par rapport au tout. Tout au plus les stoïciens admettaient-ils que le mal peut être l'accompagnement inévitable du bien : ainsi la fragilité des os du crâne est une conséquence de leur minceur, qui est elle-même la condition du développement de l'intelligence chez l'homme.

La physique stoïcienne, qui culmine dans une théologie du Dieu cosmique, n'a exercé que peu d'influence sur le développement de la science, sans doute parce que ses intuitions de base — continu, dynamisme, tension, champ de forces — étaient réfractaires à toute mathématisation, en un temps où les mathématiques, faites pour « penser les solides » (Bergson), étaient résolument discontinuistes. Du moins cette physique si différente de l'atomisme épicurien a-t-elle permis aux stoïciens d'expliquer pour la première fois des phénomènes irréductibles à une explication mécaniste : ainsi Posidonius, au nom de la sympathie universelle, met-il pour la première fois en rapport le mouvement des marées et les phases de la lune, et les stoïciens ont été les premiers à pressentir que le son ne se propage pas en ligne droite, mais par une série d'ondes concentriques.

Mais ce qui, surtout, enlève beaucoup de sa portée scientifique à la physique stoïcienne, c'est son caractère presque ouvertement idéologique, le fait qu'elle se soit constituée non à partir de l'expérience, mais pour les besoins d'une cause politico-morale. La médiation est ici si visible qu'elle n'a pas échappé aux interprètes les plus classiques, les moins soucieux d'expliquer une philosophie par son arrière-plan social. C'est ainsi que G. Rodier écrit à propos du « matérialisme » stoïcien : « Les stoïciens ont voulu que la vertu et le bonheur fussent accessibles à tous; ils ont voulu qu'ils le fussent en ce monde même... Mais il faut pour cela que le monde où nous vivons soit le plus beau et le meilleur possible, qu'il ne s'oppose pas à un monde supérieur..., qu'il n'y ait pas d'autres réalités que celles qui s'offrent à nos regards... Voilà, je crois, la raison du matérialisme des stoïciens; voilà pourquoi, remontant au-delà de Platon et d'Aristote, ils sont allés emprunter à Héraclite l'ancien naturalisme ionien [1]. »

La liberté du sage et l'ordre du monde

Quoi qu'ils aient pu dire pour maintenir la dépendance de la morale à l'égard de la physique, c'est vers la morale

---

1. *Études de philosophie grecque*, p. 250 ss.

que tendent tous les efforts des stoïciens. Celle-ci se réduit à quelques principes simples : il n'y a d'autre bien que la rectitude de la volonté, d'autre mal que le vice; tout ce qui n'est ni vice ni vertu est indifférent. De ces axiomes résultent une foule de conséquences paradoxales : la maladie, la mort, la pauvreté, l'esclavage ne sont pas des maux, mais des « indifférents »; le sage est par définition heureux, même dans les souffrances; le méchant est toujours malheureux, puisqu'il s'inflige à lui-même, par son vice, le seul dommage que puisse subir son âme. Épictète donnera à cette doctrine, traditionnelle dans le stoïcisme, une expression frappante en distinguant (*Manuel*, I, 1, 3) les choses qui dépendent de nous et celles qui ne dépendent pas de nous : « Dépendent de nous l'opinion, la tendance, le désir, l'aversion, en un mot tout ce qui est notre propre ouvrage; ne dépendent pas de nous le corps, la richesse, les témoignages de considération, les hautes charges, en un mot ce qui n'est pas notre ouvrage. » Or il dépend de nous d'une part de vouloir droitement, d'autre part de nous représenter comme indifférent tout ce qui ne dépend pas de nous. Ainsi armé, le sage ne connaîtra « ni entrave, ni affliction, ni trouble »; il sera libre jusque dans la servitude, puisqu'il n'y a de servitude véritable que dans l'empire des passions, dont il s'est libéré; il sera heureux jusque dans ce que l'opinion appelle improprement le malheur, puisqu'il s'est affranchi de cette opinion.

En fait, il faut pour parvenir à cette sérénité et cette constance une « ascèse » difficile : il faut rompre tout contact direct avec le monde et le temps, lieux de l'hétéronomie, ne rien regretter de ce qui a été, ne rien attendre de l'avenir, mais partout et toujours veiller à ce que notre représentation remette les choses à leur vraie place et rendre le temps à sa seule dimension utile, qui est le présent de l'action droite. La passion, qui nous fait prisonniers du temps hétéronome et des choses, qui obscurcit par là notre jugement, ne doit pas être seulement modérée, comme le voulait Aristote, mais extirpée. L'idéal stoïcien est un idéal d' « apathie ».

On commettrait cependant un contresens sur la doctrine stoïcienne si on la réduisait à une sorte d'illusionnisme de la représentation qui ne nous procurerait la liberté et le bonheur qu'en nous rendant étrangers au monde. Certes, il faut dans un premier temps, comme le dira Descartes se souvenant des stoïciens, apprendre à « changer ses désirs plutôt que l'ordre du monde ». Mais c'est que l'ordre du monde, dont nous sommes une partie, est cela même que nous devons vouloir de notre volonté la plus raisonnable. La certitude de refléter en nous l'ordre cosmique, de jouer le personnage que Dieu nous a imparti sur le théâtre du monde, même si nous ne saisissons pas tous les ressorts de la pièce, le sentiment quasi religieux de la fraternité des hommes issus d'un même « père », demeurent, de l'*Hymne à Zeus* de Cléanthe aux *Pensées* de Marc Aurèle, le fondement de l'optimisme stoïcien : non pas amour aveugle du destin, mais foi réfléchie dans la Providence. Seul le sentiment de la solidarité cosmique permet de comprendre telle ou telle formule, où l'on voit le stoïcien empressé à devancer les décrets de Dieu : « Si l'homme de bien pouvait prévoir l'avenir, il coopérerait lui-même à sa maladie, à la mort, à la mutilation, parce qu'il aurait conscience que, en vertu de l'ordre du monde, cette tâche lui est assignée » (Épictète : *Entretiens*, II, 10, 5).

Tensions de la morale stoïcienne

La morale stoïcienne a été pourtant, dès l'Antiquité, taxée d'incohérence. On y a vu un conflit latent entre une inspiration naturaliste, qui nous enjoint de vivre en conformité avec la nature, et une inspiration avant la lettre « formaliste », qui tendrait à définir la vie du sage par son harmonie interne, elle-même acquise au prix d'une « indifférence » générale aux circonstances extérieures. En fait, il n'y a pas de contradiction entre ces deux approches, si l'on veut bien se souvenir que la nature elle-même est conçue par les stoïciens comme un tout solidaire et harmonieux, de sorte qu'en passant de l'harmonie représentée de la nature à l'harmonie effectivement réalisée en lui-même, le sage ne fait, pour reprendre une expression de V. Goldschmidt, que réaliser la même « structure » à différents niveaux.

Il n'en reste pas moins que les stoïciens ont hésité sur le comment de ce passage. L'idéal aurait été de déduire la règle pratique d'une interprétation de l'ordre du monde. Mais l'ordre du monde ne se laisse pas toujours aisément reconnaître dans le détail; le stoïcisme requiert alors de nous un acte de foi dans la rationalité cachée de l'univers, complété par une technique de l'usage des représentations : il s'agit, en effet, de considérer comme indifférent ce qui est en soi explicable, donc rationnel, mais que nous ne savons pas encore expliquer : la maladie, la souffrance, la mort, etc. Cette technique provisoire risquait néanmoins d'être durcie en un indifférentisme généralisé, proche parent du scepticisme. C'est ce qui est advenu, dès la seconde génération du stoïcisme, avec la dissidence d'Ariston de Chios (première moitié du IIe siècle av. J.-C.), qui enseignait que, puisque la vertu est le seul bien, la dialectique et la physique ne sont que des curiosités vaines.

C'est en partie pour lutter contre cette dissidence que Chrysippe développera, à côté de la morale de l'intention droite, un second niveau de la morale, déjà entrevu par Zénon, et qui consiste dans l'accomplissement des actions conformes à nos tendances naturelles : tendance à la conservation de soi-même, sociabilité, etc. C'est la morale dite des « convenables » ou des « devoirs », qu'exposera longuement Cicéron à la suite de son maître Panétius. Ici encore les stoïciens enseigneront que l'on s'élève graduellement de la seconde à la première : ainsi l'amour de soi s'élargit-il de lui-même, comme par des cercles concentriques, en amour de la famille, puis de la patrie, puis de l'humanité tout entière. Mais n'y aura-t-il pas des cas où l'universalisme de la sagesse entre en conflit avec les conventions sociales et les devoirs politiques? Il faudra quelquefois choisir entre les « deux républiques », et le stoïcien ne sera pas le servi-

teur de deux maîtres. Mais dans la perspective optimiste
qui est la sienne, il est douloureux pour la volonté du stoïcien (on le voit bien avec les cas de conscience de Sénèque,
ministre de Néron), et scandaleux pour sa raison, que la
question puisse se poser. Et cette philosophie de l'immanence
pour qui, comme plus tard pour Montaigne, « la nature a
fait tout bon », devra finalement reconnaître avec Sénèque
que la vie morale n'est pas harmonie native avec la nature
originelle, mais appropriation laborieuse et toujours précaire d'une nature « aliénée » et « altérée » (l'expression est
de Chrysippe) par la passion.

Ce qui aura finalement manqué le plus aux stoïciens, c'est
le sens de la réalité du mal et, conséquemment, des médiations nécessaires pour que le réel et le rationnel coïncident.
Pour avoir méconnu le travail du concept, ils ne nous ont
laissé qu'une physique programmatique. Pour n'avoir
admis d'autre technique que celle de la transformation de
soi-même, ils ont involontairement incité leurs adeptes à
laisser le monde en l'état. A quoi bon affranchir les esclaves,
si la véritable servitude est celle des passions? A quoi bon
libérer les hommes, puisqu'ils naissent libres et ont à tout
moment la liberté de mourir? A quoi bon réaliser la justice
dans le monde, puisqu'elle y existe déjà pour qui sait l'y
discerner? On comprend à la fois la fascination qu'exercera
toujours le stoïcisme et les critiques qu'il s'attirera : des
« principes d'une superbe diabolique », selon Pascal, une
« transfiguration morale de l'esclavage », selon Nietzsche; et
Hegel montrera que, si le stoïcisme réconcilie le maître et
l'esclave, il ne les réconcilie que dans la pensée, prenant
ainsi pour « la liberté vivante elle-même » ce qui n'est que le
« concept de la liberté ».

II. L'ÉPICURISME

A la différence du stoïcisme, qui a toujours bénéficié
du respect même de ses adversaires, l'épicurisme et d'abord

la personne même de son fondateur auront été, dès l'Antiquité, un signe de contradiction parmi les hommes. Pour avoir dit que « la source et la racine de tout bien est le plaisir du ventre », Épicure se verra rejeter par la cohorte des bien-pensants dans l'enfer de la philosophie; tout au plus concédera-t-on personnellement à l'homme Épicure une austérité de mœurs qui s'accorderait mal avec le libertinage de la doctrine. Une autre tradition saluera au contraire en lui le premier philosophe qui ait libéré les hommes de la superstition et du mythe : l'éloge d'Épicure deviendra, de Lucrèce à Marx, le préambule obligé de toute philosophie matérialiste, même si, de ce côté-là, on devra encore reprocher à son « athéisme » de n'être pas radical et à son déterminisme d'admettre une exception destinée à justifier miraculeusement la liberté humaine.

Situation historique

Au premier abord, rien ne distingue les circonstances historiques de l'apparition de l'épicurisme et celles qui, dans le même temps, voient naître le stoïcisme. Épicure est, comme les stoïciens, issu de la diaspora grecque. A Samos où il naquit en 341 avant Jésus-Christ, son père était colon. Quand Épicure eut dix-huit ans, on l'envoya faire des études à Athènes. L'année suivante, sa famille était chassée de Samos, les terres des colons ayant été distribuées aux autochtones sur l'ordre du régent de Macédoine, Perdiccas; rejointe par Épicure à Colophon, elle allait mener l'existence précaire des « réfugiés ». Cette expérience d'un malheur qu'il était trop aisé d'attribuer à quelque vengeance des dieux et trop vain de vouloir détourner par des prières, a-t-elle marqué le projet philosophique d'Épicure, soucieux d'apporter au malheur une explication plus rationnelle et un remède plus efficace? Toujours est-il que de 310, date à laquelle il fonda une première école à Mitylène, jusqu'à sa mort à Athènes en 271, il professa, entouré de disciples qui étaient en même temps ses amis, une sagesse destinée à restituer à l'homme aliéné par la superstition le sens et le libre exercice de son existence individuelle. La plus grande partie de cet enseignement (à partir de 306 av. J.-C.) s'était déroulée à Athènes, en un lieu dénommé « le Jardin », par quoi on désigne quelquefois l'école qu'y avait fondée Épicure. Ses disciples se recrutaient moins dans les classes populaires, comme ce fut souvent le cas chez les Stoïciens, que dans une classe moyenne ruinée par les événements, et qui avait quelques raisons elle aussi de chercher dans la philosophie un remède à ses angoisses.

Il serait pourtant injuste de ne voir dans la philosophie d'Épicure qu'une morale qui se chercherait après coup des justifications physiques. Si l'ataraxie, l'absence de trouble, est bien la fin que se propose cette sagesse (comme l'apathie, l'absence de passion, était la fin de la sagesse stoïcienne), si Épicure va jusqu'à affirmer que la sagesse pratique (*phronésis*) est plus précieuse que la philosophie (*Lettre à Ménécée*, 132), on ne saurait réduire pour autant la physique épicurienne à une servante de la morale. Épicure était l'auteur d'un grand ouvrage *Sur la nature*, dont nous n'avons malheureusement que des fragments découverts sur un papyrus d'Herculanum. Ce n'est certainement pas sans raison si Lucrèce (première moitié du Ier siècle av. J.-C.), le plus fameux des disciples anciens d'Épicure, célèbre principalement en lui le fondateur d'un système de la nature et intitule son propre poème, d'où les préoccupations morales ne sont du reste pas absentes, *Sur la nature des choses (De natura rerum)*.

Une philosophie du concret

L'intuition centrale qui commande aussi bien la morale que la physique épicurienne est peut-être à chercher dans ce que les épicuriens nomment la « canonique » (de *canon*, règle) et qui correspond à ce que nous appellerions aujourd'hui théorie de la connaissance. Épicure n'accorde de crédit qu'à la sensation, c'est-à-dire au contact direct, existentiel, avec la chose elle-même, de la même façon que, dans le domaine pratique, il n'accorde de valeur qu'au sentiment concret, individuel, incommunicable, de plaisir. Épicure se méfie comme les stoïciens des discours universels, des définitions générales, des spéculations sur le Bien en soi. Mais, s'il refuse l'universel aristotélicien et l'Idée platonicienne, ce n'est pas pour attribuer la réalité véritable, comme l'avaient fait les stoïciens, au monde dans son ensemble, mais bien à l'individu, qui devient, dès lors, le seul sujet possible de la connaissance comme du bonheur.

Le sensualisme d'Épicure s'appuie sur une théorie physique du contact entre le sentant et le senti. Dans les cas où il n'y a pas de contact direct — la vue, l'ouïe, l'odorat — Épicure imaginait que des sortes d'effluves ou *simulacres* sont émis par les choses et viennent frapper les organes correspondants. De ce fait, la sensation, ne comportant aucune part de subjectivité, est toujours vraie : si, vue de loin, une tour carrée nous paraît ronde, cette apparence traduit objectivement le rapport physique existant entre l'objet, nos organes sensitifs et le milieu lui-même corporel (l'air) qui les sépare. Mais, si Épicure fait de la sensation le fondement de toute connaissance, il ne réduit pas pour autant toute connaissance à la sensation : se souvenant peut-être des arguments qui justifiaient, dans le *Ménon* de Platon, la théorie de la réminiscence, il remarque que nous ne pourrions reconnaître ni nommer aucun objet si nous n'avions dans notre esprit une certaine « anticipation » de sa forme (Diogène Laërce, X, 33). De telles anticipations de la perception sont ce qu'il appelle *prolepses*. Kant y verra plus tard l'annonce de sa propre conception de l'*a priori*, mais cette interprétation est historiquement insoutenable, car, pour Épicure, l'anticipation naît du souvenir des sensations antérieures : réminiscence donc, mais d'une autre expérience sensible (et non d'une vision transcendante, comme chez Platon), en quoi Épicure n'explique pas comment peut se constituer, en l'absence de toute prolepse, la toute première perception d'un objet. Sans reconnaître en quoi que ce soit l'existence de réalités non sensibles,

Épicure admet aussi que certains corps émettent des effluves si ténus qu'ils sont pour nous invisibles : tels sont les dieux. On ne pourra donc que les inférer à partir du visible : le raisonnement, qui s'élève du visible à l'invisible, se voit ainsi reconnaître un certain rôle, à la condition d'admettre que sa seule origine réside dans la sensation.

Le langage

La canonique est une épistémologie, non une logique. De celle-ci les épicuriens n'ont nul besoin, car « ils disent qu'il suffit aux physiciens de suivre ce que disent les choses d'elles-mêmes » (Diogène Laërce, X, 31). Les choses s'expriment, en effet, immédiatement par le langage : les épicuriens ne voient pas la nécessité d'admettre entre le langage et les choses cet intermédiaire que les stoïciens nommaient le signifié ou l'exprimable. Le langage n'était pas sans poser un problème à Épicure, car il ne pouvait — ne serait-ce qu'à cause de la diversité des langues — le faire dériver entièrement de la nature. Il enseignait que les noms sont, dans leur fond, naturels, étant d'abord constitués des sons formés, conformément à la nature particulière de chaque peuple, par les sensations et les images des choses. Mais sur cette origine naturelle se greffe la convention, qui rend les désignations spontanées moins ambiguës et plus brèves et qui peut même, à partir d'expériences nouvelles ou d'initiatives individuelles, créer délibérément des mots nouveaux (*Lettre à Hérodote*, X, 75-76).

Principes de l'application physique

On a souvent reproché à Épicure, en matière de physique, un certain dilettantisme, qui se traduirait dans le fait qu'il lui arrive de proposer plusieurs explications d'un même phénomène, sans éprouver le besoin de trancher entre elles. En fait, Épicure est très ferme sur les principes géné-

raux de l'explication physique : ne rien chercher au-delà
de la nature, n'invoquer d'autre origine des phénomènes
que celle qui est déterminée par les lois immuables de la
nature, ne recourir à aucune cause distincte du monde,
ne fixer aucune borne à la connaissance humaine. Ce sont
là des principes qui nous sont aujourd'hui familiers, parce
qu'ils constituent la philosophie implicite de la science
moderne. Mais c'est Épicure qui, pour la première fois, les
a mis de façon conséquente en pratique, rompant délibérément par là avec la vieille sagesse grecque des limites,
qui invitait l'homme à ne pas essayer de sortir de sa condition et, en particulier, à ne pas outrepasser les limites impo-
sées par les dieux à son pouvoir de connaître. En estimant,
comme plus tard Hegel, que rien ne pouvait résister au
courage de la connaissance, Épicure, véritable Prométhée
de la philosophie, a commis le « péché » grec par excellence,
celui de l'*hybris*, de la démesure; seuls l'affaiblissement des
mœurs grecques et le scepticisme croissant à l'égard des
dieux ont pu le préserver d'un de ces procès d'impiété qui
n'avaient été épargnés ni à Protagoras, ni à Anaxagore,
ni à Aristote, et dont Socrate était mort.

Épicure rencontre une doctrine qui satisfait à ce qu'il
croit être les exigences d'un savoir libérateur : c'est l'atomisme de Leucippe et de Démocrite. Le trait de génie de
ces deux physiciens présocratiques avait été d'expliquer
l'infinie variété des choses et de leur devenir par des combinaisons d'éléments simples, les atomes. Ceux-ci ne diffèrent
entre eux que par des propriétés géométriques : la figure,
l'ordre et la position, qui suffisent à multiplier à l'infini les
combinaisons possibles. Ainsi l'atomisme avait-il d'emblée
un double mérite : d'une part, il expliquait la qualité par la
quantité et le contenu par des combinaisons d'éléments
discontinus, ce qui satisfait notre intelligence « lestée »,
comme l'a dit Bergson, « de géométrie »; d'autre part, il ne
recourait, dans ses explications, à aucune cause transcendante, puisqu'il lui suffisait de ces deux principes : les
atomes et le vide infini, celui-ci requis comme lieu de la
combinaison des premiers. Grâce à la conjonction d'une

combinatoire simple et d'un pouvoir d'explication infini, l'atomisme représente un modèle opératoire presque parfait pour les sciences de la nature. C'est bien du reste ainsi que semble l'avoir entendu Épicure : sorte d'hypothèse de travail permettant d'expliquer la variété phénoménale, plus qu'affirmation dogmatique sur la nature profonde des choses.

Différence des philosophies de la nature chez Démocrite et chez Épicure

Le système de Démocrite n'en comportait pas moins une faille, car il n'expliquait pas la mise en mouvement des atomes, sans laquelle ils ne pourraient, en se heurtant, donner naissance à des corps. Démocrite attribuait finalement au hasard l'origine des choses. Épicure, esprit plus spéculatif que Démocrite, veut pousser plus avant l'explication : il doue les atomes d'une propriété supplémentaire, la *pesanteur*, destinée à expliquer qu'ils se meuvent (Épicure ne nous explique pas d'où vient la pesanteur elle-même : il en fait une qualité réelle inhérente à la matière, contrevenant ainsi à l'universalité du principe d'explication géométrique). Mais, si les atomes se meuvent en vertu de leur seule pesanteur, ils se mouvront en ligne droite de haut en bas, parallèlement les uns aux autres, déterminant ce que Lucrèce appellera une « pluie d'atomes », et ainsi ils ne se rencontreront jamais. Épicure doit donc imaginer un second mouvement, selon lequel les atomes ont tendance à dévier insensiblement de la ligne droite et à heurter ainsi d'autres atomes, avec lesquels ils se combineront : ce mouvement est la déclinaison (le *clinamen* de Lucrèce), et la déclinaison elle-même n'a pas de causes. Il semble qu'Épicure ait cru ici pouvoir sans inconvénient se passer de causes pour expliquer une déviation infime et imperceptible, qui se présente comme une sorte de « jeu » (au sens où l'on dit qu'un mécanisme a du jeu) dans la nécessité qui régit l'univers. Mais les adversaires de l'épicurisme verront là une nouvelle occasion de critique et reprocheront à Épicure de réintroduire le hasard en physique, contrairement à son intention méthodologique : « Les atomes, demandera Cicéron, vont-ils tirer au sort entre eux à qui déclinera ou non ? » (*Du destin*, § 46). A quoi on pourrait sans doute répondre que l'indéterminisme épicurien ne concerne que la constitution des phénomènes et non les phénomènes une fois constitués : idée qui n'est nullement absurde et qu'on ne doit pas repousser *a priori* comme non scientifique, ainsi qu'en témoignent les débats contemporains sur l'indéterminisme de la physique quantique.

La liberté

En fait, l'introduction de la déclinaison dans la théorie physique d'Épicure obéissait aussi à une autre exigence, d'ordre moral cette fois. Cicéron nous livre la clé de cette filiation : « Épicure croit éviter la nécessité du destin par la déclinaison de l'atome... Épicure a introduit cette explication parce qu'il craignait que, si l'atome était toujours emporté par une pesanteur naturelle et nécessaire, il n'y eût rien de libre en nous, puisque le mouvement de l'âme résulterait du mouvement des atomes » (*Du destin*, §§ 22-23). Sur ce point décisif, Épicure se sépare donc du nécessitarisme des physiciens atomistes; l'exigence morale l'emporte ici sur la cohérence du système physique : « Il vaudrait mieux, écrit Épicure, suivre le mythe relatif aux dieux que d'être l'esclave du destin des physiciens. Car le premier laisse l'espoir de fléchir la miséricorde des dieux par des prières; mais le second n'est que l'inexorable nécessité » (*Lettre à Ménécée*, 184). Épicure n'a pas voulu libérer les hommes du monde intelligible pour les faire prisonniers du cosmos. Faut-il pour autant, comme semble le faire Épicure, admettre des mouvements sans cause et, au nom de la liberté, renoncer au principe de causalité et même, à travers lui, au principe de contradiction ? En fait, il est peut-être permis de voir une intuition profonde dans le parallélisme établi par Épicure entre la liberté de l'homme et la spontanéité déviante de l'atome. Saint Augustin dira de la déclinaison qu'elle est « l'âme de l'atome » et Marx, dans sa Dissertation sur la *Différence de la philosophie de la nature chez Démocrite et chez Épicure*, qu'elle est « la réalisation de la notion d'atome », le mouvement par lequel celle-ci s'aliène, sort d'elle-même, pour donner naissance au devenir concret du monde. Que la liberté ait de quelque façon partie liée à ce mouvement originaire ne serait pas dès lors une atteinte au déterminisme, qui reste vrai au niveau du constitué, mais pourrait signifier que la liberté échappe au déterminisme phénoménal dans la mesure où elle est de l'ordre du principe, c'est-à-dire du constituant. En prolongeant au niveau humain la spontanéité de l'atome, la liberté ne fait échapper l'homme au déterminisme de la nature que parce qu'elle le fait participer au principe constitutif de la nature.

Les dieux

Ce naturalisme doublé d'un humanisme n'autorise pourtant pas Épicure à se passer d'une théologie. Alors que la théologie philosophique, depuis Platon et surtout Aristote, tendait à substituer au panthéon populaire grec l'exaltation d'un divin totalement déshumanisé, celui qui se manifeste dans la splendeur rationnelle des mouvements astronomiques, la théologie d'Épicure est la première tentative philosophique pour ériger en théorie le polythéisme anthropomorphique des Grecs. Les dieux sont irréductiblement multiples, les uns parfaitement individualisés, les autres différant seulement quant à l'espèce. Cette pluralité permet de concevoir une société des dieux, qui est le modèle non pas tant de la cité humaine que de ces sociétés d'amis dans lesquelles Épicure voyait la réalisation la plus haute de la sociabilité. Occupés à converser entre eux et trouvant dans cet échange la joie la plus pure, les dieux ne se soucient ni des hommes ni du monde : il n'y a donc pas de Providence.

Si l'on ajoute que les divinités sont composées d'atomes si subtils qu'elles ne sont accessibles à aucune expérience, on se convaincra que la théologie épicurienne n'est plus, comme l'était celle des stoïciens, une partie de la physique. Mais ce n'est pas une raison pour lui dénier toute signification, comme l'ont fait hâtivement tant d'interprètes : l'existence divine, toute de joie, d'amitié et de contemplation, exerce chez Épicure la fonction d'un idéal, d'un principe régulateur pour l'existence humaine.

Le plaisir

Comme toutes les morales antiques, la morale épicurienne est une théorie de la fin dernière de la vie humaine. Cette fin est désignée par le titre général de bonheur, qui désigne par définition ce vers quoi tendent naturellement tous les hommes. Mais les divergences commencent lorsqu'il s'agit de donner un contenu à cette idée formelle du bonheur. Les morales antérieures à l'époque hellénistique avaient apporté à cette question des réponses complexes, faisant du bonheur le résultat d'un dosage subtil d'éléments : la vie heureuse, disait Platon dans le *Philèbe*, est un mixte de plaisir et de sagesse; pour Aristote, il n'y a pas de bonheur si à la vertu ne s'ajoute un « cortège » de biens du corps (santé, force) et de biens extérieurs (richesse, réputation, pouvoir, etc.), ce qui était faire dépendre le bonheur, pour une grande part, de la « bonne fortune ». Avec la période hellénistique, le primat donné aux préoccupations pratiques et le souci de mettre le bonheur à la portée de tous, en dépit de la dureté des temps, ont pour conséquence une simplification et une radicalisation des positions : alors que pour les Stoïciens le bonheur réside dans la vertu et elle seule, il est à chercher selon Épicure dans le seul plaisir (*hédoné*, d'où le nom d'hédonisme donné à cette doctrine).

Le plaisir, fondement du bonheur, devient donc la fin que cherche à réaliser la morale. Épicure n'est pas le pre-

mier à professer cette doctrine; il avait été précédé dans
cette voie par un disciple de Platon, Eudoxe, et surtout
l'une des écoles socratiques, celle des Cyrénaïques. Mais
Épicure ne s'accorde pas avec ses prédécesseurs cyrénaïques
sur la définition même du plaisir : pour Aristippe de Cyrène,
le plaisir est un mouvement léger, en quoi il s'oppose précisément à la douleur, qui est un mouvement violent. Platon,
dans le *Philèbe*, avait repris à son compte l'idée que le
plaisir est une *genèse*, mais il en tirait, à l'inverse des Cyrénaïques, la conclusion que le plaisir ne saurait être le Souverain Bien, puisque le bien se caractérise par sa stabilité
et sa complétude. Épicure retient à la fois la postulation
hédoniste des Cyrénaïques et l'exigence platonicienne de
stabilité : pour lui, le plaisir véritable, celui qu'il faut
rechercher, est le plaisir en repos, tel le sentiment de bien-
être qu'éprouve un homme qui n'a pas soif et ne boit pas.
Il semble que, dès l'Antiquité, on se soit mépris sur le sens
de cette doctrine et que, lorsque l'on ne faisait pas d'Épicure un apologiste de la débauche, on lui ait au contraire
reproché de proposer un idéal purement négatif d'*alypie*,
d'*indolentia*, c'est-à-dire d'absence de douleur, de sorte que
ce plaisir tant vanté ne serait autre que l'état d'un homme
endormi ou d'un cadavre.

En fait, le plaisir tel que l'entend Épicure est appelé
par lui « plaisir constitutif » *(hédoné katastématiké)* : l'idée
de constitution *(katastéma)* désigne ici l'ensemble des
parties qui constituent un organisme vivant et, plus particulièrement, l'état d'équilibre de ces parties. Ainsi, « le
plaisir se produit naturellement et de lui-même, lorsque,
par le jeu naturel des organes, l'équilibre physiologique est
rétabli dans un être vivant [1] ». On comprend dès lors la
distinction entre un plaisir en mouvement qui, lié à un
déséquilibre même passager de l'organisme, est toujours
associé à quelque douleur, et le plaisir en repos, qui a pour
condition la fin d'un déséquilibre, donc la suppression de la
douleur, sans qu'il se confonde pour autant avec ce qui n'en

1. V. BROCHARD : *Études de philosophie ancienne et moderne*, p. 270.

est que la condition. Le plaisir en repos est donc bien l'état le plus positif, ce sentiment fondamental de bien-être et de plénitude qui, en l'absence de toute stimulation externe, se confond avec notre conscience d'exister. Ce plaisir-là est la racine de tous les biens : le plaisir spirituel lui-même peut bien redoubler le plaisir physique, mais il dérive de lui et ne le supplante pas.

Administration du plaisir et retour à la vie simple

La raison n'en a pas moins un rôle à jouer dans l'administration du plaisir. Si le plaisir est le Souverain Bien, elle n'a certes pas à le modérer, à le limiter de l'extérieur, et on ne saurait suspecter Épicure de reprendre subrepticement, comme tant d'autres le feront après lui, ce qu'il a accordé sans réserve à la théorie du plaisir. Mais la raison doit veiller à ce que le plaisir soit véritablement le plaisir, c'est-à-dire qu'il ne soit pas mêlé de quelque douleur. Le plaisir, avons-nous vu, est une limite, un état d'équilibre, qui ne comporte pas de plus et de moins. Or la chair, remarque une fois Épicure (Diogène Laërce, X, 145), va à l'infini et le risque est grand que le désir insatiable ne mêle la douleur de l'insatisfaction à ses satisfactions toujours partielles. D'où la nécessité de limiter ses désirs aux seuls qui soient naturels et nécessaires. Nécessaires, comme la faim ou la soif, ils sont insupprimables; naturels, ils trouveront aisément dans la nature de quoi les assouvir : car Épicure postule ici, comme plus tard Rousseau, une sorte d'harmonie préétablie entre les besoins et les ressources, entre la nature individuelle et la nature universelle. La pauvreté ne naît pas de la rareté, mais du besoin non naturel. « Au regard de ce qui suffit à la nature, toute possession est richesse; mais au regard des désirs illimités, même la plus grande richesse est pauvreté » (fragm. 202 Usener). La nature ne paraît avare qu'à ceux qui ne savent pas l'aimer.

Comme chez Rousseau également, l'apologie de la nature

est liée chez Épicure à la critique de la société. Les hommes
ne sont pas naturellement destinés à vivre dans des cités.
Il n'y a donc pas d'institutions naturelles ni de droit naturel,
contrairement à ce qu'enseignaient les stoïciens. Le besoin
qui nous rend dépendants d'autrui est une marque de
faiblesse : le sage est « autarcique », autrement dit, n'a
besoin de rien ni de personne. On connaît la célèbre formule
épicurienne : « Pour vivre heureux, vivons cachés. » En fait,
peu d'hommes parviennent à cette autarcie individuelle
ou, mieux encore, à cette autarcie à plusieurs que constitue
pour Épicure une communauté d'amis. Contraint de vivre
en société, exposé de ce fait aux multiples agressions liées
à la vie sociale, l'homme demande à la philosophie le moyen
de le « préserver des hommes » (*Maximes principales*, 14).
Un premier moyen sera la justice, entendue non comme la
réalisation d'un ordre idéal, mais comme une « convention
utilitaire, faite en vue de ne pas se nuire mutuellement »
(*ibid.*, 31). Mais Épicure n'attend pas vraiment de la société
elle-même un remède aux maux qu'elle répand et que sa
seule existence suscite. Car la société ne multiplie pas
seulement les occasions de rencontre et, par là, de conflit ;
en substituant la civilisation à la nature, elle crée dans
l'individu des besoins nouveaux, goût du luxe, faims et
soifs spécifiques, conformismes sociaux, bref, tous ces désirs
qu'Épicure a disqualifiés comme non naturels et non nécessaires. Par-delà les sortilèges de la civilisation, l'épicurisme
nous invite à un retour à la nature, aux joies sans mélange
d'une vie simple et frugale : non qu'il faille voir là un quel-
conque ascétisme, mais bien une exigence découlant d'une
sage administration du plaisir.

Actualité d'Épicure

Certes, le bonheur n'était pas une idée neuve dans la
Grèce du IIIe siècle. Mais il était traditionnellement associé à
tant de conditions ou de médiations qu'il paraissait soit
s'éloigner dans une transcendance inaccessible, soit se

réduire, comme chez les stoïciens, à un acte de foi dans une rationalité cachée. Contre ces sombres cathartiques, Épicure réhabilite l'immédiateté de la jouissance, la sérénité du port, la paix d'une possession sans distance. Il dresse le tableau d'une existence pacifiée, libérée des superstitions, de la crainte de la mort et de la douleur, libérée aussi de la dépendance des autres hommes, d'une vie dont la seule dimension « publique » serait le culte privé de l'amitié. Persuadé que le monde ne nous écrase que dans la mesure où nous le connaissons mal, il ne pensait ni qu'il fallût changer nos désirs pour les adapter à l'ordre du monde, ni qu'il fallût changer le monde pour le rendre accueillant à nos désirs. Si aujourd'hui l'idéal épicurien d'une vie satisfaite et apaisée, délivrée de l'angoisse et des conventions, s'éloigne à l'horizon comme l'utopie d'un monde meilleur, c'est sans doute qu'Épicure a trop méconnu les obstacles qui nous en séparent dans ce monde-ci : les intérêts qui perpétuent les superstitions; les répressions et les tabous; mais aussi la dialectique même d'un désir qui s'accroît à mesure qu'il se satisfait et que nos sociétés modernes incitent, par une sorte de logique de la déraison, à outrepasser les limites du naturel et du nécessaire. Du moins Épicure avait-il pressenti que la consommation pour la consommation, génératrice de nouvelles angoisses, était la négation même de la jouissance.

III. LE SCEPTICISME

Une réaction contre le dogmatisme

Le stoïcisme et l'épicurisme se distinguaient de la philosophie platonico-aristotélicienne par une conscience plus aiguë de l'urgence de la décision morale et, par voie de conséquence, par une simplification de l'appareil théorique destiné à la justifier. Cette simplification même les condamnait à procéder par affirmations massives, que ne corrigeait plus la dialectique d'un Platon ou le sens aporétique d'un Aristote. Ce durcissement de la théorie en un dogmatisme, moins préoccupé de penser la réalité que de fournir aux hommes des « certitudes », devait donner lieu à une réaction sceptique, qui s'exercera surtout contre les stoïciens et les obligera, sur plus d'un point, à mieux justifier leur doctrine. Ce scepticisme trouvera un allié, au premier abord inattendu, dans l'école platonicienne elle-même, du moins dans la période de son histoire connue sous le nom de Nouvelle Académie.

Sans doute était-il de l'essence du scepticisme de ne point s'enfermer dans une école. De fait, il s'agit bien plutôt d'un courant qui, pendant plusieurs siècles, doublera dans une ombre relative le cours plus majestueux des écoles officielles. Victor Brochard distingue dans l'histoire du scepticisme trois périodes, dont chacune serait caractérisée par la prédominance de thèmes différents et complémentaires.

La question sceptique et la critique pyrrhonienne de la connaissance sensible

Le fondateur à moitié légendaire du scepticisme est Pyrrhon d'Élis, contemporain d'Aristote, mais qui, n'ayant comme Socrate rien écrit, ne semble avoir exercé d'influence dans l'Antiquité que par l'intermédiaire de son disciple Timon (mort vers 235 av. J.-C.). Il n'est pas impossible que Pyrrhon se rattache, à travers son compatriote Hippias d'Élis, à la grande tradition des sophistes. Mais on peut dire plus sûrement que le scepticisme s'apparente aux autres philosophies post-aristotéliciennes par la priorité qu'il accorde à la recherche du bonheur. Le bonheur réside pour lui, comme pour le stoïcisme et l'épicurisme, dans l'absence de passion *(apathie)* et l'absence de trouble *(ataraxie)*. Mais l'originalité du scepticisme consiste à faire dépendre l'ataraxie, non de quelque proposition théorique, mais d'un état de non-assertion *(aphasie)*, qui

« nous pousse à ne rien affirmer non plus que nier ».

Mais pourquoi cette suspension *(épokhê)* du jugement, qui deviendra désormais la pierre de touche de tout scepticisme? Est-ce par suite de l'impuissance de notre faculté de connaître ou à cause de l'indistinction même qui règnerait dans l'objet? S'agit-il d'une prudence méthodologique ou d'une impossibilité ontologique? Et, dans le premier cas, la mise en question de la connaissance s'appuie-t-elle seulement sur la constatation des erreurs des sens ou sur une critique de la faculté rationnelle elle-même? De la réponse à ces questions dépendent les nuances qui distingueront les diverses formes de scepticisme. Pour Pyrrhon interprété par Timon, la suspension du jugement a pour fondement la non-différence *(adiaphorie)* qui affecte la manifestation des choses, autrement dit les phénomènes. L'indifférence n'est donc pas premièrement une attitude de la conscience, mais une propriété négative des phénomènes. Il reste que les phénomènes sont, comme l'avait déjà souligné Protagoras, ce qui *nous* apparaît, donc sont relatifs au sujet qui les appréhende. Mais alors que Protagoras en concluait à la vérité des apparences et, par voie de conséquence, à la vérité des contradictoires (puisque, par exemple, le miel, qui *paraît* doux à l'homme bien portant, *paraît* amer au malade, donc *est* à la fois doux et amer), Pyrrhon tire des mêmes prémisses la conclusion que la vérité est inaccessible et que la véritable nature des choses est non manifeste *(adélon)* : preuve que, pour Pyrrhon, la vérité est située au-delà de l'apparence phénoménale, qui ne la « manifeste » jamais entièrement.

Aenésidème et la critique de la raison

La deuxième période du scepticisme, séparée de la première par un intervalle de plus d'un siècle, est surtout liée au nom d'Aenésidème. Nous ne savons rien de sa vie : les érudits supposent tout au plus qu'il vécut au Ier siècle avant Jésus-Christ. Ses doctrines, en revanche, sont bien connues grâce à la transcription qu'en feront des auteurs postérieurs comme Sextus Empiricus. C'est d'abord à Aenésidème que nous devons, sous le nom de *tropes*, une classification et une mise en forme des arguments en faveur du scepticisme. Les historiens pensent que, parmi ces tropes, ceux qui sont dirigés contre la connaissance sensible sont empruntés à Pyrrhon. La contribution propre d'Aenésidème aurait consisté à élargir la critique pyrrhonienne en l'étendant à la raison elle-même. Ainsi l'un des tropes montre-t-il l'inanité du concept de *causalité* : un corps ne peut être cause d'un autre corps (car un corps ne peut sortir de sa propre nature); un incorporel ne peut être cause d'un incorporel (car l'incorporel est incapable de contact, or sans contact il n'y a ni passion ni action); comme d'autre part il doit y avoir homogénéité entre la cause et l'effet, le corps ne peut être cause de l'incorporel ni l'incorporel du corps; la conclusion est qu'il n'y a pas de cause. Une argumentation analogue réduisait à néant la notion de *signe* et, par conséquent, la thèse (aussi bien épicurienne que stoïcienne) selon laquelle le visible serait signe de l'invisible. Dans un autre trope, Aenésidème montrait que le vrai n'est ni sensible (car la sensation est dépourvue de raison) ni intelligible (car alors aucune chose sensible ne serait vraie, ce qui est absurde) ni à la fois sensible et intelligible, donc qu'il n'est pas. Après cette critique radicale, on est étonné de lire dans Sextus Empiricus (*Adv. math.*, VIII, 8) que « les partisans d'Aenésidème » faisaient une différence entre les phénomènes et admettaient comme *vrais* « ceux qui paraissent à tous de la même façon ». Mais peut-être faut-il voir là une simple règle de l'usage empirique de la raison, qui ne contredit pas, mais présuppose, l'abandon de ses prétentions spéculatives.

Sextus Empiricus et les limites de son empirisme

La troisième période de l'histoire du scepticisme est liée au nom de Sextus Empiricus, dont nous savons seulement qu'il vécut au IIIe siècle après Jésus-Christ. La qualification

d' « empirique » qui est restée attachée à son nom signifie
« homme d'expérience » et désignait en fait un médecin.
Ce médecin philosophe nous a laissé un ouvrage en onze
livres, *Adversus mathematicos* (c'est-à-dire « contre ceux
qui font profession de savoir »), qui est une véritable
somme des arguments sceptiques contre la science. Ces
arguments sont résumés dans les *Hypotyposes* ou *Esquisses
pyrrhoniennes*, qui se donnent comme la quintessence du
pyrrhonisme. Sextus Empiricus est notre principale source
pour la connaissance du scepticisme antique. Les *Hypotyposes*, traduites par Henri Estienne en 1562, fourniront des
raisons de douter à tous les « pyrrhoniens » de la Renaissance et des siècles suivants, à commencer par Montaigne.

Sextus a-t-il apporté lui-même une contribution originale
à l'histoire du scepticisme ? V. Brochard a cru pouvoir
établir que Sextus ne s'attaque qu'aux propositions métaphysiques, celles qui se démontrent dialectiquement. « A la
science exacte et *a priori* des dogmatistes, il veut substituer
timidement encore et non sans quelque embarras une sorte
de science ou d'art, fondée uniquement sur l'observation,
sur l'étude des phénomènes et de leurs lois de succession [1]. »
Sextus mériterait donc bien son surnom d' « empirique ».
Pourtant, si l'on entrevoit bien que Sextus tient à sauver
une certaine technique de la guérison des corps, comme de
la guérison des âmes, on ne voit pas qu'il cherche à l'asseoir
sur des fondements théoriques ni sur les premiers linéa-
ments d'une méthode expérimentale. Sa critique est bien
une critique radicale, acharnée à détruire, voire à se détruire
elle-même, et ses *Hypotyposes* se terminent, de l'aveu de
Brochard lui-même, dans un « ricanement [2] ». Il n'y a, dit
Sextus, rien à enseigner ni rien à apprendre ; il n'y a donc
pas de maître ni de disciple, car on ne peut apprendre que ce
que l'on sait déjà. Il n'y a même pas de communication :
car on ne peut comprendre un langage que si l'on a « reçu
d'avance » la clé de ses significations ; le discours, présuppo-

---

1. *Les sceptiques grecs*, p. 326.
2. *Ibid.*, p. 322.

sant sa propre compréhension, ne peut dès lors la communiquer à qui ne la posséderait déjà (III, 259-269). Mais alors à quoi bon le discours?

Ainsi la philosophie hellénistique de la subjectivité s'achève-t-elle dans un affrontement qui est la négation même de tout dialogue. Le scepticisme est le constat de la dissolution d'une certaine conception du *logos* : ce *logos* non dialectique qui, dans le malheur des temps hellénistiques, s'était fait dogmatique pour s'opposer à la violence des choses, immédiat pour parer à l'urgence des décisions, et qui, oublieux des leçons de Platon et d'Aristote, avait désappris sa propre relativité.

L'humanisme pratique de la Nouvelle Académie

De fait, c'est au nom de la dialectique que, dans le même temps, l'école platonicienne (dite Nouvelle Académie en cette période de son histoire) allait se rapprocher du scepticisme. La méthode utilisée par Platon dans les dialogues, en particulier dans les dialogues dits « aporétiques », avait pu accréditer l'idée que l'essentiel de la philosophie consiste à « traiter le pour et le contre en tout sujet », comme Cicéron en fera précisément gloire à l'Académie (*Tusculanes*, II, 3, 9). C'était, il est vrai, méconnaître que chez Platon il ne s'agissait là que d'une méthode d'exposition indirecte, destinée à élever l'âme à l'intuition de l'intelligible. Mais, au IIIe siècle avant Jésus-Christ, les chefs de l'école platonicienne devaient parer au plus pressé et, hors de toute subtilité, lutter contre le dogmatisme ambiant, en particulier celui des stoïciens. La querelle paraît s'être concentrée sur le problème du critère de la vérité. Arcésilas (315-240 av. J.-C.) niait, contre Zénon de Cittium, qu'on pût distinguer une représentation compréhensive de celle qui ne l'est pas : un objet fictif peut susciter en nous une représentation aussi claire et distincte que l'est celle d'un objet réel. Le sage ne peut donc s'appuyer sur des certitudes : ses assertions ne sont qu'opinions, ce qui est en contradiction avec sa préten-

tion au savoir. Le sage, s'il est fidèle à lui-même, devra donc
s'abstenir de juger et reconnaître qu'il ne sait rien. Sextus
accusera Arcésilas d'outrepasser le scepticisme et de tomber dans une sorte de dogmatisme du non-savoir : Arcésilas affirme qu'il ne sait rien, alors que le véritable pyrrho-
nien doute s'il sait ou ne sait pas.

Mais, sur un autre point, Arcésilas et surtout Carnéade
(219-129 av. J.-C.) apportent au scepticisme une correc-
tion positive. S'agissant des affaires humaines, qui sont
affectées par la contingence de décisions irréductiblement
libres, l'incertitude du jugement n'est pas faiblesse, mais
reflète l'incertitude même de son objet. Il n'y a pas, fût-ce
dans un ciel intelligible, de politique ou de morale *scientifique*, dont l'action concrète serait le produit dégradé. Ici il
n'y a d'autre absolu que le relatif, d'autre guide que ce
qu'Arcésilas appelait le raisonnable *(eulogon)* et Carnéade
le probable *(pithanon)*, en quoi il faut comprendre que le
probable, quel que soit son degré, ne s'égalera jamais au
certain et que le raisonnable, principe d'action, a sa justification en lui-même et ne se déduit pas d'une rationalité
de type logique ou mathématique. C'est dans une sorte de
clair-obscur ou d'entre-deux, à mi-chemin de l'affirmation
dogmatique et de l'action aventureuse, que théorie et pratique trouvent leur unité, en ce lieu qu'Aristote et la Nouvelle Académie après lui ont appelé la prudence *(phronésis)* :
à la fois discernement du raisonnable et volonté de le réaliser
pour autant que les circonstances le permettent. Alors que
les sceptiques ne tiraient dans le même temps aucune pratique de leur théorie, l'originalité de la Nouvelle Académie
aura été de fonder sur le probabilisme un humanisme pratique, dont Cicéron (106-43 av. J.-C.), continuateur de la
Nouvelle Académie, fera un des moments essentiels de la
tradition morale de l'Occident. On ne saurait donc négliger
l'importance historique de ces auteurs trop oubliés. Au
début du xviiie siècle, c'est encore sur cette tradition humaniste que s'appuiera Vico pour montrer — contre Des-
cartes — que, dans « l'océan du douteux », ce n'est pas
l'impénétrable nature, mais bien le « monde civil » qui,

parce qu'il est le produit de l'activité des hommes, donne lieu au savoir le moins incertain.

────────────────── **Bibliographie sommaire** ──────────────────

1) *Sur la philosophie hellénistique en général :*

C. J. de VOGEL : *Greek Philosophy*, vol. III (The hellenistic-roman Period), Leiden, 1959 (textes et commentaires).
V. BROCHARD : *Études de philosophie ancienne et moderne*, Paris, 1926 (réimpr. 1954).
E. BEVAN : *Stoïciens et sceptiques*, Paris, 1927.
E. BRÉHIER : *Études de philosophie antique*, Paris, 1955.

2) *Sur le stoïcisme :*

— Textes :

Hans von ARNIM : *Stoicorum Veterum Fragmenta*, 4 vol., Leipzig, 1903-1934 (trad. très partielle par J. BRUN : *Les stoïciens*, coll. « Les grands textes », Paris, 1957).
Les stoïciens, textes traduits par É. BRÉHIER, édités sous la direction de P.-M. SCHUHL. « Bibl. de la Pléiade », Paris, 1962.
Les œuvres de Sénèque, Épictète et Marc Aurèle ont été publiées, avec traduction, dans la collection Budé.

— Études :

Max POHLENZ : *Die Stoa. Geschichte einer geistigen Bewegung*, 2 vol., Goettingue, 1948 (2e éd., 1955-1959).
G. RODIER : *Études de philosophie grecque*, Paris, 1926 (réimpr. 1957).
E. BRÉHIER : *Chrysippe et l'ancien stoïcisme*, Paris, 1910 (2e éd., 1951).
— *La théorie des incorporels dans l'ancien stoïcisme*, Paris, 1907 (réimpr. 1953).
V. GOLDSCHMIDT : *Le système stoïcien et l'idée de temps*, Paris, 1953 (2e éd., 1969).
B. MATES : *Stoic Logic*, Los Angeles, 1953.
S. SAMBURSKY : *The physic of the Stoics*, Londres, 1960.
G. RODIS-LEWIS : *La morale stoïcienne*, Paris, 1970.
Actes du VIIe Congrès de l'Association G. Budé (Aix-en-Provence, 1963), Paris, 1964 (sur le stoïcisme).

P. Aubenque et J.-M. André : *Sénèque*, coll. « Philosophes de tous les temps », Paris, 1964.

J. Moreau : *Épictète*, coll. « Philosophes de tous les temps », Paris, 1964.

3) *Sur l'épicurisme :*

— Textes :

H. Usener : *Epicurea*, Leipzig, 1887 (trad. partielle par J. Brun, *Épicure et les épicuriens*, coll. « Les grands textes », Paris, 1961).

Épicuro : *Opere*, éd. G. Arrighetti, Turin, 1960 (édition la plus complète, avec trad. italienne).

Lucrèce : *De la Nature*, éd. et trad. de A. Ernout, coll. Budé, 2e éd., Paris, 1959.

J. et M. Bollack et H. Wismann : *La Lettre d'Epicure* (Lettre à Hérodote), Paris, 1971.

— Études :

K. Marx : *Différence de la philosophie de la nature chez Démocrite et Épicure* (1841), trad. J. Molitor, in Marx : *Œuvres philosophiques*, t. I, Paris, 1927; trad. J. Ponnier, coll. Ducros, Bordeaux, 1970.

M. Guyau : *La morale d'Épicure*, Paris, 1878.

C. Bailey : *The Greek Atomists and Epicurus*, Oxford, 1928.

P. Nizan : *Les matérialistes de l'Antiquité*, Paris, 1938 (2e éd., 1965).

L. Robin : *La pensée hellénique des origines à Épicure*, Paris, 1942 (2e éd., 1967).

A. J. Festugière : *Épicure et ses dieux*, Paris, 1946.

P. Boyancé : *Lucrèce et l'épicurisme*, coll. « Les grands penseurs », Paris, 1963.

P. Merlan : *Studies in Epicurus and Aristotle*, Wiesbaden, 1960.

« Questions épicuriennes », dans *Études philosophiques*, 1967, n° 2 (articles de G. Bastide, E. Escoubas, C. Diano).

Actes du VIIIe Congrès de l'Association G. Budé (Paris, 1968), Paris, 1969 (sur l'épicurisme).

4) *Sur le scepticisme :*

— Textes :

Sextus Empiricus :, *Works*, éd. R. G. Bury (avec trad. anglaise), coll. Loeb, 4 vol. Londres, 1960-61 (trad. partielle dans Sextus Empiricus : *Œuvres choisies*, trad. de J. Grenier et G. Goron, Paris, 1948).

Les sceptiques grecs, textes choisis et traduits par J.-P. Dumont, coll. « Les grands textes », Paris, 1966.

— Études :

V. Brochard : *Les sceptiques grecs*, Paris, 1887 (réimpr. 1959).
L. Robin : *Pyrrhon et le scepticisme grec*, Paris, 1944.
K. Janacek : *Prolegomena to Sextus Empiricus*, Olomouc, 1948.
J.-P. Dumont : *Le scepticisme et le phénomène*, Paris, 1972.

HELLÉNISME ET CHRISTIANISME

par Jean PÉPIN

Les données du problème

Quiconque se propose de décrire les rapports de deux univers mentaux, quels qu'ils soient, se heurte dès l'abord à un problème préjudiciel sur lequel il doit se faire une opinion avant de passer outre : c'est de décider en quel sens on peut envisager l'hypothèse d'une influence exercée de l'un à l'autre domaine. Pressante dans tous les cas, la question l'est davantage quand l'un des termes à confronter se trouve être, non seulement une philosophie, mais une croyance religieuse qui, vingt siècles plus tard, touche au cœur de tant d'hommes. Comment concevoir que le paganisme grec ait marqué de son action la pensée chrétienne des premiers siècles, sans s'exposer à sacrifier quoi que ce soit de l'originalité imprescriptible du christianisme?

Il faut bien avouer que les historiens n'ont pas toujours abordé la difficulté avec toute la délicatesse que l'on aurait attendue d'eux. Longtemps, ils ont voulu établir un simple rapport de dépendance à sens unique entre certains aspects de la philosophie grecque et la pensée chrétienne primitive; telle fut la tendance de beaucoup de savants du début du siècle, comme Reitzenstein, Bousset, Angus, Loisy. Mais déjà Clemen, en 1913, protestait contre cette orientation; sa mise en garde a été reprise et complétée, plus près de nous,

par Rahner et Wifstrand; l'attention fut ainsi attirée sur
certains points de méthode, dont il faut dire un mot.

Il apparaît d'abord que l'on ne s'est pas toujours gardé de
confondre, dans la pensée hellénique aussi bien que dans le
christianisme, un stade primitif et un stade évolué; les
intuitions globales des présocratiques, quelque fulgurantes
qu'elles soient pour les lecteurs d'aujourd'hui, ne doivent
pas être mises sur le même pied que les constructions subtiles et compliquées des néoplatoniciens, tout enrichies
d'apports orientaux; de la même façon, on ne peut appliquer des critères identiques à la pensée philosophique élémentaire qui se fait jour dans les écrits du *Nouveau Testament*, et aux spéculations raffinées, aiguisées par des siècles
de réflexion, d'un pseudo-Denys l'Aréopagite ou d'un
Maxime le Confesseur. Les tenants de l'histoire comparée
n'ont pas toujours évité l'écueil qui consiste à confronter
l'état pleinement différencié de la philosophie grecque avec
l'état inchoatif et sommaire de la pensée chrétienne; il est
pourtant clair qu'il y a là deux stades de développement si
disproportionnés qu'ils ne souffrent pas la comparaison.
Voilà une première règle de méthode à ne pas perdre de vue.

En voici une seconde. On sait que la dépendance à laquelle
conclut trop rapidement l'école comparatiste s'exerce toujours dans le même sens, du domaine grec au domaine chrétien. Mais l'évolution de la philosophie hellénique est loin
d'être achevée à l'époque où naît le christianisme; les
IIIe, IVe et Ve siècles de notre ère sont pour la pensée païenne,
à Rome aussi bien qu'à Athènes, une période extrêmement
brillante. Dans ces conditions, il n'est pas interdit d'envisager aussi la possibilité d'une dépendance inverse, selon
laquelle certains aspects de la philosophie grecque, épuisés
au terme d'une longue histoire, auraient pu subir l'influence
de la pensée chrétienne; et le christianisme étant pour l'essentiel une conception des rapports entre l'homme et Dieu,
il était prévisible que son action dût s'exercer principalement sur la philosophie religieuse du paganisme finissant.

Bien des exemples peuvent être produits de cette influence
à laquelle on ne pense pas suffisamment d'ordinaire. On sait

que l'empereur Julien, dans son entreprise de redonner force
au culte païen sur le déclin, tenta de copier à son profit
l'organisation hiérarchique et le service d'assistance sociale
de l'Église chrétienne : cet emprunt dans l'ordre des structures sociologiques est l'image d'un emprunt parallèle dans
l'ordre de la pensée. C'est ce qui apparaît clairement dans la
biographie romanesque d'Apollonius de Tyane composée
au début du IIIe siècle par le Grec Philostrate; cet Apollonius est un thaumaturge néopythagoricien que l'on essaya
de dresser comme le rival païen de Jésus; à cet effet, Philostrate rapporte de lui des traits qui ont toutes les chances
d'être imités des Évangiles; par exemple, le récit de la
résurrection qu'Apollonius opère d'une jeune noble romaine
reproduit point par point celui du miracle dont fut gratifié
le fils de la veuve de Naïn selon *Luc*, VII, 11-17; et encore la
façon dont le thaumaturge, miraculeusement soustrait à son
interrogatoire devant l'empereur Domitien, se montre de
nouveau à ses disciples incrédules et leur fait toucher son
corps, a toutes les apparences d'un pastiche des événements
qui suivirent la résurrection de Jésus. Vers la même époque,
on voit des païens cultivés s'ouvrir aux Écritures juives et
chrétiennes; le philosophe platonicien Numénius en incorpore des éléments à son système; il est l'auteur de la célèbre
formule selon laquelle Platon ne serait autre qu' « un Moïse
parlant attique »; il cite la *Genèse* et les prophéties de l'*Ancien
Testament*, il utilise des documents sur Jésus dont il donne
une interprétation allégorique.

Eusèbe et Théodoret ont conservé un fragment d'Amé-
lius, néoplatonicien de la fin du IIIe siècle et disciple de
Plotin à Rome; on y voit que ce philosophe avait accueilli
une doctrine du Logos comme Verbe subsistant de Dieu,
pour laquelle il évoque Héraclite en même temps qu'il
avoue sa dépendance relativement au prologue du *IVe Évangile*, dont il qualifie l'auteur de « Barbare » (c'est-à-dire de
non-Grec). Mais c'est à Alexandrie, siège d'une école de
théologie chrétienne particulièrement ouverte à l'hellénisme,
que les philosophes païens se montrèrent, de leur côté, le
plus accueillants pour la façon de vivre et de penser des

chrétiens; on voit là le païen Alexandre de Lycopolis
composer un traité de polémique antimanichéenne dans
lequel il se montre sensible au souci qu'ont les chrétiens de la
pédagogie populaire; c'est là aussi que fut formé le philosophe Synésius de Cyrène, qui abandonna le néoplatonisme
pour se convertir au christianisme et devenir bientôt
évêque, sans pour autant renoncer tout à fait à ses idées
premières, qui le placent un peu en marge de l'orthodoxie.
Alors que le néoplatonisme athénien, avec Jamblique et
Proclus, demeure solidaire du polythéisme populaire et, de
ce fait, fermé à l'influence chrétienne, les néoplatoniciens
alexandrins se montrent moins dépendants de la religion
traditionnelle, et, partant, plus disponibles; le meilleur
exemple de cette ouverture est fourni au Ve siècle par le
philosophe Hiéroclès, commentateur des *Vers d'or* pseudo-
pythagoriciens et auteur d'un traité *Sur la providence et le
destin*; compte tenu de son appartenance à l'école néoplatonicienne, la métaphysique de cet Alexandrin est surprenante : il ne reconnaît pas de Dieu supérieur au créateur
du monde; rejetant la conception d'une matière première
indépendante de Dieu qui se serait borné à la mettre en
ordre, il professe la création *ex nihilo*. Cette dernière théorie
surtout est singulière; car, si elle coïncide parfaitement avec
celle des Pères de l'Église, elle représente, dans la tradition
judéo-chrétienne, une conquête; l'un des livres de l'Ancien
Testament, très influencé, il est vrai, par l'hellénisme, la
Sagesse de Salomon (XI, 17), tenait encore que « la main
toute-puissante de Dieu a créé le monde à partir d'une
matière informe »; en sorte que le païen Hiéroclès apparaît
de quelque façon plus accordé sur ce point au christianisme
que ne l'était un texte de la Bible canonique! L'explication
la plus raisonnable est qu'il soit arrivé à cette doctrine par
ses contacts avec les théologiens chrétiens d'Alexandrie,
chrétiens et païens en étant venus à faire cause commune pour
mieux s'opposer aux progrès inquiétants du manichéisme,
lequel affirmait justement le caractère incréé de la matière.
　　Tels sont quelques exemples incontestables d'une influence
chrétienne s'exerçant sur des philosophes païens; ils ont

été très judicieusement rassemblés par Wifstrand; on en trouverait certainement bien d'autres encore. Ils montrent à l'évidence que la représentation que l'on se fait habituellement des rapports entre l'hellénisme et le christianisme, qui est celle d'une dépendance à sens unique de celui-ci relativement à celui-là, n'est pas entièrement fondée, et doit tenir compte, dans une moindre proportion d'ailleurs, d'une dépendance de sens contraire.

On ne prendra donc pas pour argent comptant les exagérations de l'histoire comparée. Il n'en reste pas moins, dans la philosophie de l'Antiquité classique et dans le christianisme, un grand nombre d'expressions dont l'analogie est frappante, sans qu'on puisse l'expliquer par des emprunts du paganisme aux Écritures et à la théologie des chrétiens; on en verra plus loin un certain nombre d'exemples caractéristiques; il est plus sage d'essayer de les comprendre correctement que de feindre de ne pas les apercevoir.

Avant de faire le point sur la véritable portée des influences païennes, il faut signaler qu'une autre école d'historiens lève toute difficulté sur ce point au prix d'un présupposé d'ordre religieux : ils partent du principe que la philosophie grecque et la pensée chrétienne sont les deux manifestations successives de l'action d'un même Esprit divin à l'œuvre parmi les hommes; la ressemblance que l'on observe entre les deux traditions cesse donc de faire problème, puisqu'elles proviennent l'une et l'autre d'une même source transcendante; ce qui étonnerait, ce serait au contraire qu'elles ne présentent aucun point commun. En d'autres termes, les adeptes de ce type d'explication christianisent secrètement la nature du paganisme antique, en voyant en lui une préfiguration providentielle du mystère chrétien. De cette tendance relèvent par exemple les travaux, souvent excellents d'ailleurs, de Casel et du groupe de Maria-Laach, ainsi que, sous un autre rapport, les essais dans lesquels Simone Weil, avec peut-être plus de ferveur que de sens critique, s'applique à montrer, après Pascal, comment Platon a pu « disposer au christianisme ». Sans doute cette vision des choses élimine-t-elle le problème, mais c'est au prix d'un postulat d'un autre ordre que celui de l'histoire.

Accepter comme une évidence le fait d'une certaine influence de la philosophie hellénique sur la théologie chrétienne, il faut bien le comprendre, n'inclut pas de souscrire aux excès du comparatisme. D'une part, rien n'empêche de sauvegarder la spécificité du christianisme, si l'on considère que cette influence concerne moins ce que Schleiermacher et Harnack ont appelé l'« essence du christianisme », qu'une large zone périphérique qui en constitue comme le revêtement expressif; lorsque saint Paul et ses successeurs recourent à des formes philosophiques grecques, c'est avant tout pour exprimer commodément et efficacement un message dont le cœur n'est pas pour autant altéré; comment auraient-ils pu se faire entendre des Grecs qu'ils voulaient toucher autrement qu'en parlant leur langage, en maniant les schèmes mentaux qui leur étaient familiers? Tel est notamment le procédé habituel de Clément d'Alexandrie, condensé dans cette formule du *Protreptique* (XII, 119, 1) à laquelle se réfère si souvent Rahner : « Je te montrerai le Logos et les mystères du Logos, dit-il à son interlocuteur grec, en recourant à ta propre imagerie. » Il se peut toutefois que, dans la suite, les chrétiens en soient venus à oublier que ces emprunts au paganisme ne dépassaient pas, à l'origine, le niveau et les nécessités de l'expression, à méconnaître même leur qualité d'emprunts, pour les intégrer progressivement à l'essence même de leur croyance, à une époque où leurs interlocuteurs auraient demandé un autre langage. Un phénomène analogue s'observe à bien d'autres époques; on sait, par exemple, que le recours à la gnoséologie aristotélicienne a rendu un service immense à la théologie chrétienne du XIIIe siècle, qui doit à cette conjonction d'avoir réalisé des progrès décisifs; en présence d'un tel succès, la tentation s'est faite irrésistible de regarder l'aristotélisme comme inséparable du message chrétien, et cela n'a pas manqué de freiner regrettablement la diffusion de celui-ci dans des aires culturelles où la philosophie aristotélico-thomiste n'était plus le meilleur véhicule.

En second lieu, il faut observer que la dépendance par rapport à la pensée grecque n'est pas la seule explication des ressemblances que le christianisme présente avec elle. Celles-ci peuvent provenir d'un recours parallèle des chrétiens et des Grecs à un troisième domaine, par exemple à celui de la vie sociale et politique de leur commun milieu; c'est ainsi que le caractère secret et ésotérique par lequel, à certaines époques et en certains domaines, la théologie chrétienne se protège tout comme la philosophie hellénique, s'expliquerait probablement par les mêmes nécessités sociologiques; pareillement, on sait, depuis l'ouvrage célèbre de Peterson, qu'une doctrine philosophico-théologique comme l'adhésion au monothéisme se présente à certains égards sous les traits d'un problème politique.

Une troisième observation s'impose enfin, touchant la part considérable d'expression symbolique à laquelle le christianisme et l'hellénisme recourent également pour rendre plus assimilables au grand nombre leurs croyances les plus hautes. Car le choix de ces symboles et la signification qui leur est assignée ne sont pas arrêtés arbitrairement; ils sont donnés par avance, commandés par des « archétypes » qui constituent la structure même de l'esprit humain. C'est le mérite considérable de Jung d'avoir attiré l'attention sur l'existence et le contenu de tels archétypes communs à tout fait de pensée. Dans quelque civilisation que ce soit, la réflexion philosophique et théologique se formule et se développe en recourant à un nombre restreint de symboles primitifs, à peu près toujours les mêmes, qu'elle emprunte à la nature, tels le soleil, la lumière, la végétation, la relation père-fils, etc.; la signification qu'elle prête à ces symboles ne dépend pas de l'inventivité individuelle, mais de schèmes qui dépassent l'esprit de chacun, de sorte que la relation entre le signe et le signifié demeure sensiblement la même dans les contextes culturels les plus divers. Il en résulte que l'observation d'un symbolisme analogue dans des structures mentales très différentes n'autorise pas à conclure systématiquement à l'influence de l'une sur l'autre, mais simplement à leur commune et inconsciente fidélité à un archétype constitutif de l'esprit humain.

On peut penser que cette triple explication (influence directe dans le domaine de l'expression, emprunts parallèles à des réalités sociologiques communes, soumission identique aux schèmes mentaux constituants), ajoutée au fait avéré d'une certaine imitation de la pensée chrétienne par le paganisme grec, permet de résoudre la plupart des analogies que l'on est obligé de constater entre les deux univers culturels, sans aboutir pour autant à un nivellement abusif, et en conservant à l'un et l'autre sa spécificité à laquelle on a raison de tenir avant tout.

Les deux attitudes chrétiennes

Même si on la réduit à ses justes proportions comme on vient de le faire, on ne peut espérer dresser en quelques pages le compte de la dette immense que le christianisme des premiers siècles a contractée à l'endroit de la philosophie grecque. Le contenu des deux Testaments n'était guère philosophique, mais proprement kérygmatique et sotériologique ; aussi, lorsque les Pères de l'Église voulurent se pourvoir d'un équipement spéculatif pour construire leur théologie, ils s'adressèrent tout naturellement au matériel conceptuel et doctrinal élaboré par la tradition grecque, par la tradition platonicienne en particulier (alors que le Moyen Age, on le sait, devait s'adresser surtout à l'aristotélisme) ; toutefois, ces emprunts considérables s'accompagnèrent souvent, et parfois chez les mêmes auteurs, d'une grande défiance à l'égard de la philosophie profane. Or il est une œuvre chrétienne qui incarne excellemment cette double disposition d'ouverture et de fermeture, et qui, par son prestige comme par son ancienneté, a valeur d'exemple pour toute la tradition chrétienne postérieure : c'est l'œuvre de saint Paul.

Dans les récits des *Actes des Apôtres*, on constate que la prédication de Paul s'efforce volontiers de relier le message chrétien aux croyances supposées de l'auditoire païen. La meilleure illustration de ce procédé est offerte par le célèbre discours d'Athènes (*Actes*, XVII, 16-34), qui mérite d'être cité largement avec son contexte immédiat :

Tandis que Paul attendait à Athènes, il se sentait l'âme remplie d'amertume, à la vue d'une ville encombrée d'idoles. Il discutait donc à la synagogue avec les Juifs et les prosélytes, et, sur l'agora, tous les jours, avec les premiers venus. Parmi les philosophes, épicuriens et stoïciens, qui conversaient avec lui, il y en avait qui disaient : « Qu'est-ce que ce pierrot peut bien vouloir dire? » Et d'autres disaient : « Il semble un prêcheur de divinités étrangères », parce qu'il annonçait Jésus et la résurrection. Ils le prirent donc et le menèrent à l'Aréopage, disant : « Pouvons-nous savoir quelle est cette doctrine nouvelle que tu prêches? Car elles sont étranges, les choses que tu nous fais entendre. Nous voudrions savoir ce que cela peut être. » C'est que les Athéniens sans exception et les étrangers domiciliés parmi eux passaient tout leur temps à dire ou à écouter les dernières nouvelles.

Alors Paul, debout au milieu de l'Aréopage, dit : « Athéniens, vous êtes en toute chose, je le vois, les plus religieux des hommes. Comme je considérais vos monuments sacrés en passant, j'ai même trouvé un autel avec cette épigraphe : Au Dieu inconnu. Précisément, ce que vous honorez sans le connaître, je viens vous l'annoncer. Le Dieu qui a fait le monde et tout ce qu'il contient, étant le Seigneur du ciel et de la terre, n'habite pas des temples faits de main d'homme. Il n'est pas non plus servi par des mains d'homme, comme s'il avait besoin de quelque chose, lui qui donne à tous la vie, le souffle et tout. C'est lui qui, d'un seul homme, a fait sortir le genre humain et l'a répandu sur toute la surface de la terre, après avoir déterminé les époques précises et les limites de son habitat; afin que les hommes cherchent Dieu, si tant est qu'ils le cherchent à tâtons et le trouvent, d'autant qu'il n'est pas loin de chacun de nous; car c'est en lui que nous avons la

vie, le mouvement et l'être, comme l'ont dit même certains de vos poètes : *car nous sommes aussi de sa race.*
Étant donc de la race de Dieu, nous ne devons pas
croire que la divinité ressemble à l'or, à l'argent, à la
pierre, travaillés par l'art et le génie de l'homme.
Oubliant les siècles d'ignorance, Dieu fait savoir maintenant partout à tous les hommes qu'ils aient à se repentir, car il a fixé le jour où il doit juger l'univers en toute
justice par l'homme qu'il a désigné pour cet office,
ce dont il nous a donné l'assurance universelle en le
ressuscitant des morts. »

A ces mots de « résurrection des morts », les uns se
mirent à se moquer de l'orateur, les autres lui dirent :
« Nous t'entendrons une autre fois là-dessus. » C'est
ainsi que Paul quitta cette assemblée. Il y eut cependant quelques personnes qui s'attachèrent à lui et
embrassèrent la foi ; de ce nombre furent Denys l'Aréopagite, une femme nommée Damaris, et d'autres avec
eux (traduction Buzy).

Chaque mot de ce discours appellerait un commentaire.
L'impression générale qui en ressort est que Paul, après
s'être entretenu avec des philosophes stoïciens et épicuriens hors du fracas de l'Agora, présente la Bonne Nouvelle,
non pas comme une rupture, mais comme un complément
et un achèvement de la théologie grecque. Un philosophe
professionnel aurait pu quasiment signer ce discours, puisque les thèmes abordés sont pour la plupart des lieux
communs de la philosophie du temps : que le Dieu véritable,
qui donne à tous vie et souffle, n'habite pas dans les temples
faits de main d'homme, mais dans ce seul temple digne de lui
qu'est l'univers, les fondateurs du stoïcisme l'avaient déjà
affirmé ; qu'il soit dénué de tout besoin, d'une certaine façon
inconnaissable, et pourtant proche de nous et accessible
à qui s'applique à le chercher, c'était une thèse de Platon,
conservée et accentuée par les écoles platoniciennes des alentours de l'ère chrétienne ; platonisme et stoïcisme s'étaient
d'ailleurs mêlés et mutuellement altérés dans l'éclectisme

de l'époque. La citation du poète stoïcien Aratus (si toutefois elle n'est pas de Cléanthe lui-même) confirme le caractère scolaire de ces différentes idées. La seule note discor-
dante apparaît dans la mention finale, d'ailleurs voilée, du
Christ comme l'homme désigné pour juger l'univers au jour
fixé; quant à l'affirmation de sa résurrection, elle met fin à
l'entretien en provoquant la moquerie des auditeurs, qui
avaient d'abord pris Jésus et Résurrection pour un couple
de divinités exotiques tel que le panthéon hellénique en
comportait beaucoup.

Mais cette méthode, qui s'efforce de masquer les divergences du christianisme et de la philosophie pour en faire
ressortir les convergences, ne toucha pas les Athéniens;
le rédacteur des *Actes* souligne l'insuccès par le nombre
exceptionnellement faible des convertis (parmi lesquels on
notera la présence du célèbre Denys l'Aréopagite, dont on
devait tant parler par la suite, du fait qu'un faussaire ingénu
du Ve siècle allait se dissimuler sous ce pseudonyme fameux).
Peut-être est-ce cet échec qui détermina saint Paul à changer radicalement d'attitude. Le texte le plus caractéristique
de cette seconde manière se lit dans la *Première Épître aux
Corinthiens* I, 17-II, 16, dont il s'impose encore de reproduire au moins des extraits significatifs :

> Le Christ ne m'a pas envoyé baptiser, mais prêcher
> l'Évangile. Encore n'est-ce pas avec les artifices de la
> parole, pour ne pas enlever son efficacité à la croix du
> Christ. Le seul mot de croix est une folie pour ceux
> qui sont en train de se perdre; mais, pour ceux qui sont
> dans la voie du salut, c'est une vertu divine, selon qu'il
> est écrit (*Isaïe*, XXIX, 14) : *Je perdrai la sagesse des sages
> et je réprouverai l'intelligence des intelligents.* Où sont
> les sages parmi vous? Où sont les lettrés? Où sont ceux
> qui scrutent les choses du temps présent? Dieu n'a-t-il
> pas plutôt écarté, comme inepte, la sagesse de ce
> monde? Comme le monde n'avait su profiter ni de la
> sagesse divine, ni de sa propre sagesse, pour acquérir
> la connaissance de Dieu, Dieu s'est plu à sauver ses

fidèles par des moyens de prédication qu'on peut qualifier de fous. Car, alors que les Juifs demandent des signes, et que les gentils exigent la sagesse, nous autres nous prêchons un Christ mis en croix, scandale pour les Juifs, folie pour les gentils. Effectivement, pour les élus, tant Juifs que gentils, ce Christ est la vertu et la sagesse de Dieu. Car ce qui est folie aux yeux de Dieu dépasse la sagesse des hommes (...)

Pour moi, quand je suis venu chez vous, frères, je ne suis pas venu vous annoncer l'Évangile de Dieu avec les discours étudiés de l'éloquence ou de la sagesse. Je ne me suis pas cru obligé de savoir autre chose parmi vous que Jésus-Christ et Jésus-Christ crucifié. De fait, je me suis présenté à vous faible, timide, extrêmement craintif; ma parole et ma prédication n'ont rien eu des artifices d'une sagesse persuasive; elles ne venaient que de l'Esprit et de sa vertu, pour que votre foi reposât uniquement sur la vertu de Dieu, nullement sur la sagesse des hommes (...)

Nous autres, nous n'avons pas reçu l'esprit du monde, mais l'Esprit de Dieu pour apprécier les grâces que Dieu nous a faites. Et ces grâces, nous ne les prêchons pas avec les méthodes apprises de la sagesse humaine, mais de la manière que nous enseigne l'Esprit, les choses spirituelles étant ainsi proportionnées aux spirituels. L'homme simplement raisonnable ne perçoit pas les choses de l'Esprit de Dieu qui, pour lui, ne sont que folie; il ne peut les comprendre, car ce sont là choses qui s'apprécient spirituellement (traduction Buzy).

La philosophie profane devait être dans la suite en butte à bien des algarades : aucune ne dépassera en violence celle-ci, où l'impétuosité du style reflète la véhémence indignée de la pensée. L'attaque de saint Paul porte évidemment contre les méthodes d'enseignement propres à la pensée païenne, contre les « artifices de la parole », les « discours de l'éloquence », les « artifices d'une sagesse persuasive », les « méthodes apprises de la sagesse humaine »; à ces procédés de la rhétorique traditionnelle, qui s'adressent à la raison, sont substitués des « moyens de prédication » déraisonnables aux yeux du monde et soumis uniquement à l'impulsion de l'Esprit divin ; Paul résume la dualité des méthodes par l'opposition, fréquente dans sa représentation anthropologique, entre l'homme « simplement raisonnable » (littéralement : « psychique »), auquel est destiné l'art oratoire qu'il proscrit, et l'homme « spirituel » ou « pneumatique » qui seul a le privilège de goûter les dons divins. Mais il est clair que la différence dans la forme de l'enseignement n'est que le reflet de l'abîme, autrement profond et irréductible, qui se creuse dans le contenu même. Si la sagesse discursive, fondée sur l'argumentation rationnelle, est récusée avec la véhémence que l'on vient de voir, c'est qu'elle « enlève son efficacité » à la croix du Christ, ou, plus littéralement, qu'elle la « vide », l' « exténue » ; la croix ne se démontre pas ; dès lors, le christianisme n'est plus une sagesse, mais un fait : le Fils de Dieu en croix ; loin d'être satisfaisant pour le philosophe, ce fait est déraison, « folie », dans la mesure où il est fou, spécialement à des yeux grecs, d'anéantir dans une abjection d'esclave un dieu dont l'essence est d'être beau et libre.

On ne saurait marquer plus durement l'opposition du christianisme et de la philosophie hellénique ; à l'endroit de celle-ci, l'attitude du chrétien ne peut être que la réprobation, l' « athétèse » ; ce mot singulier, que saint Paul reprend d'Isaïe, se trouve être, par une rencontre significative, celui qu'employaient les grammairiens alexandrins pour répudier, dans les poèmes homériques, les vers qu'ils estimaient interpolés. Le contraste est aussi net qu'on peut le souhaiter avec le discours d'Athènes ; comme on l'a très bien dit (Festugière), il correspond à la différence de mentalité qui séparait les interlocuteurs athéniens des destinataires corinthiens : d'un côté, une citadelle de la pensée, fière d'une tradition culturelle séculaire et sûre de sa suprématie intellectuelle, dédaigneuse des apports extérieurs ; de l'autre, un grand port méditerranéen, peuplé d'une foule bigarrée, familier de l'exotisme, ouvert sans préjugé à toutes les nouveautés ;

en termes de géographie humaine d'aujourd'hui, que l'on pense par exemple aux nuances de psychologie qui peuvent séparer les *fellows* d'Oxford des dockers de Marseille. Mais la différence de mentalité des interlocuteurs ne suffit pas à rendre totalement raison du changement d'attitude de saint Paul; du discours d'Athènes à la lettre aux Corinthiens, c'est un renversement complet, surprenant chez le même homme, dans la conception des rapports du christianisme aux philosophies contemporaines. Quoi qu'il en soit, ces deux attitudes pauliniennes s'imposent comme le prototype d'une double tradition; de cette époque jusqu'aujourd'hui, il s'est trouvé des chrétiens pour affirmer, à la suite de saint Justin et de Clément d'Alexandrie, que le christianisme est un humanisme, une sagesse, une *paideia*, où se prolonge et s'accomplit tout ce qu'avaient de meilleur les idéaux païens de vie et de pensée; parallèlement, se relayant à travers les siècles de Tertullien à Pascal et à Kierkegaard, d'autres chrétiens, plus exigeants peut-être, non moins authentiques en tout cas, fonderont leur foi sur le rejet de toute culture profane et insisteront, non sans provocation, sur l'absurdité du message chrétien.

Avant d'évoquer quelques représentants de cette double tradition, deux remarques sont nécessaires. En premier lieu, il faut savoir que l'attitude de conciliation, si bien marquée dans le discours d'Athènes, avait été préparée, avant saint Paul, par une tendance analogue qui s'observe dans le judaïsme hellénistique des trois derniers siècles avant notre ère. Certains livres de l'*Ancien Testament*, on le sait, ne comportent pas de texte hébreu et ont été écrits directement en grec; tout naturellement, ce sont eux qui présentent une certaine communauté d'idées et de style avec la philosophie et la morale de l'hellénisme tardif; ainsi en va-t-il par exemple du *Livre de la Sagesse* ou *Sagesse de Salomon*, dont on a déjà vu les affinités avec la pensée grecque touchant le problème de la création. La *Sagesse* est très probablement d'origine alexandrine. De fait, c'est principalement à Alexandrie que s'opéra ce syncrétisme judéo-hellénistique. La plus importante manifestation en fut la traduction grecque de la Bible hébraïque, c'est-à-dire, selon l'appellation reçue, la *Septante*; on connaît la légende des soixante-douze vieillards rassemblés dans l'île alexandrine de Pharos par le roi Ptolémée Philadelphe, isolés deux par deux pour éviter toute communication, et qui remirent au bout de soixante-douze jours des traductions parfaitement concordantes; de ce récit, on ne peut retenir que la désignation du lieu de l'entreprise (Alexandrie) et l'indication approximative de son temps (III⁰ siècle av. J.-C.). Ce qui est sûr, c'est que les traducteurs, non seulement employèrent la langue grecque, mais inclinèrent souvent le sens de l'original hébreu pour le conformer aux idées grecques; pour ne donner de ce gauchissement qu'un seul exemple, d'ailleurs fort, rappelons que la célèbre formule de l'*Exode*, III, 14, dans laquelle Yahweh définit sa subjectivité souveraine : « Je suis celui que je suis », devient en grec une profession d'ontologie platonicienne de moindre relief : « Je suis celui qui est »; voilà une manifestation de complaisance dans l'ordre proprement philosophique; il en est bien d'autres de nature plus littéraire, dont furent victimes notamment certains textes prophétiques, et aussi le *Livre de Job* et celui des *Proverbes*; c'est ainsi que le traducteur grec introduit dans ces ouvrages diverses notions spécifiquement grecques comme celles de « loi » *(nomos)* ou de « vérité » *(aletheia)*, ou encore telles formules propres à la morale stoïcienne, ou même plusieurs mentions des sirènes homériques, — tous ingrédients qui étaient évidemment absents des originaux hébreux. Cette tradition de concordisme judéo-hellénistique culmine, à l'époque même de Jésus, avec un autre Alexandrin encore, Philon le Juif, qui se plaît à fondre étroitement l'héritage de l'Ancien Testament avec celui de la culture grecque classique; on voit que de telles dispositions préfiguraient sans équivoque les efforts de saint Paul pour rapprocher le christianisme des philosophies du temps.

D'autre part, on devine facilement que le choix entre

l'hostilité et la complaisance envers la culture païenne devait être dans une mesure importante fonction des vicissitudes de l'histoire, c'est-à-dire des persécutions. Il ne faut pas oublier que le christianisme, jusqu'au début du IIIe siècle, fut un mouvement proscrit et clandestin, avec une alternance de répressions sanglantes et de rémissions passagères; il est clair que, dans les moments où la persécution sévissait avec le plus d'intensité, les chrétiens n'étaient guère portés à présenter ou même à concevoir leur religion comme le prolongement et l'accomplissement de la culture païenne; c'est ainsi par exemple que l'*Apocalypse*, dernier ouvrage recueilli dans le *Nouveau Testament*, se signale par son hostilité contre l'empire romain et n'affiche aucune bienveillance à l'endroit de la philosophie profane. Au contraire, chaque fois que la persécution se relâchait pour quelques temps, ou dans les régions qui s'en trouvaient par bonheur préservées, ou enfin quand la paix de l'Église fut instaurée par l'Édit de Milan (313), les chrétiens se montrèrent naturellement plus enclins à se définir comme les débiteurs des philosophes grecs et à s'ouvrir à leur influence. On ne saurait pourtant parler d'une loi générale, et il faut faire la part du tempérament, combatif ou conciliateur, de chaque individu; ainsi voit-on, dans le même moment et dans le même canton de l'Empire, tel théologien accueillir, tel autre répudier l'héritage de la philosophie hellénique.

C'est ce qui apparaît clairement dans la première génération théologique qui suivit la période des écrits néotestamentaires. Ces auteurs, que l'on appelle les Pères apostoliques, vivaient au plus fort de la persécution et, à ce titre, auraient dû se fermer à toute influence de la culture qui l'inspirait. Or, à l'exception de saint Ignace d'Antioche, il n'en est pas ainsi; un écrit important de cette époque, la *Première Épître* de saint Clément de Rome, trahit au contraire l'apport de la pensée grecque; notamment, des considérations sur le bel ordre de la création rendent un son stoïcien, tout à fait dans la ligne du discours de saint Paul à l'Aréopage.

Viennent ensuite, à la fin du IIe siècle, les Pères apologistes, qui adressent aux empereurs des suppliques où ils demandent droit de cité pour le christianisme. Ce genre littéraire même exige d'eux une grande familiarité de la culture profane; plusieurs d'entre eux sont d'ailleurs d'anciens philosophes devenus chrétiens; sans doute attaquent-ils la religion grecque; mais ils reprennent à cette fin les méthodes mêmes que les philosophes grecs avaient employées dans leur polémique contre les conceptions populaires de la divinité; dans le même sens, ils remettent en valeur un argument déjà brandi dans l'apologétique juive, et qui consiste à soutenir que, la tradition monothéiste d'Israël étant antérieure à la tradition grecque, le meilleur des écrits d'Homère et de Platon a été emprunté par eux à Moïse et aux Prophètes; c'est la célèbre théorie, qui devait connaître un succès durable, du « larcin » prétendument commis par les Grecs aux dépens des Juifs; on comprend facilement que, malgré son peu de bienveillance, elle allait dans le sens de l'assimilation des deux cultures. Le principal représentant des Pères apologistes est saint Justin; ancien philosophe lui-même, il discute avec les philosophes, notamment avec un cynique du nom de Crescens (Eusèbe, *Histoire ecclésiastique*, IV, 16); il reconnaît aux Grecs des valeurs véritables, et il insiste sur ce que les chrétiens ont en commun avec eux autant que sur ce qui les sépare; il va jusqu'à écrire que ceux qui ont vécu les yeux fixés sur le Logos divin, tels Héraclite et Socrate, ont été chrétiens avant le Christ, tout autant qu'Abraham et Élie. Justin eut pour disciple un Syrien du nom de Tatien, avec lequel il est instructif de le comparer; car, à l'opposé de son maître, Tatien, très au fait de la culture grecque, s'acharne contre elle sans reculer devant la calomnie. De ces deux attitudes, où l'on peut reconnaître en quelque manière l'héritage de la double inclination de saint Paul, c'est celle de Justin qui devait l'emporter dans la suite; Tatien n'eut pas de postérité sur ce point, du fait qu'il fut, pour d'autres raisons il est vrai, condamné comme hérétique.

Le plus hellénisant des Pères de l'Église fut, autour de

l'an 200, Clément d'Alexandrie. Son origine alexandrine ne manquait pas, comme on l'a vu plus haut, de le prédisposer à ce caractère; le titre même de ses ouvrages se ressent de l'influence grecque, puisque l'un d'eux est un *Protreptique* et s'insère ainsi, du moins en apparence, dans une tradition littéraire qui ne connut guère d'éclipse, d'Aristote jusqu'à Jamblique. Touchant la philosophie, la religion, la mythologie, la littérature des Grecs, l'érudition de Clément est immense, et on lui doit mille renseignements sur de nombreux ouvrages perdus qui lui étaient encore accessibles; il multiplie les termes philosophiques grecs pour exprimer des concepts chrétiens, tels les mots de « gnose » (connaissance) et de « gnostique » pour donner à entendre la perfection de la doctrine chrétienne et du chrétien lui-même. Disciple et compatriote de Clément d'Alexandrie, Origène dispose d'une non moindre culture grecque, dont il applique les ressources philologiques à l'étude des Écritures. Les circonstances favorisent le grand travail d'harmonisation qu'il a réalisé, peut-être sans le vouloir, entre la théologie chrétienne et la philosophie profane : c'est que, bien qu'il ait connu la persécution dans sa jeunesse, la majeure partie de son activité littéraire se déroule en un temps où l'Église vit en paix; un fait notable concrétise cette situation exceptionnelle : de passage à Antioche, une dame de la cour impériale, mère du futur empereur Alexandre Sévère (lui-même fort éclectique en religion), invite Origène à donner des leçons sous son patronage! En regard de ces deux défenseurs de la coexistence pacifique entre le christianisme et la philosophie, on doit signaler certains partisans de la rupture; il s'agit principalement de théologiens spécialisés dans la réfutation des hérésies, tels Hippolyte de Rome, contemporain d'Origène, et plus tard Epiphane de Salamine; selon eux, en effet, les hérésies qui menacent de déchirer le christianisme prennent leur source dans la philosophie grecque, et ils citent, à l'appui de cette dépendance, des exemples tantôt invraisemblables, tantôt plus convaincants.

Il ne faudrait pas s'imaginer que leur bienveillance à l'égard de la culture philosophique profane détermine un Justin, un Clément, un Origène à y dissoudre la spécificité du christianisme; plus raisonnablement, ils s'attachent à montrer que les Grecs trouveront dans la religion nouvelle l'achèvement de ce que comportait de meilleur leur culture traditionnelle; ce dessein les conduit naturellement à insister sur les points communs aux deux pensées. Ils s'adressent aussi aux chrétiens eux-mêmes pour leur persuader qu'ils auront profit à utiliser les ressources de la culture païenne authentique, par exemple en rhétorique, en dialectique et dans les diverses sciences; ils ajoutent parfois, non sans quelque malignité, que la culture grecque ne manquera pas de leur livrer ainsi des armes contre elle-même. Deux textes, très bien choisis par Wifstrand, illustrent cette attitude, où l'ouverture à la philosophie profane s'assortit d'une pointe d'arrière-pensée. Le premier a pour auteur saint Jean Damascène (*De la foi orthodoxe*, IV, 27), théologien tardif (VIIIe siècle), mais qui récapitule dans ces lignes une tradition à peu près ininterrompue depuis les origines chrétiennes : « Si nous pouvons en outre tirer quelque profit de ceux du dehors (entendons : des Grecs païens), il n'y a là rien de défendu. Soyons des changeurs avertis, qui thésaurisent la monnaie d'or pur et authentique en refusant la fausse. Recueillons les excellentes paroles qu'ils ont prononcées, jetons aux chiens leurs divinités ridicules et leurs fables sans intérêt. Car nous pourrions recevoir des Grecs beaucoup de choses qui nous donnent de la force contre les Grecs. »

L'autre texte est de l'historien byzantin Jean Zonaras (XIII) parlant de l'empereur Julien; on y voit que celui-ci n'était pas sans avoir perçu et l'appétit des chrétiens pour le patrimoine spirituel grec et le profit qu'ils en tiraient contre le paganisme : « Il devint furieux contre les chrétiens au point de les empêcher d'avoir part à la culture grecque, disant qu'il ne fallait pas que les chrétiens, traitant cette culture comme des mythes et la discréditant, tirent d'elle leur avantage et se fassent avec son aide des armes contre elle » (traduction Dewailly, ainsi que pour la citation précédente).

On voit que les chrétiens les plus enclins à fraterniser avec la pensée grecque, même s'ils n'avaient pas tous derrière la tête le projet de bien la connaître pour mieux la combattre, demeuraient dans des limites de bon aloi. Que si l'on cherche un exemple de démesure dans l'hellénisation du christianisme, il faut sortir de l'orthodoxie et considérer les hérésies gnostiques, surtout florissantes au IIe siècle; on a vu que les hérésiologues anciens eux-mêmes avaient discerné dans le gnosticisme l'influence prédominante de la philosophie profane; de fait, on observe que les gnostiques ouvrent le christianisme à une véritable ruée d'éléments venus de la religion grecque : Zeus, Dionysos, Orphée, Epiménide, les mystères d'Eleusis, les processions du deuil d'Attis, etc. font plus ou moins bon ménage avec le Christ et ses disciples; l'une des sectes du mouvement, celle des Carpocratiens, avait dans ses lieux de culte des images couronnées de Pythagore, de Platon et d'Aristote, mêlées aux effigies de Jésus. Cet amalgame intempestif ne pouvait avoir d'avenir; mais les deux tendances que le gnosticisme poussait au paroxysme, à savoir le recours aux schèmes de pensée des philosophes grecs et l'habitude de découvrir dans la religion païenne des préfigurations symboliques du Christ, devaient, conduites avec plus de discernement, réussir à beaucoup de théologiens chrétiens parfaitement orthodoxes.

La philosophie religieuse; les mystères

Plus qu'en cosmologie, en logique ou en dialectique, c'est évidemment en morale et surtout en théologie qu'il faut poser le problème des rapports entre hellénisme et christianisme. Si l'on veut, sur ce point, sortir des généralités partout répétées, il est bon de choisir un terrain d'investigation plus limité, d'examiner par exemple ce que suggère la comparaison de la doctrine paulinienne avec celle des stoïciens de l'époque impériale (Sénèque, Epictète, Marc-Aurèle), à la lumière des travaux classiques de Lightfoot, de Bonhöffer et de Festugière.

On ne peut méconnaître, chez ces stoïciens et chez saint Paul, la présence de nombreux thèmes communs. Ainsi l'idée d'une « parenté » *(sungeneia)* de l'homme avec Dieu, que l'on a déjà rencontrée dans le discours d'Athènes; souvent, la même doctrine est présentée sous l'aspect de l'habitation divine dans l'homme. Une autre rencontre s'observe dans la comparaison de la société humaine à un corps vivant : relativement à l'ensemble cosmique, l'homme est comme un membre d'un vaste organisme, il doit se comporter en accord avec les autres membres dont il est solidaire; autre manière de formuler la même idée : le monde entier est une cité dont nos cités particulières sont comme les maisons. La ressemblance est particulièrement notable dans l'éloge que les stoïciens et saint Paul font de l'unité du monde; on peut rapprocher à cet égard Marc-Aurèle, VII, IX, 2 : « Un est le monde que composent toutes choses; un le Dieu répandu partout; une la substance, une la loi, une la raison commune à tous les êtres intelligents; une la vérité, car une aussi est la perfection pour les êtres de même famille et participant de la même raison » (traduction Trannoy), et l'*Épître aux Éphésiens*, IV, 4-6 : « Un seul corps et un seul esprit, de même que, par votre vocation, vous avez la même espérance. Un seul Seigneur, une seule foi, un seul baptême; un seul Dieu et Père universel, qui est au-dessus de tout, agit en tout et est en tout » (traduction Buzy). Le parallélisme est indéniable; mais il ne doit pas masquer la dualité de l'inspiration. Que, dans les deux cas, le monde soit regardé comme une cité, certes; mais le lien qui le tient uni n'a pas de part et d'autre la même nature : dans le stoïcisme, c'est l'idée d'une communauté d'essence pour tous les êtres raisonnables; chez saint Paul, c'est, très différemment, la réalité de la personne singulière de Jésus (le « corps mystique »), et les comparaisons de la cité et du corps s'appliquent moins au monde qu'à la personne de Jésus. Quant à la parenté divine de l'homme, Marc-Aurèle l'estime réalisée par nature; c'est ontologiquement que l'homme est une « parcelle de Dieu », sans qu'il y ait entre eux d'union personnelle; selon saint Paul au contraire, la filiation divine se présente comme un privilège gratuit, et c'est par un choix d'en haut que l'Esprit de Dieu « survient » dans celui de l'homme (*Épître aux Romains*, VIII, 14-16).

Si l'on consultait les textes grecs, on constaterait de plus une différence dans le vocabulaire. Là où saint Paul parle d' « esprit » *(pneuma)*, divin ou humain, Marc-Aurèle emploie le mot « intellect » *(nous)*. La distance n'est pas très considérable pour le sens; mais la dualité des termes revêt une importance certaine, en ce qu'elle montre que l'auteur chrétien n'a pas trouvé son inspiration dans la tradition grecque. Le texte qui commande l'anthropologie paulinienne est celui de la *Première Épître aux Thessaloniciens*, V, 23 : on y trouve la nature de l'homme définie par la tripartition de l'esprit *(pneuma)*, de l'âme et du corps. Une tripartition analogue, à ceci près que l'intellect, *nous*, s'y substitue au *pneuma*, est courante dans la pensée hellénistique, avant comme après saint Paul; on la rencontre, par exemple, chez les stoïciens, chez Philon, chez Plutarque, dans les écrits hermétiques, où elle est associée à l'idée d'un emboîtement : l'âme est dans le corps, l'intellect est dans l'âme; à l'arrière-plan de cette représentation, il y a certainement la célèbre tripartition de l'âme proposée par Platon; toutefois, il s'agit maintenant des trois parties de l'homme tout entier, et non pas seulement de son âme; en outre, le mépris platonicien du corps s'est passablement atténué à l'époque tardive; en définitive, il apparaît que la source prochaine de la tripartition hellénistique est à chercher, non pas dans les dialogues de Platon, mais dans le *De anima* d'Aristote; c'est de là qu'elle aura passé chez les auteurs que l'on a vus, avec, en surimpression, une signification morale : l'âme est attirée en haut par l'intellect, en bas par le corps, et elle succombe le plus souvent à cette dernière tentation. Saint Paul a très certainement connu ce *topos* hellénistique, et a dû s'en inspirer. Mais d'où vient qu'il ait remplacé, dans la division classique, *nous* par *pneuma*, l'intellect par l'esprit? Relativement rare en grec, le mot *pneuma* y est presque inexistant dans ce sens spiri-

tuel (car le *pneuma* stoïcien est un principe matériel, le
« souffle »). D'autre part, Philon lui aussi a opéré la substitution de *pneuma* à *nous* dans la tripartition anthropologique, et il rapporte ce changement à la prise en considération de la *Genèse*, II, 7 : l'homme fut d'abord créé corps
et âme, puis Dieu lui insuffla un *pneuma*. C'est sans aucun
doute de la même origine biblique que provient le *pneuma*
paulinien ; la pensée grecque aurait pu difficilement concevoir que l'intellect humain fût un souffle de Dieu. On
comprend que l'introduction de ce vocable hétérogène,
s'ajoutant aux profondes différences que l'on a soulignées
plus haut dans l'inspiration, bouleverse le sens de la théologie
du stoïcisme tardif, et rend moins impressionnantes les
analogies, d'ailleurs indéniables, que celle-ci présente avec
la doctrine de saint Paul.

En ce qui concerne la philosophie religieuse, le dénomi-
nateur commun de la plupart des écoles grecques était d'offrir
la perspective d'une délivrance par l'imitation de Dieu ;
mais la vie philosophique demandait une préparation, une
ascèse, un certain dégagement par rapport au monde ; bref,
elle exigeait que l'on eût des loisirs et le goût des choses de
l'esprit ; à ce titre, elle était inaccessible au grand nombre,
à qui il fallait des dieux sensibles et des garanties concrètes
d'immortalité. Cela explique le succès des religions à mystères, où les sens recevaient satisfaction par une initiation
et une action liturgique, où le cœur se trouvait engagé par
une relation d'affection entre l'homme et le dieu, ainsi que
par l'échange d'un serment de salut. Car la finalité des
mystères est moins l'union à Dieu que le salut, c'est-à-dire
le bonheur, un bonheur égal à celui des dieux ; et non pas
seulement après la mort, mais dès ici-bas : le salut procuré
par les dieux sauveurs est d'abord temporel et terrestre.

Or le terrain favori des comparatistes qui ont mis en évidence l'influence de la philosophie religieuse grecque sur le
christianisme (Reitzenstein) fut l'étude de ces mystères
hellénistiques, auxquels saint Paul notamment aurait été

redevable pour la doctrine et le vocabulaire. L'essentiel des mystères d'Attis, de Zagreus, d'Adonis et de Mithra consistait, pour le néophyte, dans une mort symbolique à l'instar du dieu et dans une régénération par participation à l'esprit du dieu, garantissant le partage de son immortalité; de même que le myste était assimilé au dieu mourant et ressuscitant, de même le baptême chrétien ensevelissait le fidèle avec le Christ et le faisait ressusciter en même temps que lui, tandis que la cène chrétienne commémore la mort du Christ et réalise l'union des fidèle avec lui (*Épître aux Romains*, VI, 2-11; *Première Épître aux Corinthiens* XI, 26-33; XV, 20-23; *Seconde Épître aux Corinthiens*, V, 14-17, etc.); mort mystique et union au Sauveur, tel est le sens de la célèbre formule de l'*Épître aux Galates*, II, 19-20 : « J'ai été crucifié avec le Christ. Ce n'est donc plus moi qui vis, c'est le Christ qui vit en moi. »

En plus de ces analogies considérables dans l'architecture générale de la doctrine, il y en aurait d'autres, plus précises, entre le langage technique des mystères et celui de saint Paul. Le mot même de « mystère » est usuel dans les *Épîtres* pour désigner une réalité cachée qui a besoin d'une révélation : « la sagesse mystérieuse de Dieu, qui était restée cachée » (*Première Épître aux Corinthiens*, II, 7; voir de même *Épître aux Ephésiens* III, 3-5, etc.); à telle enseigne que l'on a pu soupçonner que Paul projetait d'instituer des mystères chrétiens analogues aux mystères païens, et centrés comme eux sur l'idée d'une sagesse qui ne devait être révélée qu'aux initiés. On notera que, s'il en était ainsi, le cas de saint Paul ne serait pas absolument unique; en effet, quelques années plus tôt, le philosophe et exégète juif Philon d'Alexandrie empruntait aux mystères grecs quantité de représentations et de formules qu'il appliquait à l'intelligence de la Bible; certains historiens (Conybeare) ont même conjecturé qu'il existait à Alexandrie des mystères juifs copiés sur ceux d'Eleusis.

Il est bien d'autres termes pauliniens dont on trouverait l'équivalent dans les religions à mystères. Ainsi les « éléments du monde », qui désignent chez saint Paul des esprits démoniaques malfaisants, supérieurs aux hommes et qui contrarient en eux l'action divine; or la même formule se trouve dans la gnose et l'hermétisme, qui l'appliquent à des divinités de rang inférieur capables d'aider ou de contrecarrer l'initiation du myste et que la magie s'emploie à se concilier. On a vu plus haut que saint Paul fait grand usage du mot *pneuma*, « esprit », qu'il distingue, dans l'homme, non seulement du corps, mais de l'âme; on a dit que ce vocabulaire pouvait difficilement provenir de la philosophie grecque; mais il appartient à la langue des religions hellénistiques : comme Paul, les papyrus magiques opposent le *pneuma* au corps et à la chair, et font état d'un *pneuma* divin; quant à la dualité du *pneuma* et de l'âme, on la rencontre dans la liturgie de Mithra, où le myste abandonne son âme sur la terre pour laisser vivre en lui le *pneuma*. Le fossé qui sépare le *pneuma* du corps n'est d'ailleurs pas infranchissable, puisque la *Première Épître aux Corinthiens*, xv, 44, introduit la notion du « corps pneumatique », matière subtile qui prend la relève du corps charnel au moment de la résurrection; on a rapproché cette représentation de la doctrine hellénistique des vêtements célestes que les âmes endossent dans leur descente à travers les sphères planétaires. Quant au mouvement inverse, par lequel les âmes libérées remontent par le même chemin en se dépouillant progressivement de leurs enveloppes, on a pu lui comparer le célèbre ravissement de saint Paul au troisième ciel (*Seconde Épître aux Corinthiens*, xii, 1-6).

Quand Paul enfin définit la « gnose » comme une illumination venue d'en haut, une vision unitive de Dieu, obtenue non par une initiative de l'homme, mais par un don charismatique, il n'est pas éloigné de la doctrine hermétique qui entend par le même vocable un don surnaturel, une vision de Dieu qui déifie et procure le salut, un charisme qui illumine l'homme. Dans les écrits hermétiques encore, comme dans les *Épîtres*, la *doxa* est une gloire resplendissante donnée en partage à l'âme régénérée. Sous un autre rapport, la divinisation du chrétien telle que la décrit saint Paul se présente comme une « métamorphose » qui confère à l'âme la « forme » de Dieu; or il faut savoir que, selon les papyrus magiques aussi, le résultat de l'initiation est donné pour une métamorphose où le myste s'unit à la forme divine. On n'en finirait pas d'énumérer les rencontres, le plus souvent concrétisées par l'identité d'un vocabulaire technique, entre le christianisme paulinien et la philosophie religieuse de l'époque hellénistique.

Mais elles ne doivent pas faire oublier les différences de fond; un même langage, qui est celui du temps, peut recouvrir des réalités diverses. On ne s'attardera pas à faire entrer en ligne de compte l'immoralité des mystères; des désordres pouvaient s'y glisser; mais le fond de ces rites n'était pas nécessairement immoral. L'important est de comprendre que mystères païens et mystère chrétien ne se situent pas sur le même plan : le salut que procure l'initiation païenne est extérieur, automatique et inamissible quelle que soit la conduite de celui qui en a reçu la promesse; l'initiation chrétienne, au contraire, est un don divin intérieur, toujours précaire et révocable, qui requiert de l'homme une correspondance de tous les instants; la motivation du myste n'est pas l'amour de son dieu, son but n'est pas de s'unir à lui, mais de trouver le bonheur après la mort et dès cette vie; à l'inverse, l'union au Christ forme l'essentiel du salut chrétien et relègue au second plan toute recherche de la vie heureuse. S'il en est ainsi, c'est que les dieux sauveurs sont, de part et d'autre, de nature toute différente : Zagreus, Attis, Adonis et Mithra sont des sauveurs cosmiques, associés au rythme de la nature qui elle-même semble mourir et renaître; ils ne sont pas morts par amour de l'homme, pour délivrer, dans son intimité, l'âme de chacun de nous.

Il n'en subsiste pas moins, entre les *Epîtres* et les textes religieux hellénistiques, les analogies que l'on a vues, et qui peuvent difficilement passer pour des coïncidences. On n'en conclura pas pour autant que saint Paul s'est appliqué à démarquer les mystères grecs. C'est ici, en effet, que doivent trouver leur emploi les considérations générales qui ont été présentées plus haut : les textes païens que l'on met en parallèle avec les *Épîtres* sont généralement de date incertaine ; beaucoup d'entre eux peuvent leur être postérieurs, en sorte qu'il n'est pas interdit d'envisager une influence exercée par les conceptions et les formules pauliniennes sur la littérature relative aux mystères ; aussi bien, certains des termes employés par saint Paul et les notions qu'ils expriment sont déjà présents dans l'Ancien Testament, qui peut lui-même, dans quelque mesure, avoir déteint sur les textes païens. Enfin, même s'il était avéré que saint Paul eût emprunté aux religions à mystères différents détails de son vocabulaire, il apparaît que sa dette, étant donné la diversité du fond, ressortirait simplement aux nécessités de l'expression.

L'expression philosophique : la diatribe

La philosophie de l'époque hellénistique, comme toutes les autres idées du temps, s'exprimait volontiers dans une forme rhétorique particulière connue sous le nom de « diatribe cynico-stoïcienne » ; il s'agit d'un discours populaire reposant sur l'emploi d'un certain nombre de procédés stéréotypés. De cette diatribe, on a pu rapprocher le style de la prédication néotestamentaire, en particulier de la prédication paulinienne ; sur ce dernier point, le travail a été fait par un savant qui a conquis depuis lors la célébrité comme exégète du *Nouveau Testament*, Rudolf Bultmann.

Voici quelques-uns des procédés que Bultmann repère à la fois dans la diatribe et dans les *Épîtres* de saint Paul : l'objection prêtée à un auditeur fictif et l'interpellation de l'adversaire ; l'usage de mots de même racine, tels que créature et créateur, périssable et impérissable, rapprochés pour en tirer effet ; le goût de l'antithèse, à la fois dans les idées et dans les mots ; la prosopopée, par laquelle l'on prête des propos à une notion abstraite, par exemple la personnification du péché ; le recours aux *exempla* ; la façon de citer librement les textes, en les modifiant pour les accommoder aux doctrines que l'on veut établir, ou encore en bloquant

certains d'entre eux à la manière d'un centon ; les analogies
empruntées au spectacle du monde extérieur ; les arguments
a minori ad maius ou *a maiori ad minus* (du type : si A produit tel résultat, que ne produira pas B !) ; exemples : si Dieu
a donné son Fils unique, que ne donnera-t-il pas encore !
(*Épître aux Romains*, VIII, 32) ; si la défection des Juifs a fait
le salut des gentils, que ne fera pas leur retour ! (*ibid.*, XI, 12) ;
le soleil peut illuminer l'univers entier, et celui qui a créé
le soleil n'aurait pas le pouvoir de percevoir toute réalité !
(Epictète, *Entretiens*, I, XIV, 10).

Un autre texte du *Nouveau Testament* qui se ressentirait
de l'influence de la diatribe est la brève *Épître de Jacques*.
Les procédés rhétoriques que l'on invoque à l'appui de cette
thèse sont analogues à ceux que l'on vient d'énumérer chez
saint Paul : l'*Épître de Jacques* abonde en exemples tirés
de l'Histoire (elle nomme ainsi Abraham, Elie, Job, etc.),
en interrogations oratoires, en apostrophes, en séries de
courtes questions et réponses, en arguments attribués à
des adversaires fictifs et immédiatement réfutés, etc. Il n'est
pas douteux que tous ces tics de style appartiennent effectivement à la diatribe ; mais on ne saurait oublier qu'ils
fourmillent tout autant dans la littérature juive de l'*Ancien
Testament*, en particulier dans le *Livre de Job*, chez le Sira-
cide, chez les divers prophètes ; c'est là que l'auteur de
l'*Épître de Jacques* a pu en contracter l'habitude, plus vraisemblablement qu'en fréquentant les témoins de la diatribe
cynico-stoïcienne. D'autre part, il se trouve que les livres de
l'*Ancien Testament* où le recours à cet appareil rhétorique
est le plus manifeste sont les plus tardifs, ceux qui émanent
du judaïsme hellénisé ; dès lors, c'est sur ces derniers, plus que
sur le *Nouveau Testament*, qu'il faudrait envisager l'éventua-
lité d'une influence de la diatribe grecque.

Ces observations sont également valables pour le cas de
saint Paul, qui appelle, en outre, une remarque plus particulière ; à côté de ces multiples procédés communs, qui sont
naturels chez des auteurs de même époque et de même
culture, il en est un, familier à la diatribe cynico-stoïcienne,
que Paul n'emploie pas : il n'essaie jamais de convertir ses

correspondants par une discussion rationnelle; comme ils sont d'accord avec lui sur le fond, il ne fait que leur remettre en mémoire ce qu'ils savaient déjà; aussi bien, le principe d'autorité qui domine l'enseignement paulinien s'accommoderait mal de discussion de ce genre.

L'expression philosophique : l'allégorie

« Allégorie » est un mot grec dont l'étymologie indique que l'on veut « dire autre chose » que ce que l'on dit : « la figure de style qui consiste à dire une chose et à en signifier une autre, différente de ce que l'on dit, voilà proprement ce qu'on appelle allégorie » (Héraclite, *Questions homériques*, V, 2); « qu'est donc l'allégorie, si ce n'est la figure où l'on donne à entendre une chose par une autre? » (saint Augustin, *De la Trinité*, XV, 9, 15). Telle est la définition que tous les auteurs anciens, païens aussi bien que chrétiens, ont inlassablement répétée. Mais il faut ajouter immédiatement que cette définition traditionnelle ne fait apparaître qu'un sens pour un mot qui en comporte deux. Elle met en lumière l'allégorie telle que sont censés la pratiquer les poètes épiques ou les auteurs de l'*Ancien Testament*, c'est-à-dire l'*expression* allégorique; mais elle ne dit mot de l'opération par laquelle les commentateurs des poètes et les exégètes de la Bible discernent, sous le sens littéral, un sens caché, autrement dit de l'*interprétation* allégorique. Il y a là deux démarches, sans doute complémentaires, mais de sens contraire, bien différentes en tout cas : une façon de parler et une façon de comprendre, un procédé rhétorique et une attitude herméneutique, que le langage courant confond fâcheusement sous le nom d' « allégorie ». Il faut d'ailleurs savoir que cette indistinction était déjà le fait des auteurs de l'Antiquité : quand le géographe Strabon (I, 2, 7) écrit : « Homère... compose ses récits... en faisant de l'allégorie dans l'intention d'instruire », il veut évidemment dire que le poète s'exprimait allégoriquement; quand l'apologiste chrétien Tatien (*Discours aux Grecs*, 21) adresse à ses interlocuteurs ce conseil : « Croyez-m'en, hommes de Grèce, ne faites l'allégorie ni de vos mythes, ni de vos dieux », son propos est bien entendu de les détourner de l'interprétation allégorique. Bien que la différence soit facile à saisir, on n'y prête pas toujours attention, par où l'on s'expose aux plus graves erreurs.

Le mot « allégorie » est relativement récent dans la langue grecque; l'un des plus anciens auteurs à le connaître est, au Ier siècle avant notre ère, Cicéron (*Lettres à Atticus*, II, 20, 3; *De l'orateur*, III, 166). Mais l'idée est beaucoup plus ancienne, et s'exprima d'abord par le mot *hyponoia*, étymologiquement : « sens sous-entendu »; Platon par exemple bannit les fictions des poètes, « qu'elles comportent ou non des sens sous-entendus » (*République*, II, 378 d).

L'interprétation allégorique a été appliquée de très bonne heure à l'œuvre d'Hésiode, et surtout d'Homère. Au VIe siècle avant Jésus-Christ s'éleva une opposition véhémente à la théologie homérique, accusée de donner des dieux une représentation immorale; c'est ainsi qu'une tradition, dont Diogène Laërce se fait l'écho dans ses *Vies des philosophes* (VIII, 21) rapportait comment « Pythagore, descendu dans l'Hadès, vit l'âme d'Hésiode liée, hurlante, à une colonne d'airain, et celle d'Homère suspendue à un arbre, avec des serpents autour d'elle, en punition de ce qu'ils avaient dit des dieux, à côté du châtiment de ceux qui avaient négligé leur propre femme »; vers la même époque, Xénophane fait également grief à Homère et Hésiode des crimes qu'ils ont prêtés aux dieux, et dont les moindres sont l'adultère et l'infanticide; sa critique s'exprime dans deux fragments conservés par Sextus Empiricus (*fragments 11 et 12* Diels-Kranz) : « Homère et Hésiode ont attribué aux dieux toutes les actions que les hommes tiennent pour honteuses et blâmables, le vol, l'adultère et la tromperie réciproque »; « Homère et Hésiode, au témoignage de Xénophane, racontaient des dieux le plus grand nombre possible d'actions iniques, vols, adultères et tromperies réciproques. Cronos en effet, à qui ils prêtent la vie bienheureuse, émascula son père et dévora ses enfants; son fils Zeus le dépouilla de la souveraineté, et « le fit asseoir sous la terre » (*Iliade*, XIV, 204). »

Pour défendre Homère, on imagina que ses récits immoraux n'étaient qu'une apparence, et recouvraient, en réalité, un enseignement théorique (physique, moral, psychologique, mystique, etc.) parfaitement honnête et véridique. L'allégorie apparut ainsi comme le moyen de sauver les poèmes homériques du discrédit; comme l'écrit l'auteur du *Traité du sublime* (IX, 7, 2), « s'ils ne sont pas compris selon l'allégorie, ils sont totalement athées »; plus connue, la formule du commentateur Héraclite va dans le même sens : « tout est impie chez Homère si rien n'y est allégorique » (*Questions homériques*, I, 1).

Le fondateur de cette méthode exégétique passe pour être le présocratique Théagène de Rhégium, contemporain de Cambyse roi de Perse (de 529 à 522 avant Jésus-Christ). C'est du moins ce dont témoigne une scholie de Porphyre à l'*Iliade*, XX, 67, qui mérite d'être citée ici, tant elle condense d'heureuse façon les motivations de l'interprétation allégorique, ses principaux procédés, ses variétés les plus courantes avec l'indication de quelques-uns des thèmes homériques qui auront la prédilection de ces exégètes :

La doctrine d'Homère sur les dieux s'attache généralement à l'inutile, voire à l'inconvenant; car les mythes qu'il narre sur les dieux ne sont pas convenables. Pour dissoudre une telle accusation, il en est qui invoquent la manière de parler; ils estiment que tout a été dit en allégorie et concerne la nature des éléments, comme par exemple dans le cas des désaccords entre les dieux. C'est ainsi que, d'après eux, le sec combat l'humide, le chaud le froid, et le léger le lourd; l'eau éteint le feu, mais le feu dessèche l'air; il en va de même de tous les éléments dont l'univers est composé : il y a entre eux une opposition fondamentale; ils comportent une fois pour toutes la corruption au niveau des êtres particuliers, mais dans leur ensemble ils subsistent éternellement. Ce sont de tels combats

qu'Homère aurait institués, donnant au feu le nom
d'Apollon, d'Hélios, d'Héphaistos, à l'eau celui de
Poséidon et de Scamandre, à la lune celui d'Artémis,
à l'air celui d'Héra, etc. De la même façon, il lui arri-
verait de donner des noms de dieux à des dispositions
de l'âme, à la réflexion celui d'Athéna, à la déraison
celui d'Arès, au désir celui d'Aphrodite, à la belle élo-
cution celui d'Hermès, toutes facultés auxquelles ces
dieux s'apparentent. Ce mode de défense est fort
ancien, et remonte à Théagène de Rhégium, qui fut
le premier à écrire sur Homère; sa nature est donc de
prendre en considération la manière de parler.

On ne saurait garantir que Porphyre ne donne pas en
quelque mesure dans le travers banal qui consiste à prêter
à un auteur très ancien, ici Théagène, une pensée (dans
l'espèce, le maniement de l'allégorie homérique) plus évoluée
qu'elle ne pouvait probablement l'être à une époque aussi
reculée. Car, à partir de ce moment, l'exégèse allégorique
des poètes va faire l'objet d'une tradition à peu près ininterrompue dans le monde grec. Elle se développe dans
l'entourage d'Anaxagore, puisque les disciples de ce philosophe « soumettent à l'interprétation les dieux tels que les
présentent les mythes : Zeus est pour eux l'intellect, Athéna
l'habileté » (Métrodore de Lampsaque, *testim.* 6 Diels-
Kranz). Contemporain de Platon, le cynique Antisthène
a pour héros favoris Héraclès et Ulysse, dont il fait des
modèles de moralité en transposant leurs aventures au
moyen de l'interprétation allégorique; il se signale aussi
par le fait qu'il justifie celle-ci grâce à une distinction qui sera
souvent reprise et exploitée, et selon laquelle Homère aurait
parlé « tantôt selon l'opinion, tantôt selon la vérité », autrement dit : tantôt pour être compris allégoriquement, tantôt
pour être pris à la lettre. Sur ce point comme sur plusieurs
autres, les stoïciens furent les héritiers d'Antisthène; les
fondateurs de l'école, Zénon, Cléanthe et Chrysippe, firent
largement usage de la lecture allégorique des poètes, et c'est
à leur mouvance que se rattachent tous ceux qui, à l'époque

hellénistique et romaine, devaient aller le plus loin dans cette voie : Cratès de Mallos, Apollodore, Cornutus, Héraclite, l'auteur inconnu (un pseudo-Plutarque) d'un petit traité *Sur la vie et la poésie d'Homère*.

Du jour où les philosophes se mirent à déchiffrer ainsi Homère et Hésiode, l'exégèse allégorique devint un mode de l'expression philosophique. A aucune époque autant que dans l'Antiquité, les penseurs ne furent habités par le souci de rattacher leur système à une source plus ancienne encore ; l'une des cautions auxquelles ils accordent le plus grand prix est le prestige de l'ancienneté, l'*auctoritas vetustatis* ; cette disposition se comprend malaisément aujourd'hui, où la modernité est devenue le principal appât littéraire ; elle explique que l'Antiquité soit encombrée de tant de faux, d'œuvres apocryphes et pseudépigraphes, d'auteurs récents qui se donnent pour des auteurs anciens ; elle permet de comprendre également la passion qui y anima les polémiques chronologiques, dans lesquelles les tenants d'une tradition s'attachaient à montrer qu'elle avait précédé, et donc inspiré toutes les autres. On imagine l'importance que devait revêtir, dans une telle mentalité, le recours aux poètes anciens (Homère, Hésiode) ou mythiques (Musée, Orphée, etc.) ; il ne s'agit nullement de leur emprunter de plaisantes illustrations capables de détendre l'austérité des développements philosophiques ; l'ambition de tout auteur relativement tardif est de montrer que ses propres idées étaient déjà partagées par ces poètes prestigieux qui avaient été, comme on disait, les « instituteurs de la Grèce ». Toutefois, il fallait bien convenir que ceux-ci, malgré leurs mérites, n'avaient pas parlé en philosophes professionnels ; restait à leur prêter une philosophie sous-jacente, à supposer, sous la banalité de leurs narrations, un enseignement spéculatif caché, que l'interprétation allégorique avait précisément pour emploi de mettre au jour. Dès lors, pour quantité de philosophes, ce fut une façon de s'exprimer que de faire apparaître les idées qu'Homère et Hésiode étaient censés avoir dissimulées dans leurs vers.

On devine à quel péril s'exposait une telle démarche. C'est

que, les adeptes de la méthode allégorique se trouvant appartenir à des écoles diverses, le même poète se voit mobilisé pour cautionner les doctrines les plus opposées, mieux, le même épisode de l'*Iliade* ou de la *Théogonie* devient ployable à toutes fins. Ce paradoxe n'échappa point à ceux-là mêmes qui lui donnaient corps; ainsi Sénèque (*Lettre à Lucilius, 88*, 5) dénonce plaisamment le travers qui consiste à faire d'Homère le champion de toutes les philosophies classiques : « Tantôt on en fait un stoïcien n'ayant d'estime que pour la force d'âme, abhorrant le plaisir et ne s'écartant pas de l'honnête au prix même de l'immortalité; tantôt on en fait un épicurien louant l'état d'une cité paisible où la vie s'écoule parmi les festins et les chants de fête; c'est un péripatéticien qui présente une division tripartite des biens; enfin c'est un académicien qui dit que tout n'est qu'incertitude. La preuve qu'il n'est rien de tout cela, c'est qu'il est tout cela, ces systèmes se trouvant incompatibles » (traduction Noblot).

On a souvent dit qu'Homère et Hésiode avaient joué, dans la culture grecque, un rôle comparable à celui de la Bible dans la culture chrétienne. On ne peut, il va de soi, taxer les chrétiens, dans leur usage des textes bibliques, de la même légèreté que fustige Sénèque; mais il leur arrive souvent, c'est un fait, de découvrir dans la Bible, en conformité avec leurs propres idées, des sens qui laissent stupéfait le lecteur d'aujourd'hui. Ils le font eux aussi par le moyen de l'exégèse allégorique, qui s'attache à dégager dans les textes bibliques, par-delà le sens littéral apparent, un sens symbolique plus profond. Il y a là, chez les philosophes grecs et chez les Pères de l'Église, deux attitudes dont la parenté est indéniable. Doit-on expliquer cette rencontre par une influence exercée par les premiers sur les seconds? A cette question, les polémistes antichrétiens de la fin de l'Antiquité répondaient, quant à eux, affirmativement : l'interprétation allégorique de la Bible serait née du désir d'en justifier la médiocrité; à l'origine de cette méthode, il y aurait Origène, qui passait pour l'avoir empruntée à la culture grecque et transportée à la lecture de l'*Ancien Testament.* Telle est la vue des choses que le philosophe Porphyre, qui avait eu l'occasion d'approcher Origène, s'efforçait d'accréditer dans son grand traité *Contre les chrétiens*; l'ouvrage est perdu, mais la page qui nous intéresse, par bonheur, a été conservée dans l'*Histoire ecclésiastique* (VI, 19, 2-8) d'Eusèbe, à qui il vaut la peine de céder un instant la parole :

> ... de nos jours, Porphyre s'est établi en Sicile, y a composé des écrits contre nous, et s'est efforcé d'y calomnier les Écritures divines; il y fait mention de ceux qui les ont commentées, sans pouvoir invoquer le moindre grief contre les doctrines, et, à défaut de raisons, en vient à injurier et à calomnier les exégètes eux-mêmes, et parmi eux, surtout Origène (...). Écoutez donc ce qu'il dit en propres termes : « Certains, désireux de trouver une explication de la méchanceté des Écritures juives, mais sans rompre avec elles, ont fait appel à des interprétations incompatibles et désaccordées avec ce qui est écrit; ils apportent ainsi non pas tant une apologie de ce qui est étrange, qu'un agrément et une louange de leurs propres élucubrations. En effet, ce qui est dit clairement par Moïse, ils le vantent comme des énigmes et ils le proclament comme des oracles remplis de mystères cachés; et, après avoir ensorcelé le sens critique de l'âme par l'orgueil, ils introduisent leurs commentaires. »
>
> Ensuite, il dit, après d'autres choses : « Cette sorte d'absurdité vient d'un homme que, moi aussi, j'ai rencontré lorsque j'étais très jeune, qui était tout à fait réputé et qui est encore célèbre par les écrits qu'il a laissés, d'Origène, dont la gloire s'est répandue grandement chez les maîtres de ces doctrines (...). En ce qui regarde les opinions sur les choses et sur la divinité, il a hellénisé et transporté les opinions des Grecs aux fables étrangères. Il vivait en effet toujours avec Platon; il fréquentait les écrits de Numénius, de Cro-

nius, d'Apollophane, de Longin, de Modératus, de
Nicomaque et des hommes célèbres parmi les pythagoriciens ; il se servait aussi des livres de Chérémon le
stoïcien et de Cornutus ; auprès d'eux, il apprit l'interprétation allégorique des mystères grecs qu'il appliqua
aux Ecritures juives » (traduction Bardy).

Tout n'est pas à prendre pour argent comptant dans cette
page de Porphyre, que l'on sent animée par la passion anti-
chrétienne. En particulier, il est difficile d'ajouter foi à
son affirmation selon laquelle Origène serait l'initiateur de
l'exégèse allégorique de la Bible. Ce serait en effet oublier
que, plus d'un siècle et demi avant lui, saint Paul avait
proposé, des deux femmes d'Abraham et de leurs enfants
respectifs (*Genèse*, XXI), une exégèse sans aucun doute
allégorique, et d'ailleurs qualifiée de ce nom par lui-même :
la femme esclave, Agar, est donnée pour la figure de
l'ancienne alliance et de la Jérusalem charnelle, tandis que
Sara, la femme libre, l'est de la nouvelle alliance et de la
Jérusalem d'en haut (*Épître aux Galates*, IV, 22-31). Bien
plus, si l'on considère maintenant, non plus le seul christianisme, mais le complexe judéo-chrétien, il apparaît que
saint Paul eut lui-même des prédécesseurs dans l'interprétation allégorique de l'*Ancien Testament*. On a signalé plus
haut le syncrétisme judéo-hellénistique qui s'est opéré,
notamment à Alexandrie, au cours des trois premiers siècles
avant notre ère, et manifesté surtout par la traduction
grecque de la Bible hébraïque et par la rédaction, directement en grec, du *Livre de la Sagesse*. Or il faut savoir que
ce judaïsme alexandrin pratiquait déjà largement l'exégèse
allégorique de l'Écriture. C'est ainsi qu'un document
issu de ce milieu, la *Lettre d'Aristée à Philocrate*, contient une
interprétation allégorique de la législation de Moïse sur les
animaux impurs, entendue comme une série d'avertissements symboliques invitant les fidèles à la vie parfaite.
De leur côté, les Esséniens, membres d'une célèbre communauté ascétique de Judée, sont décrits par Philon (*Que tout
homme de bien est libre*, 12, 82) comme se réunissant à la

synagogue le jour du Sabbat et, « par un effort dans la manière des Anciens, expliquant au moyen de symboles la plus grande partie de l'Écriture ». Le même Philon (*De la vie contemplative*, 3, 28-29) attribue une méthode exégétique identique à une autre secte juive du temps, celle des Thérapeutes, implantés quant à eux en Égypte : « Quand ils lisent les Écritures sacrées, ils s'adonnent à la philosophie de leurs pères par le moyen de l'exégèse allégorique, persuadés que les mots du texte littéral sont les symboles d'une vérité naturelle cachée qui s'exprime en sous-entendus. Ils possèdent des écrits d'auteurs anciens, qui sont les fondateurs de leur secte et ont laissé de nombreux monuments sur l'enseignement exprimé en allégories ; s'en inspirant comme de modèles, ils imitent la méthode définie par ce principe » ; témoignage d'autant plus précieux qu'il offre en outre, rendue au moyen des termes les plus techniques, une remarquable définition de la méthode allégorique. Il faut ajouter que Philon lui-même, aux alentours de l'ère chrétienne, a pratiqué cette méthode avec plus de conviction et d'abondance que personne, avant ou après lui.

On voit que, bien avant l'apparition du christianisme, l'exégèse allégorique de la Bible était puissamment implantée dans le judaïsme hellénistique. Or, il apparaît qu'elle s'y mêlait de beaucoup d'éléments en provenance du paganisme grec. Les exemples ne manquent pas de cette contamination. Aristobule, Juif d'Alexandrie en même temps que philosophe péripatéticien du IIe siècle avant Jésus-Christ, s'est proposé de montrer que les anciens poètes et philosophes grecs avaient largement puisé dans Moïse ; pour étayer sa démonstration, il a lui-même forgé de nombreuses citations prétendues d'auteurs grecs, qui firent longtemps illusion ; son dessein était donc d'établir l'origine juive de l'allégorie grecque ; mais il est clair que l'artifice désespéré qu'il fait servir à cette fin milite bien plutôt en faveur d'une filiation de sens inverse. Deux autres Juifs hellénisés de la même époque, Artapanos et Eupolémos, relevaient eux aussi des interférences entre l'histoire biblique des patriarches et la mythologie ou l'histoire légendaire grecque ;

toutefois, à la différence d'Aristobule, ils cessent de les expliquer par un prétendu plagiat commis par les Grecs, et donnent plutôt l'impression de croire à l'existence d'un vieux fonds mythique commun qui aurait reçu une double formulation, homéro-hésiodique et biblique. D'autres Juifs enfin, dont Philon encore signale la tendance sans les nommer (*De la confusion des langues*, II, 2-5), rapprochaient les constructeurs malheureux de la tour de Babel (*Genèse*, XI, 1-9) des fils d'Aloeus mentionnés dans l'*Odyssée* (XI, 305-320), en laissant entendre que c'est la *Genèse* qui aurait traduit en images sémitiques une légende d'origine grecque. De cette imbrication de la *Genèse* avec la *Théogonie* et l'*Odyssée*, thème favori de toute une école d'historiens judéo-alexandrins, résulte pour le moins une forte présomption en faveur de l'origine grecque de l'exégèse allégorique des Juifs hellénisés ; car de tels épisodes mythiques, en cette époque tardive, pouvaient difficilement être lus avec d'autres yeux que ceux de l'allégorie. A vrai dire, ce n'est pas seulement sur le principe même de l'interprétation allégorique qu'a dû porter l'emprunt, c'est encore sur la mise en œuvre d'un ensemble de procédés ; car les allégoristes grecs, surtout ceux d'obédience stoïcienne, avaient mis au point, pour exercer leur art, toute une technique du déchiffrement qui leur permettait de discerner les textes capables de recevoir une interprétation symbolique et de dégager celle-ci au moyen d'un certain nombre de règles ; ils avaient ainsi constitué une véritable méthode, à laquelle les exégètes judéo-hellénistiques ont largement puisé pour aider leur interprétation allégorique de l'Écriture.

Ainsi, quand les Pères de l'Église (au premier chef, on voit bien pourquoi, les Alexandrins, Clément et Origène ; mais aussi un Cappadocien comme Grégoire de Nysse, et des Occidentaux comme saint Ambroise et saint Augustin) interprètent allégoriquement la Bible, en utilisant souvent ce biais pour formuler leur propre philosophie, ils ne sont pas les premiers à le faire : les Juifs hellénisés les avaient précédés dans cette voie. La succession chronologique se double ici, sans aucun doute, d'une dépendance littéraire et doctrinale : l'allégorisme de Philon notamment était parfaitement connu, de façon indirecte ou le plus souvent immédiate, d'Origène, de Grégoire de Nysse, d'Ambroise, d'Augustin, qui reproduisent un grand nombre de ses exégèses et s'inspirent de sa méthode. Par le canal de Philon, tout l'apport technique de l'allégorie grecque, dont le judaïsme hellénistique avait si largement bénéficié, se trouvait mis à la disposition des Pères de l'Église. Mais on a tout lieu de penser que ceux-ci ne se sont pas contentés de cet emprunt indirect à l'hellénisme, qu'ils ont eu accès par eux-mêmes aux techniques de l'exégèse allégorique mises au point dans la tradition stoïcienne, et qu'ils en ont tiré profit pour leur interprétation de la Bible; en sorte que, malgré sa malignité, la façon dont Porphyre explique la formation de l'allégorisme d'Origène doit correspondre, pour une part, à la réalité.

Cependant, qu'elle se soit exercée directement ou qu'elle ait été relayée par le judaïsme alexandrin, l'influence de l'allégorie hellénistique sur l'allégorie chrétienne doit être correctement comprise et située à son vrai niveau, sous peine de très graves malentendus. Le problème peut être formulé de la façon suivante : lorsque les Juifs hellénisés, et après eux les Pères de l'Église, interprètent la Bible par l'allégorie et en expriment ainsi le contenu théologique, il est clair que leur point de départ et leur point d'arrivée sont profondément nouveaux et incomparables à quoi que ce soit d'antérieur; mais la méthode elle-même, abstraite de son objet et de ses résultats, réduite à une notion générale et à un ensemble de procédés formels, l'ont-ils inventée de toutes pièces, ou construite à partir de conceptions et de techniques préexistantes?

Il ne faut assurément pas majorer le fait que Juifs, chrétiens et païens désignent cette méthode par le même mot d' « allégorie »; on aurait tort de voir toujours les mêmes choses derrière les mêmes termes. Mais plus encore d'y voir systématiquement des choses opposées. Il est difficile de croire que saint Paul, Clément d'Alexandrie, Origène, s'ils l'avaient vraiment voulu, n'étaient pas capables, sinon de forger un mot nouveau, du moins de faire un sort à un mot ancien, de le détourner de son acception courante et de s'en réserver l'usage, selon le procédé habituel dans la formation du grec et du latin chrétiens. La constance du vocabulaire (qui intéresse d'ailleurs plusieurs autres vocables que celui d' « allégorie ») prouve peu, soit; mais ce peu, *a priori* et sauf démonstration contraire, va dans le sens de l'identité des notions et des méthodes. Quant à définir l'allégorie, l'Antiquité, classique aussi bien que chrétienne, l'a fait cent fois; c'est toujours, conformément à l'étymologie, la figure de rhétorique qui consiste à dire une chose pour en faire comprendre une autre; on a cité plus haut les définitions concourantes d'Héraclite et de saint Augustin; elles sont représentatives d'une pratique unanime dans les deux cultures. Il en ressort au moins une conclusion : lorsque les auteurs chrétiens veulent définir leur notion de l'allégorie, ils le font d'une façon très générale, par la dualité du signe et du signifié, *aliud ex alio*, et se conforment ainsi à l'usage classique; on ne veut pas dire autre chose en affirmant que ce n'est pas dans la définition formelle de l'allégorie que doit être cherchée l'originalité de l'allégorie chrétienne.

Sera-ce dans les procédés techniques qu'elle met en œuvre? Il apparaît au contraire que les chrétiens ont emprunté à l'allégorisme païen, directement ou par l'intermédiaire de Philon, un certain nombre de recettes pratiques, telles la symbolique des nombres, la mise à contribution, plus ou moins fantaisiste, de l'étymologie, l'utilisation des données de la psychologie classique, etc. A la question des procédés techniques de l'allégorie se rattachent deux aspects par lesquels le christianisme primitif paraît ne pas avoir davantage rompu avec les catégories religieuses du monde hellénistique. C'est, d'une part, quand il s'agit de reconnaître les mérites de l'expression allégorique : d'un côté comme de l'autre, on sait gré à l'allégorie de mettre en valeur, par une certaine obscurité, la vérité religieuse, d'en fermer l'accès aux indignes, de prévenir un éventuel dégoût en stimulant la recherche et en embellissant la découverte, etc. D'autre part, l'on fait ici et là confiance à certains indices identiques pour signaler l'opportunité de l'interprétation allégorique; c'est ainsi, notamment, que cette interprétation apparaît requise chaque fois que le texte, entendu dans son sens littéral, contiendrait une absurdité logique, une impossibilité matérielle, ou une déclaration indigne de Dieu.

Il est un dernier terrain sur lequel l'allégorie chrétienne semble se rapprocher en quelque mesure des usages littéraires grecs : celui de la polémique, avec les excès et les inconséquences qui s'ensuivent. Allégoristes chrétiens et allégoristes païens s'affrontent : Origène contre Celse, Porphyre contre Origène, saint Augustin contre Varron; ils s'entendent cependant sur un point : ils apprécient tous les mérites de l'expression allégorique et s'adonnent volontiers à l'interprétation allégorique; leur accord est perceptible sur l'aspect formel de l'allégorie, c'est-à-dire son vocabulaire, sa notion générale, ses procédés techniques, son utilité, ses indications, etc. Mais il cesse entièrement dès qu'il s'agit de faire fonctionner la méthode allégorique dans un domaine concret : les païens ne tolèrent pas que ce mode d'exégèse soit appliqué à la Bible, et les chrétiens interdisent que la mythologie puisse en devenir l'objet. Ne forçons pas le parallélisme; car le champ, radicalement différent, de leur application influe sur le mécanisme théorique des deux allégories; on simplifierait par conséquent de façon assez ridicule en renvoyant dos à dos les allégoristes chrétiens et les allégoristes païens qui anathématisent les uns et les autres l'allégorie dès que ce sont les adversaires qui la pratiquent. Il n'en reste pas moins de part et d'autre, dans cette condamnation réciproque, quelque illogisme, qu'il faut imputer sans aucun doute à l'échauffement des controverses.

Il importe extrêmement de situer à leur juste niveau tous les points sur lesquels on vient de signaler une parenté entre l'allégorie chrétienne et l'allégorie grecque : qu'elles interviennent dans le vocabulaire ou dans la conception générale de l'expression figurée, dans la technique exégétique, dans l'évaluation des mérites de l'allégorie, dans le repérage des cas où elle s'impose ou dans les déviations de la polémique littéraire, ces analogies n'intéressent jamais que des zones périphériques et des mécanismes formels de la pensée. Comment rendre raison de ces ressemblances? Doit-on les regarder comme le résultat d'une coïncidence ou d'un emprunt parallèle aux mêmes structures profondes de la conscience religieuse? Cette dernière hypothèse mériterait d'être creusée; peut-être suffit-il, cependant, d'invoquer l'influence réciproque, avec, naturellement, prédominance de l'action exercée par l'allégorie grecque, plus ancienne de plusieurs siècles.

Est-ce à dire, dès lors que l'allégorie chrétienne doit quelque chose à l'allégorie grecque, qu'elle lui doive tout? Du fait qu'on a limité son originalité sur quelques points secondaires, s'ensuit-il qu'on l'ait entièrement dissoute? Évidemment non. Mais il est au plus haut point nécessaire de préciser où se tient véritablement la nouveauté de l'allégorie chrétienne, et de ne pas l'attribuer inconsidérément à des faits de culture dont on aurait beau jeu de montrer qu'ils sont communs à toute une civilisation. C'est ici que les distinctions introduites précédemment trouvent leur emploi : les analogies uniquement formelles que l'on vient d'énumérer concernent toutes la notion abstraite et générale de l'allégorie; il reste que la spécificité de l'allégorie chrétienne réside dans son objet, la Bible, et dans sa façon de le considérer, dans les résultats qu'elle obtient et dans sa façon de les obtenir.

Que la Bible ne soit pas une mythologie, c'est une évidence. Il faut néanmoins définir l'idée que les allégoristes chrétiens se formaient de leur objet biblique, et la distinguer soigneusement de celle que les allégoristes grecs se formaient de leur objet mythique; là réside entre les uns et les autres une première différence fondamentale. En effet, l'allégorie païenne s'exerce sur des « mythes », c'est-à-dire sur des

« récits »; elle ne leur confère d'autre valeur que littéraire et didactique; elle ne se pose pas, à de rares exceptions près, la question de savoir si les événements qu'ils rapportent ont pu avoir lieu effectivement; autrement dit, elle les tient pratiquement pour des fictions instructives, et rien de plus. Les chrétiens des premiers siècles, au contraire, reconnaissent à la Bible une portée avant tout historique, alors même qu'ils lui assignent une signification spirituelle; plus exactement, ils la tiennent d'autant plus pour un document d'histoire qu'elle leur apparaît plus riche de contenu allégorique. Saint Augustin (*De la Trinité*, XV, 9, 15) exprime avec bonheur la dualité de ces points de vue en désignant l'allégorie discernée par saint Paul dans l'épisode des deux femmes d'Abraham par la formule « allégorie réelle » *(allegoria in facto)*, qu'il oppose à l' « allégorie verbale » *(allegoria in verbis)*, caractéristique du procédé profane; il faut entendre dans le même sens l'initiative de saint Ambroise (*Sur Abraham*, I, 4, 28) imposant à la définition grammaticale de l'allégorie (« dire une chose et vouloir en faire entendre une autre ») la substitution de l'élément historique à l'élément narratif : « il y a allégorie quand un événement est produit et un autre événement figuré » *(cum aliud geritur et aliud figuratur)*. Il n'échappera à personne que cette différence introduit dans l'allégorie chrétienne une nouveauté essentielle.

La nouveauté n'apparaît pas moindre si l'on considère, non plus l'objet auquel s'applique l'allégorie chrétienne et la représentation qu'elle s'en forme, mais le sens qu'elle y découvre et le cheminement qui la conduit à ce résultat. D'un ensemble de récits tenus généralement pour imaginaires, l'allégorie hellénistique dégageait un enseignement sans âge qu'elle considérait *sub specie aeternitatis*, sans soupçonner la notion d'un développement irréversible. L'allégorie chrétienne au contraire discerne, sous une histoire vraie, une histoire plus vraie; au didactisme, elle substitue le prophétisme; à l'interprétation éterniste, le souci du temps historique et de l'avènement du salut; déjà le *Nouveau Testament* lit l'*Ancien* au présent et au futur, plutôt qu'à l'aoriste. C'est la dialectique de la « vétusté » et de la « nouveauté » qui spécifie l'allégorie chrétienne. Il faut ajouter que celle-ci, pour arriver à ce résultat sans précédent, a dû repenser sur de nouvelles bases la relation du signe et du signifié, et en particulier transformer la notion classique d'image ou de symbole en celle de « type » de la personne et du rôle de Jésus; voilà pourquoi, bien qu'il manque de garants très anciens, le terme de « typologie » semble bien préférable à celui, trop général, d' « allégorie » pour désigner la pratique proprement chrétienne de l'exégèse spirituelle.

Bibliographie

A.-J. Festugière : *L'idéal religieux des Grecs et l'Évangile*, collect. « Études bibliques », Paris, 1932.

H. Rahner : *Mythes grecs et mystère chrétien*, trad. française, dans « Bibliothèque historique », Paris, 1954.

A. Wifstrand : *L'Église ancienne et la culture grecque*, trad. française, Paris, 1962.

J. Pépin : *Mythe et allégorie. Les origines grecques et les contestations judéo chrétiennes*, collect. « Philosophie de l'Esprit », Paris, 1958.

J. Pépin : *Les deux approches du christianisme*, Paris, 1961.

F. Prat : *La théologie de saint Paul*, 2 vol., 38e édition, Paris, 1949.

VI

LA PHILOSOPHIE PATRISTIQUE

par Jean PÉPIN

LES PÈRES DE L'ÉGLISE ET LES COURANTS DE LA PHILOSOPHIE GRECQUE

Le platonisme

D'une façon très générale, ce que l'on peut appeler la philosophie patristique apparaît comme le résultat d'une synthèse tentée entre la tradition philosophique grecque et les exigences doctrinales de l'Écriture. L'importance prise par le premier de ces composants est variable selon les auteurs; du moins n'est-il jamais totalement absent, même chez les Pères qui font profession de rompre avec la culture païenne. Aussi, pour qui veut esquisser les grandes lignes de la philosophie patristique, la première démarche doit-elle être de caractériser les principaux courants doctrinaux que le paganisme offrait concrètement aux Pères de l'Église.

C'est sans aucun doute le platonisme qui les a le plus séduits. Mais il faut savoir que le platonisme antique ne coïncide pas exactement avec le système doctrinal que les historiens d'aujourd'hui s'accordent plus ou moins à définir à partir de la lecture des dialogues de Platon. Au cours de la très longue période qui s'étend de la mort du philosophe, vers 348 avant notre ère, à la fermeture de l'école d'Athènes par Justinien, en 529 après Jésus-Christ, le platonisme fait, en effet, l'objet d'un enseignement scolaire ininterrompu, qui ne se prive pas de lui adjoindre bien des éléments extérieurs; en sorte que chaque époque se forme de la doctrine platonicienne une représentation particulière, parfois assez éloignée de l'original. Entre le 1er siècle avant notre ère et la fin du IIe siècle après, la tendance platonicienne majoritaire constitue ce que l'on appelle le moyen platonisme; elle se fait jour avec Antiochus d'Ascalon, scholarque de l'Académie dans la première moitié du 1er siècle avant Jésus-Christ; elle se poursuit avec Plutarque, Atticus, Albinus, Maxime de Tyr; elle prend fin avec Numénius et Cronius, dont le platonisme se colore de néopythagorisme. A certains égards, le moyen platonisme se présente comme une simple transition en direction du néoplatonisme; il n'en offre pas moins un ensemble doctrinal déterminé et cohérent, qui mérite d'être étudié pour lui-même. En tout cas, il revêt une importance exceptionnelle pour l'abord de la philosophie patristique, puisqu'il constitue la variété du platonisme avec laquelle les Pères, au moins jusqu'à Origène, se sont trouvés en contact. Ce point a été récemment mis en lumière par les travaux d'Andresen; il en ressort que le philosophe professionnel que saint Justin confesse avoir été avant sa conversion était un adepte du moyen platonisme, comme le montre l'exposé doctrinal auquel il se livre au début de son *Dialogue avec Tryphon*; quant au *Discours vrai* de Celse, qui devait provoquer la célèbre réfutation d'Origène, c'est également un traité médio-platonicien, qui, de plus, pourrait bien avoir été suscité par le désir d'un païen de riposter à la désertion du philosophe Justin passé au christianisme; on a là un exemple nouveau des réactions en chaîne qui rythmaient le dialogue polémique entre païens et chrétiens, et que l'on a déjà vues à l'œuvre à propos de l'allégorie.

L'une des caractéristiques du moyen platonisme est que l'on s'y appuyait moins sur une lecture *in extenso* des dialogues platoniciens que sur un florilège de citations tenues pour importantes; on constate que les différents représentants de cette école reviennent sans cesse sur un petit nombre de textes de Platon, toujours les mêmes, et qu'ils en donnent une interprétation semblable. Or il apparaît que les Pères des trois premiers siècles quand ils se réfèrent à Platon, font usage des mêmes morceaux choisis, semblablement interprétés; si l'on ajoute qu'il s'agit en général de textes d'une portée théologique considérable, on devine l'importance de cette rencontre. Aussi vaut-il la peine d'en examiner quelques exemples, empruntés à la liste commodément dressée par Daniélou.

Soit la phrase bien connue du *Timée*, 28c : « Découvrir l'auteur et le père de cet univers, c'est un grand exploit, et quand on l'a découvert, il est impossible de le divulguer à tous. » Elle est très souvent citée par les Pères, tels Athénagore, Justin, Clément d'Alexandrie, Origène chez les Grecs, Tertullien et Minucius Félix chez les Latins. Ils en retiennent deux thèses : d'une part, l'affirmation que le monde a été créé par Dieu *ex nihilo*; d'autre part, l'idée de la difficulté qu'il y avait à connaître Dieu avant la venue du Christ; certains, comme ce sera plus tard le cas de Grégoire de Nysse, étendent ce second point dans le sens de l'incompréhensibilité de Dieu et de la théologie négative. Clément en tire argument pour montrer que Platon s'est inspiré de l'*Ancien Testament*, plus précisément de l'épisode de Moïse entrant dans la ténèbre où Yahweh se dissimule (*Exode*, xix, 16-25). Ces observations sont déjà bien révélatrices de l'utilisation de Platon en milieu chrétien. Leur intérêt redouble quand on constate que la même phrase du *Timée* tient une grande place chez les philosophes du moyen platonisme; qu'elle ait été accessible aux uns et aux autres dans un florilège, Athénagore le note expressément *(Supplique*, 6), et elle figure d'ailleurs dans les *Placita* d'Aétius. Un détail montre que c'est bien un même florilège que chrétiens et païens avaient en main, ou du moins que les chrétiens citaient le texte à travers les philosophes du temps, et non pas à la suite d'un lecture directe du dialogue de Platon; il se trouve en effet que la citation telle que la font certains auteurs chrétiens se signale par diverses altérations du texte original; or les mêmes altérations apparaissent déjà sous la plume du philosophe Albinus. Mais ces ressemblances dans la matérialité de la phrase du *Timée* sont elles-mêmes de peu de prix au regard des analogies dans l'interprétation ; car les chrétiens, on vient de le voir, entendaient du Dieu unique ce que le dialogue écrit de l' « auteur et père de l'univers » ; or une telle assimilation se révèle peu conforme à l'intention même de Platon, qui traite ici du démiurge, et non pas du Dieu suprême qu'il identifie au Bien ; mais elle ne résulte pas d'une initiative chrétienne, puisqu'on peut déjà l'observer chez les moyens platoniciens, qui, à la différence de Platon (et, plus tard, du néoplatonisme), attribuaient la fonction créatrice au Dieu suprême.

Une autre péricope platonicienne vouée à une grande fortune appartient au *Théétète*, 176 ab : « Il faut s'efforcer de fuir au plus vite d'ici-bas vers là-haut. Fuir, c'est devenir semblable à Dieu autant qu'il est possible ; devenir semblable à Dieu, c'est se rendre juste et saint en esprit. » On sait que, dans son traité *Sur le beau* (*Ennéade, I,* 6, 8), Plotin s'est souvenu de ce passage, en l'amalgamant au symbolisme d'Ulysse regagnant sa patrie d'Ithaque :

Enfuyons-nous dans notre chère patrie, voilà le vrai conseil qu'on pourrait nous donner. Mais qu'est cette fuite ? Comment remonter ? Comme Ulysse, qui échappa, dit-on, à Circé la magicienne et à Calypso, c'est-à-dire qui ne consentit pas à rester près d'elles, malgré les plaisirs des yeux et toutes les beautés sensibles qu'il y trouvait. Notre patrie est le lieu d'où nous venons, et notre père est là-bas. Que sont donc ce voyage et cette fuite ? Ce n'est pas avec nos pieds qu'il faut l'accomplir ; car nos pas nous portent toujours d'une terre à une autre ; il ne faut pas non plus préparer un attelage ni quelque navire, mais il faut cesser de regarder et, fermant les yeux, échanger cette manière de voir pour une autre, et réveiller cette faculté que tout le monde possède, mais dont peu font usage (traduction Bréhier).

Mais la postérité du texte du *Théétète*, qui a été bien étudiée par Merki, commence bien avant Plotin. Le moyen platonicien Albinus avait rapproché cette invitation à « devenir semblable à Dieu » du précepte stoïcien de « vivre en suivant la nature », et cette assimilation est bien symptomatique de l'éclectisme qui inspirait le platonisme du temps. C'est d'Albinus que Clément d'Alexandrie doit tenir l'idée du même rapprochement, qui ne pouvait guère lui venir spontanément à l'esprit ; de plus, le recours à la notion stoïcienne d'*akolouthia* (« vivre *en suivant* la nature ») permet à Clément de comparer à la formule de Platon un précepte du *Deutéronome*, XIII, 5 sur la « marche à la suite de Dieu » ; la citation de la page de Clément (*Stromate*, II, 19, 100 ; 3-101, 1) permettra de se rendre mieux compte de cette confrontation subtile, dans laquelle l'auteur chrétien laisse entendre que Platon pourrait lui-même dépendre de l'*Ancien Testament* ; la voici :

> Platon le philosophe, proposant comme fin le bonheur, dit qu'il consiste à « ressembler à Dieu autant que possible » peut-être se rencontre-t-il ainsi avec le principe de la Loi ; (...) peut-être aussi s'est-il laissé enseigner en son temps par certains savants, puisqu'il avait toujours soif d'apprendre. La Loi dit en effet : « Marchez derrière le Seigneur votre Dieu, et gardez mes commandements. » La Loi appelle, en effet, l'assimilation une « marche à la suite » ; et celle-ci rend semblable autant qu'il est possible (...). C'est pourquoi les stoïciens ont décrété que la fin de l'homme est de vivre conformément à la nature, intervertissant ainsi les noms de Dieu et de la nature d'une manière indécente, puisque le domaine de la nature, ce sont les plantes, les semences, les arbres et les pierres (traduction Mondésert).

Mais il est un autre texte biblique, infiniment plus important, avec lequel les Pères ont confronté la sentence du *Théétète*, 176 ab ; c'est la *Genèse*, I, 26, où on lit : « Puis Dieu

dit : « Faisons l'homme à notre image et selon notre ressemblance. » De ces deux mots, « image » et « ressemblance »,
le second *(kath'homoiôsin)* se trouve être celui-là même que
Platon employait en parlant de « devenir semblable » à Dieu.
Il était inévitable que les Pères, pénétrés comme ils l'étaient
de philosophie platonicienne, songeassent à comparer les
deux formules ; il fallait pour cela introduire, dans le texte
de la *Genèse*, une différence de sens entre la création « à
l'image » et la création « à la ressemblance », en entendant
par la première expression l'ébauche d'une relation entre
l'homme et Dieu dont la seconde expression marquerait
la plénitude. Il est intéressant de noter que les Pères apologistes, Tatien en particulier, ne voient pas de différence
entre l'« image » et la « ressemblance », les deux mots leur
paraissant formuler la même participation surnaturelle de
l'homme à la vie divine ; ils s'abstiennent aussi de tout
rapprochement avec Platon. Mais la situation change du
tout au tout avec Clément d'Alexandrie, comme on peut le
voir par le texte du *IIᵉ Stromate*, 22, 131, 5-6 que voici :
« Quand Platon nomme bonheur une vie qui est en accord
et en harmonie avec elle-même, et parfois aussi la perfection
dans la vertu, il rapporte cela à la science du bien et à la
ressemblance avec Dieu, ressemblance *(homoiôsin)* qui
consiste, déclare-t-il, à « être juste et saint en esprit ».
N'est-ce pas ainsi que, d'après l'interprétation de certains
des nôtres, l'homme a reçu aussitôt à sa naissance « l'image »,
et qu'il va plus tard, à mesure qu'il devient parfait, accueillir
en lui « la ressemblance » *(kath'homoiôsin)*? » (traduction
Mondésert). « D'après l'interprétation de certains des nôtres »,
dit Clément ; c'est la preuve qu'il n'est pas le premier à
entendre différemment, dans le texte biblique, la mention de
l'image et celle de la ressemblance ; on pense généralement
que les prédécesseurs auxquels il fait allusion désignent au
premier chef saint Irénée, qui introduit en effet une distinction entre la création « à l'image », appliquée par lui à la
constitution matérielle de l'homme, et la création « à la
ressemblance », qu'il comprend comme un don de l'Esprit.
Mais rien ne permet de croire que ce n'est pas à Clément que

reviendrait l'initiative d'avoir rapproché les paroles de la *Genèse* de la formule du *Théétète*.

L'aristotélisme

Les œuvres que composa Aristote appartiennent, on le sait, à deux genres assez différents par l'inspiration philosophique, la forme littéraire, la destination et le retentissement. Dans la première partie de sa carrière, se trouvant encore sous l'influence de Platon, le philosophe avait publié un grand nombre d'ouvrages, souvent en forme de dialogues, écrits dans un style brillant à l'intention d'un large public; ils constituent ce que l'on appelle son œuvre « exotérique ». Plus tard, en possession d'une pensée personnelle en grande partie hostile au platonisme, devenu à son tour chef d'école, il composa des traités dits « acroamatiques »; étroitement liés à son enseignement qu'ils préparaient ou dont ils résultaient, ces ouvrages austères et techniques s'adressaient à ses disciples, eux-mêmes philosophes professionnels, et n'étaient point destinés à être divulgués. Le fait est que, pour diverses raisons, ils ne le furent pas avant le Ier siècle avant notre ère : ce sont les grands traités qu'on lit aujourd'hui encore, la *Physique*, la *Métaphysique*, les diverses *Morales*, etc. En revanche, les écrits exotériques sont perdus pour nous, qui n'en connaissons que de maigres fragments et des témoignages indirects; mais une grande partie de l'Antiquité les avait en main, et même, jusqu'au Ier siècle avant Jésus-Christ, ils formaient la seule partie de l'œuvre d'Aristote que l'on connût généralement. C'est dire qu'ils ont exercé une influence considérable sur la pensée ancienne, avant que celle-ci ne fût en mesure d'avoir accès aux traités scolaires.

Cette dualité de l'œuvre aristotélicienne se reflète assez bien dans l'ancienne littérature chrétienne. Les Pères du IIe siècle n'ignorent pas entièrement l'Aristote scolaire; Clément d'Alexandrie se montrera informé de la distinction entre ouvrages exotériques et ésotériques; mais, comme les philosophes contemporains dont ils sont tributaires, c'est encore à l'auteur des dialogues qu'ils pensent le plus souvent quand ils parlent d'Aristote. La situation va s'inverser à partir du IVe siècle ; les dialogues aristotéliciens tendent alors à passer au second plan, et l'attention se concentre sur les traités scolaires, notamment sur les œuvres logiques et dialectiques, auxquelles les hérétiques ariens empruntent des armes contre l'orthodoxie.

Les Pères apologistes se sont d'autant plus intéressés aux dialogues d'Aristote que ceux-ci étaient dans une large mesure théologiques, en particulier l'un d'eux intitulé *De la philosophie*. Comme pour le Platon des derniers dialogues, la grande idée théologique de l'Aristote platonisant est la divinité du monde ; c'est elle surtout que retiennent les philosophes aristotélisants du Ier siècle avant Jésus-Christ et du début de l'ère chrétienne, tels l'auteur inconnu du traité *Du monde* (longtemps attribué à Aristote lui-même) et le Philon de l'opuscule, exclusivement philosophique, intitulé *De l'éternité du monde*. La théologie cosmique du jeune Aristote se présentait sous diverses formes : tantôt le monde entier était regardé comme divin, tantôt le seul système céleste, tantôt l'élément même des astres ou éther, tantôt seulement l'âme du monde, et le plus souvent toutes ces réalités en même temps. Une présentation intéressante de cette théologie apparaît justement sous la plume du chrétien Athénagore (*Supplique*, 6) : « Aristote et ses disciples, introduisant un être analogue à un vivant composé, disent que Dieu est constitué par une âme et par un corps. Ils pensent que son corps est l'éther et les astres errants et la sphère des étoiles fixes, tout cela étant mû d'un mouvement circulaire ; que son âme est la raison préposée au mouvement du corps, étant elle-même immobile et la cause de ce mouvement » (traduction Bardy). Naturellement, les chrétiens ne pouvaient admettre cette divinisation du monde sensible, ni même celle de l'âme cosmique ; c'est encore Athénagore qui en témoigne au chapitre XVI de la *Supplique* : « Certes, le monde est beau (...) Pourtant ce n'est pas lui qu'il faut adorer, mais son artisan (...) Que le monde soit substance et corps, comme le disent les péripatéticiens, nous ne négligeons pas d'adorer la cause du mouvement du corps, Dieu, pour tomber au niveau des « éléments pauvres et débiles » (*Épître aux Galates*, IV, 9) et pour adorer la matière passive plutôt que l'éther qui est impassible selon eux. Que si l'on voit dans les parties du monde des puissances de Dieu, nous n'adorons pas les puissances, mais leur créateur et leur maître » (traduction Bardy).

Auteur d'un *Protreptique* dont le titre même laisse entendre qu'il se veut une réplique chrétienne au *Protreptique* d'Aristote, Clément d'Alexandrie connaît la théologie cosmique de celui-ci; il l'attaque en la mettant en contradiction avec une autre thèse traditionnellement attribuée à Aristote, selon laquelle la Providence divine serait exclue du monde sublunaire : comment, en même temps, diviniser le monde et le priver de la présence agissante de Dieu? Voici le texte même de Clément (*Protreptique*, V, 66, 4) : « Puisque j'en suis là, aucune difficulté, je pense, à faire mémoire des péripatéticiens aussi : le père de cette secte, faute d'avoir conçu le Père de l'univers, pense que celui qu'il appelle le *Très-haut* est l'âme du Tout; c'est dire qu'en supposant que l'âme du monde est Dieu, il se contredit lui-même. En effet, limiter la Providence au monde supralunaire pour ensuite regarder le monde comme Dieu, c'est se contredire, puisqu'on déclare Dieu la partie du monde privée de Dieu. » Il est intéressant d'ajouter que, conformément à sa théorie habituelle selon laquelle les philosophes grecs auraient « dérobé » certaines vérités à la Bible, Clément soutient ailleurs (*Stromate*, V, 14, 90, 3) que la théorie d'Aristote excluant la Providence du monde sublunaire proviendrait d'un contresens qu'il aurait commis dans sa lecture du *Psaume* XXXV, 6 : « Yahweh, ta bonté atteint jusqu'aux cieux, et ta fidélité jusqu'aux nues. »

Le stoïcisme

La plupart des Pères de l'Église ont reconnu la valeur éminente de la morale stoïcienne. Tel Justin (*II*e *Apologie*,

8, 1) : « Les stoïciens ont établi en morale des principes justes ; les poètes en ont exposé aussi, car la semence du Verbe est innée dans tout le genre humain » (traduction Pautigny). L'intérêt de cette citation est qu'elle rend justice au stoïcisme en employant le vocabulaire stoïcien (la « semence innée du Verbe »). Quant à la doctrine, la voici : si certaines idées des philosophes profanes coïncident avec celles des chrétiens, c'est que les uns et les autres participent au Logos divin ; mais leur participation est bien différente : les païens ont connu partiellement le Logos, ce qui explique leurs réussites, mais aussi leurs erreurs et leurs contradictions ; les chrétiens au contraire possèdent la totalité du Logos, puisqu'ils ont reçu le Logos lui-même dans la personne du Christ. C'est ce que Justin formule clairement dans la suite de la même *II*e *Apologie*, 10, 1-3 et 13, 2-3 :

> Notre doctrine surpasse toute doctrine humaine, parce que nous avons tout le Verbe dans le Christ qui a paru pour nous, corps, verbe et âme. Tous les principes justes que les philosophes et les législateurs ont découverts et exprimés, ils les doivent à ce qu'ils ont trouvé et contemplé partiellement du Verbe. C'est pour n'avoir pas connu tout le Verbe, qui est le Christ, qu'ils se sont souvent contredits eux-mêmes (...). Ce n'est pas que la doctrine de Platon soit étrangère à celle du Christ, mais elle ne lui est pas en tout semblable, non plus que celle des autres, stoïciens, poètes ou écrivains. Chacun d'eux en effet a vu du Verbe divin disséminé dans le monde ce qui était en rapport avec sa nature, et a pu exprimer ainsi une vérité partielle ; mais en se contredisant eux-mêmes sur les points essentiels, ils montrent qu'ils n'ont pas une science supérieure et une connaissance irréfutable (traduction Pautigny).

Cette page indique bien que la théorie du « larcin » commis aux dépens de la Bible n'est pas la seule dont disposaient les chrétiens pour expliquer la présence de certaines vérités sous la plume des philosophes grecs : ils concevaient également que les païens aient pu connaître quelque chose du Verbe de Dieu avant son Incarnation. On notera la justice que Justin rend en passant aux stoïciens; et surtout qu'il le fait dans le langage même du stoïcisme, quand, pour montrer le Fils de Dieu obscurément à l'œuvre dans le monde païen, il parle du « Verbe divin disséminé » *(logos spermatikos)*; c'était la formule stoïcienne classique pour exprimer l'action immanente du Logos divin dans l'univers et dans la raison de chaque homme.

Principal théoricien du « larcin » des païens, Clément d'Alexandrie reconnaît néanmoins, lui aussi, que les vérités atteintes par les philosophes grecs peuvent avoir une autre origine, à savoir leurs facultés naturelles, qui sont elles-mêmes des dons de Dieu. Or, pour décrire cet équipement mental des philosophes, il emploie les termes usuels dans la théorie stoïcienne de la connaissance : ceux de « notion naturelle » *(phusiké ennoia)*, de « sens commun » *(koinos nous)*, de « prénotion » *(prolepsis)*, etc. On peut citer à cet égard deux passages des *Stromates* : « Nous dira-t-on : « Mais les Grecs n'ont eu qu'une notion naturelle »? La nature est l'œuvre de l'unique Créateur, que je sache; aussi avons-nous dit que la justice est naturelle. Dira-t-on : « Ils n'ont eu que le sens commun »? Examinons alors qui celui-ci a pour Père, et d'où vient cette justice qui préside à sa répartition » (I, 19, 94, 2); et : « Qu'elle soit de l'Orient, qu'elle touche aux bords du Couchant, qu'elle soit du Septentrion ou du Midi, toute race a une seule et même prénotion au sujet de Celui qui a établi sa souveraineté, s'il est vrai du moins que les plus universelles de ses opérations s'étendent également à toutes choses » (V, 14, 133, 9).

LES GRANDS NOMS DE LA PHILOSOPHIE PATRISTIQUE

On aura remarqué au passage, dispersées dans les pages qui précèdent, quantité de données relatives aux positions philosophiques des Pères. Sans espérer, il va de soi, dresser un tableau complet de la philosophie patristique, qui exige-rait plusieurs volumes, il faut maintenant esquisser en quelques traits la physionomie intellectuelle des protago-nistes de cette grande entreprise.

Le plus ancien de ceux qui comptent est Justin (mort vers 165). Il est l'auteur de deux *Apologies* du christianisme adressées aux empereurs, la première à Hadrien, la seconde, plus brève, à Marc-Aurèle. Dans le *Dialogue avec Tryphon*, il raconte sa propre odyssée intellectuelle; malgré une certaine mise en scène littéraire (évidente quand Justin rapporte qu'il a fréquenté successivement, et vainement, les stoïciens, les péripatéticiens, les pythagoriciens, avant de se fixer provisoirement dans le platonisme), on y trouve bien des éléments vraisemblables du point de vue de la psychologie et de l'histoire de la culture sur les raisons qui pouvaient porter vers le christianisme un jeune philosophe médio-platonicien. Tatien, disciple de Justin, avait composé, avant de passer à l'hérésie gnostique, un *Discours aux Grecs*; il est beaucoup moins enclin que son maître à rendre justice aux philosophes païens, et davantage porté à leur dénier toute expérience de la vérité. Sa critique est particulièrement vive contre la philosophie religieuse des Grecs; il dénonce la stupide immoralité des mythes, comme les païens eux-mêmes l'avaient fait depuis longtemps; mais, à la différence de ceux-ci, et comme on l'a vu plus haut, il proscrit l'échap-patoire de l'interprétation allégorique. Un autre apologiste est Athénagore, qui adresse vers 177 une *Supplique pour les chrétiens* à Marc-Aurèle et à son fils Commode; il s'y attache à montrer que, dans leur lutte contre le polythéisme, les chrétiens peuvent invoquer, comme leurs précurseurs et leurs alliés, les philosophes grecs monothéistes, Platon, Aristote, les stoïciens. Athénagore est également l'auteur d'un traité *Sur la résurrection*, qui, en dehors de son intérêt dogmatique propre, est important pour la formulation de l'anthropologie chrétienne; l'un des arguments invoqués à l'appui de la réalité de la résurrection des corps est en effet celui-ci : la persistance éternelle des objets intelligibles requiert celle des facultés intellectuelles qui ont été données à l'homme pour les connaître, à savoir la pensée et la raison ; mais celles-ci ne peuvent subsister si la nature qui les a reçues ne subsiste pas ; et la nature qui a reçu la pensée et la raison n'est pas l'âme seule, mais l'homme, composé d'âme et de corps ; il faut donc que ce dernier lui aussi persiste éternellement, ce qui n'est possible que par sa résurrection ; on voit que cette argumentation repose sur une anthropologie proprement chrétienne, selon laquelle le corps entre dans la définition de l'homme comme un constituant de plein exercice ; elle s'oppose entièrement à l'anthropologie platonicienne du *Premier Alcibiade*, qui refusait d'inclure le corps dans la véritable constitution de l'homme. Le dernier apologiste de cette époque que l'on nommera ici est le syrien Théophile d'Antioche, dont on a conservé les trois livres *A Autolycus* ; la pénétration doctrinale de cet auteur est moindre que celle des trois précédents ; son principal intérêt est qu'il se fait l'écho de nombreux et précieux recueils d'opinions prêtées aux philosophes grecs. Mais on ne peut quitter les Pères apologistes sans mentionner un texte important, longtemps rangé parmi les œuvres de Justin, mais qui, en raison de son contenu, doit être plus tardif d'au moins un demi-siècle : il s'agit d'une *Exhortation aux Grecs* d'auteur inconnu, mais de saveur alexandrine prononcée ; elle se signale par une grande connaissance de la philosophie et de la littérature grecques, et par une attitude fort mesurée à leur égard.

Le IIe siècle est aussi l'âge d'or du gnosticisme. Il est difficile de caractériser en quelques mots ce très important courant de pensée ; disons que, contrairement à ce que l'on a cru longtemps (Harnack), il s'agit d'un vaste phénomène religieux, dont l'hérésie chrétienne que l'on entend ordinairement par le mot de gnosticisme n'est qu'une manifestation particulière. L'idée maîtresse est celle du salut par la connaissance (gnose), conçue comme devant dès ici-bas se substituer à la foi ; le Dieu créateur imparfait est distingué du Dieu suprême transcendant ; à cette distinction, les gnostiques de culture chrétienne superposent la dualité de l'Ancien Testament, qu'ils rejettent comme étant la charte du Dieu créateur, et du Nouveau Testament, révélation du Dieu de bonté. Les grands noms de ce gnosticisme sont, au IIe siècle, ceux de Marcion, de Basilide, de Valentin. Leur principal adversaire orthodoxe est saint Irénée, Smyrniote émigré en Gaule et devenu évêque de Lyon en 177. Dans un traité en cinq livres *Contre les hérésies*, il rétablit l'unicité de Dieu, l'excellence de la création, son aptitude à porter témoignage sur le Créateur. Un autre adversaire des gnostiques est, au début du IIIe siècle, Hippolyte de Rome, auteur d'une *Réfutation de toutes les hérésies* d'un grand intérêt documentaire ; son idée maîtresse y est que les sectes hérétiques sont les filles de la philosophie grecque.

C'est un monde profondément différent que l'on aborde, vers la même époque, avec les théologiens chrétiens d'Alexandrie. Le fondateur de l'école est Pantène (mort vers 200). On a déjà beaucoup parlé, dans les pages qui précèdent, de son disciple Clément d'Alexandrie (mort avant 215) et des deux œuvres maîtresses de celui-ci, le *Protreptique* et les *Stromates*. Il est encore l'auteur d'un petit traité sur le bon usage des richesses, intitulé *Quel riche sera sauvé ?*, et d'un *Pédagogue* consacré à présenter le Verbe comme l'éducateur de l'humanité. Clément a connu et combattu le gnosticisme ; il a constitué, de l'un des représentants de cette secte, un recueil de morceaux choisis, entremêlés de réfutations : ce sont les *Extraits de Théodote*. En antithèse du gnostique hérétique, il dessine le portrait du « vrai gnostique », le gnostique chrétien ; mais l'antithèse n'exclut pas une certaine parenté entre les deux idéaux ; cette gnose des choses divines, supérieure à la foi commune, apparaît parfois sous la plume de Clément comme une doctrine ésotérique, une tradition secrète livrée oralement par les apôtres à quelques disciples privilégiés, et transmise depuis lors de bouche à oreille ; certains passages des *Stromates* mettent curieusement en parallèle la gnose et le salut pour affirmer que, si l'on devait choisir, il faudrait préférer la première au second. Il y a, on le voit, beaucoup de platonisme dans le christianisme de Clément.

Origène (environ 184-253) est de plus haute stature. Il

avait été l'élève, non seulement de Clément, mais du philosophe Ammonius Saccas, auprès de qui il s'était trouvé
le condisciple de Plotin. Son œuvre conservée est de dimensions impressionnantes, bien qu'elle ne représente qu'une
partie de son œuvre réelle; l'historien de la philosophie
en retiendra particulièrement deux traités : d'une part, le
Contre Celse, employé à réfuter un philosophe médio-
platonicien adversaire du christianisme; le pamphlet de ce
dernier, intitulé *Discours vrai*, est perdu, mais Origène,
pour les besoins de la polémique, en fait tant de citations
que l'on a pu en restituer un grand nombre de pages; d'autre
part, un traité *Des principes*, qui est le premier exposé systématique de philosophie et de théologie qu'ait produit la
tradition chrétienne, une manière de *Somme* avant la lettre,
où tout l'essentiel est dit sur Dieu, le monde, l'homme et
l'Écriture sainte; l'original grec de cet ouvrage est malheureusement perdu, mis à part quelques fragments, et on le lit
dans une traduction latine de Rufin, qui s'emploie de façon
regrettable à en réduire les audaces. Car la vision du monde
d'Origène est audacieuse, en particulier pour le monde spirituel : comme le Verbe est engendré par le Père, il engendre
lui-même d'autres verbes, c'est-à-dire des natures raisonnables, spirituelles et libres; créées égales entre elles, ces
natures, usant de leur liberté, devinrent différentes dans la
mesure où elles s'attachèrent plus ou moins à Dieu ou se
détournèrent plus ou moins de lui; ainsi s'établit la hiérarchie
du monde spirituel, depuis les anges les plus purs jusqu'aux
esprits emprisonnés dans les corps humains; mais les âmes
humaines n'ont pas perdu le souvenir de leur dignité antérieure, et elles peuvent la recouvrer par la grâce du Christ,
en s'aidant de l'ascèse et de la purification; finalement,
quand s'achève le cycle cosmique, tous les esprits sont plus
ou moins rentrés dans l'ordre initial; mais Origène conserve
du stoïcisme l'idée que notre monde n'est qu'un moment
dans une succession indéfinie d'univers; c'est dire que
l'alternance d'incarnation et de libération des âmes semble
vouée à se poursuivre sans fin; toutefois un progrès se
dessine d'un monde à l'autre, le bien finira par évincer

totalement le mal, et toutes choses reviendront à l'état d'innocence de la première création, y compris peut-être les démons et les damnés *(apocatastase)*. Telle est la façon dont on peut se représenter l'histoire du monde selon Origène; il faut ajouter que cette reconstitution est passablement conjecturale, dans la mesure où les textes originaux manquent le plus souvent et sont suppléés par le témoignage des panégyristes et des détracteurs, également suspects de déformer la vraie pensée de l'auteur.

L'influence d'Origène est perceptible chez les Pères grecs du IVe siècle, qui sont essentiellement les trois Cappadociens, Grégoire de Nazianze, Basile de Césarée et son frère Grégoire de Nysse. Grégoire de Nazianze (329-390) bénéficie d'une grande réputation de théologien dans l'Antiquité chrétienne; il la doit surtout à cinq *Discours théologiques*, qui firent pour longtemps le point sur le dogme de la Trinité. L'adversaire par rapport auquel les Cappadociens doivent se définir n'est plus le gnosticisme, mais l'hérésie arienne, représentée dans la deuxième moitié du IVe siècle par Eunomius. Ce conflit est important pour l'histoire de la philosophie; car l'arianisme se présente comme un effort pour rationaliser le dogme chrétien, pour en évacuer le mystère, bref pour ramener, avant Kant, « la religion dans les limites de la simple raison »; ce propos des ariens retentissait surtout dans leur théologie trinitaire : partant d'une conception purement philosophique de Dieu, centrée sur la notion de son « innascibilité », ils en déduisaient que le Verbe, étant engendré, se trouve être dissemblable *(anomoios)* du Père et nullement consubstantiel *(homoousios)* à lui; de plus, ils avaient donné à leur système une puissante armature logique, inspirée de l'*Organon* d'Aristote. C'est dire que la lutte des Cappadociens contre l'hérésie d'Eunomius devait nécessairement se situer en grande partie sur le terrain de la philosophie. Grégoire remontrera aux ariens l'urgence d'abandonner les arguties des philosophes pour revenir à la simplicité de la foi, le Christ ayant choisi ses apôtres parmi les pêcheurs et non parmi les aristotéliciens *(piscatorie, non aristotelice*, selon une célèbre formule latine); il mettra d'autre part l'accent sur l'incompréhensibilité de Dieu, dont on ne peut savoir que ce qu'il nous dit lui-même de lui. Basile (330-379) suivra la même voie. L'un de ses ouvrages les plus intéressants pour l'histoire des idées est son recueil d'*Homélies sur l'Hexaéméron*, c'est-à-dire sur le récit biblique de la création ; s'inspirant des œuvres analogues de Philon et d'Origène, Basile prend prétexte de ce commentaire pour exposer l'essentiel des idées chrétiennes sur le monde et sur l'homme.

L'importance philosophique de Grégoire de Nysse (mort en 394) est bien plus considérable. Sa cosmologie et son anthropologie s'expriment également sous la forme de commentaires du début de la *Genèse*, qu'il répartit pour sa part en deux traités, l'un sur l'*Hexaéméron*, l'autre *Sur la création de l'homme*. Son explication du monde physique repose sur une théorie des éléments et de leur lien mutuel *(sundesmos)*, qui est d'origine platonicienne, mais doit se rattacher plus précisément au stoïcien Posidonius. Quant à l'homme, l'originalité de Grégoire est de le regarder comme limitrophe *(méthorios)* entre le monde visible et le monde invisible, appartenant à l'un par son corps, à l'autre par son âme, et établissant une communication entre les deux. Dans ses *Homélies sur le Cantique des cantiques* et dans sa *Vie de Moïse*, il aborde le problème qu'il tient pour essentiel, celui de la connaissance de Dieu. Le premier degré en est la vision de Dieu dans le miroir de l'âme pure, qui porte en effet l'image divine ; qui veut aller plus loin que cette étape initiale doit se purifier de toute opinion d'origine sensible ; on découvre alors que l'objet cherché dépasse toute connaissance, et que l'incompréhensibilité l'entoure de toute part comme une nuée ; par cette notation, Grégoire se fait l'adepte de la théologie négative, selon laquelle connaître Dieu est avant tout, pour l'homme, savoir ce que Dieu n'est pas. La tradition manuscrite a souvent attribué à Grégoire de Nysse un traité *De la nature de l'homme*, qui a en réalité pour auteur Némésius, évêque d'Emèse aux environs de l'an 400 ; comme le titre l'indique, il s'agit d'un traité d'anthropologie chrétienne, fondé sur une riche information philosophique où l'influence de Posidonius prédomine; sa particularité est de revenir, contre Aristote, à l'anthropologie platonicienne selon laquelle l'homme se définit par l'âme seule; on se souvient qu'Athénagore, par souci de légitimer la résurrection des corps, avait fait un choix opposé.

On a vu que, parmi les convertis de saint Paul à Athènes, les *Actes des Apôtres* nomment un certain Denys. C'est pour ce personnage (Denys « l'Aréopagite ») que voulut se faire passer un auteur anonyme, qui doit appartenir en réalité à la fin du Ve siècle et au début du VIe, puisqu'il est certainement influencé par Proclus (mort en 485) et que c'est vers cette époque que l'on commence à parler de lui. La supercherie devait avoir la vie dure, et duper notamment tout le Moyen Age, sur lequel le pseudo-Aréopagite exerça une action immense (ainsi est-il l'auteur le plus souvent cité par saint Thomas d'Aquin). Le *Corpus areopagiticum* comprend cinq textes profondément homogènes, bien que l'accent chrétien y soit inégalement marqué : la *Hiérarchie céleste*, la *Hiérarchie ecclésiastique*, les *Noms divins*, la *Théologie mystique*, et dix *Lettres*. L'auteur est manifestement un chrétien qui a voulu exprimer sa foi en termes de philosophie néoplatonicienne, avec en outre des réminiscences provenant du vocabulaire des mystères. Son néoplatonisme est celui de Proclus, plus scolastique que celui de Plotin : l'histoire de tous les êtres intelligents se développe sur un rythme ternaire (sortie de Dieu, retour à Dieu, union à Dieu); leur ensemble est très strictement hiérarchisé; l'action de Dieu n'atteint les êtres et les êtres ne se tournent vers Dieu qu'en observant cet ordre hiérarchique; quant au retour à Dieu, il s'opère, comme on l'a déjà vu chez Platon et Plotin, par la similitude, cependant que la dissemblance sépare de Dieu. Denys établit la hiérarchie aussi bien dans le monde angélique que dans l'Église, les deux structures étant d'ailleurs connectées en ce sens que le dernier des ordres angéliques se trouve être immédiatement supérieur au premier des ordres ecclésiastiques; voilà le canal par lequel descend la science de Dieu et montent les aspirations

vers Dieu. Avec l'ordre hiérarchique s'articule une division
de la vie spirituelle en trois étapes, qui sont la purification,
l'illumination et l'union : dans le monde angélique comme
dans l'Église, ce ne sont pas les mêmes qui purifient et sont
purifiés, qui illuminent et sont illuminés, qui perfection-
nent et sont perfectionnés. Une conséquence fâcheuse de
cette implacable hiérarchisation est qu'elle rend impossible
tout rapport immédiat entre Dieu et l'âme, si ce n'est
lorsque celle-ci a gravi tous les degrés de l'échelle; or le
contact direct avec Dieu demeure l'aspiration de toute
vie religieuse. Denys résout cette difficulté en accordant une
grande place à l'extase. Il distingue une double théologie
ou connaissance de Dieu : on peut affirmer de Dieu les perfections observées dans les créatures, en les portant au
superlatif; c'est la théologie affirmative ou cataphatique;
mais on peut aussi, et mieux, nier de Dieu toutes les limi-
tations propres au monde créé, et l'on pratique alors la
théologie négative ou apophatique. Paradoxalement, c'est
la *via negationis*, la connaissance ignorante, qui conduit
à la plus haute science possible et au contact avec Dieu,
comme le montre l'exemple de Moïse et de saint Paul.

Avant de devenir le maître à penser du Moyen Age
latin, le pseudo-Denys devait exercer son influence sur l'un
des derniers Pères grecs, Maxime le Confesseur (580-662);
celui-ci fait preuve d'une culture patristique considérable :
il connaît surtout Evagre le Pontique, origénien de la
deuxième moitié du IVe siècle, qui lui transmet l'essentiel de
la théologie alexandrine; il cite les Cappadociens, et notamment Grégoire de Nazianze, à qui il a consacré des commentaires; mais c'est au « bienheureux Denys » que vont
ses plus grandes louanges. Vers la même époque, le chrétien
Jean Philopon est un commentateur d'Aristote; il s'intéresse ainsi au traité aristotélicien *De l'âme*, et, dans celui-ci,
à la célèbre question de l'unité ou de la pluralité de l'intellect
agent; il la résout dans un sens acceptable pour un chrétien,
en identifiant l'intellect possible et l'intellect agent d'Aristote dans un seul et même intellect tantôt en puissance, tantôt en acte, et tel que chaque homme possède le sien propre.

Bibliographie

J. Daniélou : *Histoire des doctrines chrétiennes avant Nicée*, dans « Bibliothèque de théologie », Tournai :
— t. I : *Théologie du Judéo-christianisme*, 1958 ;
— t. II : *Message évangélique et culture hellénistique aux IIᵉ et IIIᵉ siècles*, 1961.

J. Daniélou : *Origène*, collect. « Le Génie du Christianisme », Paris, 1948.

J. Daniélou : *Platonisme et théologie mystique. Essai sur la doctrine spirituelle de saint Grégoire de Nysse*, collect. « Théologie », 2, Paris, 1944.

J. Pépin : *Théologie cosmique et théologie chrétienne*, dans « Bibliothèque de Philosophie contemporaine », Paris, 1964.

R. Roques : *L'univers dionysien. Structure hiérarchique du monde selon le pseudo-Denys*, collect. « Théologie », 29, Paris, 1954.

VII

SAINT AUGUSTIN
ET LA PATRISTIQUE OCCIDENTALE

par Jean PÉPIN

Les Pères latins et la philosophie

Il ne faudrait pas conclure des pages qui précèdent que la totalité de la philosophie patristique fut écrite en langue grecque. Sans doute l'apport du monde latin est-il, dans ce domaine comme dans celui de la philosophie profane, moins considérable; on ne saurait pourtant le négliger, d'autant moins que le christianisme occidental a donné naissance à un maître de la philosophie universelle dans la personne de saint Augustin. Avant d'en venir à lui, et pour mieux le comprendre, il est nécessaire de consacrer quelques pages aux Pères latins qui l'ont précédé.

Le premier d'entre eux est Tertullien (né vers 160). Ses œuvres qui intéressent le plus la philosophie sont deux apologies du christianisme, intitulées *Apologétique* et *De la prescription des hérétiques*; il faut y ajouter un traité *De l'âme*, moins important d'ailleurs par l'exposé de la doctrine de l'auteur qu'en raison des opinions de nombreux philosophes anciens, souvent mal connus, qui s'y trouvent rapportées. L'argument de la « prescription » est tiré du droit romain, selon lequel l'usage d'un bien pendant un temps suffisant était considéré comme un titre légal de propriété; à toute contestation pouvait s'opposer alors le droit de prescription; en juriste, Tertullien applique la règle aux Écritures et déboute les gnostiques de leurs prétentions à les interpréter; car, tenues par les chrétiens dès l'origine, c'est à eux qu'elles appartiennent de plein droit. Contre les gnostiques encore, Tertullien prône une soumission totale à la foi, et condamne toute prétention à la juger au nom de la raison; il s'oppose par là même à la réflexion philosophique, à laquelle il impute la paternité des différentes sectes gnostiques : de même que les Prophètes sont les patriarches des chrétiens, de même les philosophes sont les patriarches des hérétiques; et c'est pur hasard si les philosophes ont parfois proposé des doctrines qui rappellent celles des chrétiens. Dans son hostilité à l'endroit de la philosophie, Tertullien s'est laissé emporter à de singulières et célèbres professions d'irrationalisme, qui reposent sur un durcissement de la position de saint Paul telle qu'on l'a rencontrée dans la *Première Épître aux Corinthiens*, i, 17-ii, 16; par exemple, de la mort et de la résurrection de Jésus, il dit que le fait est croyable parce qu'il est inepte, et certain dans la mesure où il est impossible; c'est ce que la tradition a exprimé en lui attribuant la formule bien connue *credo quia absurdum*, qu'il n'a d'ailleurs pas écrite en propres termes, mais qui ne force guère sa pensée. Quant à son anthropologie et à sa théologie, Tertullien affiche un surprenant matérialisme hérité du stoïcisme : l'âme est un corps ténu analogue à l'air, ce qui l'engage à supposer que les âmes des enfants, comme leurs corps, sont engendrées par les parents (traducianisme); il explique ainsi la transmission du péché originel, et aussi celle de la ressemblance divine, ce qui lui fait dire que toute âme est naturellement chrétienne *(anima naturaliter christiana)*; Dieu lui-même est un corps extrêmement subtil, qui a engendré le Verbe comme le soleil fait de ses rayons.

On n'a jamais résolu avec certitude la *quaestio vexata* de savoir si Tertullien est antérieur ou postérieur, et donc inspirateur ou utilisateur, par rapport à une autre apologie latine, celle de Minucius Félix intitulée *Octavius*; toutefois, si la substance de ce petit dialogue recoupe souvent celle de l'*Apologétique*, l'inspiration générale en est profondément différente; car Minucius Félix apparaît beaucoup plus équitable envers les mérites de la pensée profane, et sensible aux scrupules qui pouvaient retarder un intellectuel païen dans sa conversion au christianisme. Un siècle plus tard, le rhéteur Arnobe (fin du IIIe siècle et début du IVe), africain comme Tertullien, est un païen qui a voulu se convertir sur le tard, et a donné comme gage de sa sincérité une apologie du christianisme *Contre les païens (Adversus nationes)*. On ne doit pas chercher dans cet ouvrage un exposé tant soit peu complet du dogme chrétien; mais il montre quel aspect, dans le christianisme, attirait un païen cultivé de ce temps : essentiellement le monothéisme et sa révélation par le Christ. De son passage dans le paganisme, Arnobe garde le souvenir de l'absurdité des mythes et des théologies, à quoi il ne trouvait naguère rien à redire; à partir de son propre exemple, il est frappé par l'infirmité de la raison humaine, ce qui le porte à valoriser l'acte de foi, et d'autre part à faire l'éloge de l'intelligence des animaux comparée à celle de l'homme; on reconnaît les thèmes qui allaient faire fortune chez les « sceptiques chrétiens » du XVIIe siècle. Arnobe eut pour disciple Lactance, contemporain de l'empereur Constantin qui, vers 317, l'appela à la cour de Trèves comme précepteur de son fils. L'œuvre majeure de Lactance s'intitule *Les institutions divines*, à quoi il faut ajouter deux traités plus brefs *De l'œuvre créatrice de Dieu* et *De la colère de Dieu*. La grande idée de cet auteur est que le monde païen a souffert avant tout du divorce entre la sagesse et la religion, les cultes païens paraissant absurdes aux philosophes, cependant que la philosophie ne satisfaisait pas les aspirations religieuses de l'âme; la nouveauté du monothéisme chrétien est précisément d'introduire simultanément à la vraie religion et à la vraie philosophie. Lactance exprime ses vues dans un style orné et abondant, à l'imitation de Cicéron son modèle; comme Cicéron encore, il manque de profondeur et de subtilité dans le discours philosophique; mais il rachète lui aussi ces faiblesses par une grande connaissance des philosophes anciens, sur lesquels il transmet beaucoup de données; c'est ainsi qu'il est celui des Pères qui a laissé le plus de témoignages sur la littérature hermétique, dont il a d'ailleurs forcé la concordance avec les idées chrétiennes.

La patristique latine du IVᵉ siècle est dominée par un puissant courant platonicien. L'un des artisans en est Calcidius; sa traduction du *Timée* de Platon, bien qu'elle soit incomplète, devait jouer un rôle important au Moyen Age, qui, jusqu'au milieu du XIIᵉ siècle, n'eut pas d'autre accès au texte des dialogues platoniciens; à cette traduction, Calcidius a adjoint un commentaire, dans lequel certains indices (éloge de Moïse et de son inspiration divine, allusion à la Nativité du Christ, théorie des fins dernières, citation d'Origène, etc.) attestent que l'auteur était chrétien. Une autre personnalité de premier plan dans le platonisme chrétien occidental est celle de Marius Victorinus Afer (mort après 362); dans la première partie de sa carrière, il fut à Rome un professeur de rhétorique de grand renom; il composa alors divers ouvrages de grammaire, rhétorique et dialectique, dont il reste quelques échantillons; surtout, il traduisit en latin plusieurs textes philosophiques grecs; on en ignore la liste exacte, mais elle devait comporter quelques traités de Plotin et de Porphyre (de ce dernier, l'*Isagogé*, le traité *Du retour de l'âme*, etc.); ce qui est sûr, c'est que ces traductions exercèrent une influence considérable dans l'histoire de la culture : c'est grâce à elles que saint Augustin entra en contact direct avec le néoplatonisme grec (cf. *Confessions*, VIII, 2, 3 : « j'avais lu divers livres platoniciens traduits en latin par Victorinus, jadis rhéteur à Rome »). Puis, arrivé à un âge avancé, Victorinus se convertit au christianisme, d'abord de façon furtive, mais bientôt publiquement et à l'étonnement de tous; dès lors, son activité littéraire se tourne vers l'exégèse et la théologie : il commente plusieurs *Épîtres* de saint Paul; surtout, il compose contre l'hérésie arienne deux traités, intitulés *De la génération du Verbe divin* et *Contre Arius*, dans lesquels, à grand renfort de schèmes néoplatoniciens souvent difficiles à analyser, il s'efforce d'arriver à une formulation philosophique du dogme chrétien. Plus jeune que Victorinus de quelques décennies, saint Ambroise (339-397) se rattache au même courant du christianisme platonisant; on a longtemps borné son œuvre philosophique à un traité de morale dont le titre même, *Des devoirs des ministres*, indique qu'il s'agit d'une transposition chrétienne du traité cicéronien *Des devoirs*; en réalité, Ambroise était bien plus ouvert à la spéculation philosophique que ne le laisserait supposer cet ouvrage; non seulement il a lu de près, dans le texte même, Philon et Origène, à qui il emprunte nombre d'exégèses allégoriques de la Bible; mais on s'est avisé récemment qu'il avait une connaissance sérieuse de la philosophie grecque; il disposait à cet effet de manuels, dont la trace apparaît dans son œuvre; bien plus, certains de ses sermons reproduisent presque textuellement de longues citations de Platon et de Plotin.

Saint Augustin (354-430) est étroitement tributaire de ce platonisme chrétien romain et milanais : c'est dans les traductions de Marius Victorinus qu'il a lu les textes de Plotin et de Porphyre dont le spiritualisme devait le rapprocher du christianisme; c'est l'audition des sermons plotinisants prononcés par Ambroise à Milan qui triompha de ses dernières résistances.

PHILOSOPHIE ET THÉOLOGIE CHEZ SAINT AUGUSTIN

La philosophie de l'ordre

C'est seulement par souci de clarté que l'on peut envisager successivement Augustin philosophe et Augustin théologien. En vérité, rien n'est moins augustinien que cette séparation. Lui-même aurait refusé d'opposer ces deux activités spirituelles, aussi bien dans leur objet que dans les facultés qu'elles exercent principalement. Il voyait moins de différence que l'on n'en met aujourd'hui entre la nature, objet de la philosophie, et la surnature, objet de la théologie; pessimiste, il n'a jamais accordé grande confiance à la nature humaine, et il soutient la nécessité de la grâce, c'est-à-dire d'un élément surnaturel, pour l'accomplissement des vertus purement naturelles. Surtout, il a discerné mieux que personne l'interaction de la raison et de la foi, par quoi s'exercent essentiellement la philosophie et la religion. Il a bien compris que l'usage de la foi n'est pas limité au domaine religieux : c'est par exemple à elle que ressortissent, sauf pour le témoin immédiat ou l'historien de profession, les événements historiques, et c'est sur la foi de mes parents que je crois que je suis né à tel moment en tel endroit; de plus, en tant qu'adhésion, elle double toujours la connaissance rationnelle : on ne sait pas tout ce que l'on croit, mais on croit tout ce que l'on sait. Inversement, dans la religion même, la foi n'est pas seule en cause; elle est purifiante et protreptique, mais transitoire et vouée à être dépassée, car elle conduit à comprendre; après saint Paul et avant Malebranche, Augustin découvre que la foi passera, mais que l'intelligence subsistera éternellement. Prolongée par la raison, la foi est encore préparée par la raison; c'est en effet par la raison que j'analyse le rôle de la foi; de plus, la foi commençante s'accommode bien d'un concours rationnel, ne serait-ce que pour assurer qu'elle n'est pas absurde. Dans le domaine de la philosophie comme de la religion, raison et foi conspirent donc sans lassitude : toujours il faut croire pour comprendre, et comprendre pour croire. Comment alors couper chez Augustin entre la construction du philosophe et l'explication du théologien? On ne le saurait sans trahir. L'exposé le requiert toutefois, mais que l'on n'en soit pas dupe.

Pour présenter la pensée d'un grand philosophe, le plus expédient est d'en choisir une idée maîtresse, autour de laquelle tout, ou presque, s'organisera. Pour Augustin, on peut, sans trop d'arbitraire, partir de la notion d'*ordre*. Comme ses prédécesseurs platoniciens, cet auteur a en effet du monde une vision hiérarchique, et l'univers se résout pour lui en une succession de réalités étagées; l'idée d'ordre lui a paru mériter qu'il consacre l'un des dialogues de Cassiciacum à traiter *De ordine*. La première qualité de l'ordre cosmique est sa totalité, entendue dans un double sens : d'une part, il n'y a rien en dehors du monde, qui est le tout; d'autre part, à l'intérieur du monde, c'est-à-dire du tout, il n'y a rien qui échappe à l'ordre. C'était la doctrine du *Timée*, répétée tout au long de la tradition platonicienne. Augustin la reprend à son compte : « Qu'y a-t-il, à ton avis, de contraire à l'ordre? — Rien, répondit-il. Comment en effet une chose peut-elle être contraire à celle qui comprend tout et contient tout? Car ce qui serait contraire à l'ordre serait nécessairement extérieur à l'ordre. Or je ne vois rien qui soit extérieur à l'ordre Il faut donc penser que rien n'est contraire à l'ordre » (*De l'ordre*, I, 6, 15). Toute apparence de dérogation à l'ordre provient d'un manque d'information; pour le montrer, Augustin, dans la suite du même texte, prend l'exemple de l'erreur : relativement à l'ordre du monde, l'erreur n'est pas aberrante, car, par ce qui la produit et par ce qu'elle produit, elle s'insère dans une trame causale, et se trouve ainsi réintroduite à l'intérieur de l'ordre.

Voilà pour la totalité externe, par laquelle rien ne reste extérieur ni contraire à l'ordre cosmique. Mais, du dedans même, rien ne lui échappe; car les créatures inférieures ou pécheresses ne manifestent pas moins que les créatures les plus relevées l'excellence de l'ordre; loin de mettre l'ordre en péril, l'existence du moins bon conditionne celle du meilleur; et, pour celui-là comme pour celui-ci, notre attitude envers Dieu doit être l'action de grâces, et non la récrimination : « Tout ce que la vraie raison peut t'offrir de meilleur, sache que Dieu l'a fait, en tant que créateur de tous les biens. Or ce n'est pas vraie raison, mais envie mesquine, si, pensant qu'une chose meilleure aurait dû être faite, tu refuses d'admettre l'existence d'une chose moins bonne; c'est comme si, ayant contemplé le ciel, tu voulais que la terre n'ait pas été produite » (*Du libre arbitre*, III, 5, 13); en réalité, « l'ordre des créatures, de la plus élevée jusqu'à la plus basse, décroît par des degrés si justes que c'est l'envie qui ferait dire : celle-ci ne devrait pas exister, ou encore : elle devrait être telle que celle-là » (*ibid.*, III, 9, 24). En vérité, l'ordre du monde s'abaisse aux créatures les plus humbles. Si l'Évangile prend la peine de noter que pas un passereau ne tombe sur la terre, ni un cheveu de notre tête, sans la volonté du Père (*Matth.*, x, 29-30), qu'il revêt les oiseaux du ciel et les lys du champ (*Matth.*, vi, 26), c'est bien pour montrer que « tout ce que les hommes tiennent pour le plus vil est gouverné par la toute-puissance de Dieu » (*Du combat chrétien*, VIII, 9). Si le *Psaume 148*, 8, déclare que le feu, la grêle, la neige, la glace et le souffle de la tempête accomplissent le verbe de Dieu, c'est que « beaucoup de sots personnages n'ayant pas la force de voir ni de comprendre que la créature accomplit ses mouvements en leur place et dans leur ordre, selon l'approbation et le commandement de Dieu, il leur a semblé que Dieu gouverne bien tous les éléments supérieurs, mais qu'il n'a pour les inférieurs que mépris, répulsion, abandon, qu'il n'en a cure, ni ne les gouverne, ni ne les dirige; ces créatures inférieures seraient laissées à la direction du hasard, et iraient comme elles peuvent (...). Mais qu'à toi, elles ne paraissent pas livrées au hasard, ces créatures qui, dans tout leur mouvement, obéissent au verbe de Dieu » (*Sermons sur les Psaumes*, 148, 10-11). On reconnaît là que saint Augustin s'unit aux efforts des stoïciens et de Plotin contre la limitation de l'ordre cosmique préconisée par Aristote.

Mais il se sépare du néoplatonisme sur un autre problème relatif encore à l'extension de l'ordre cosmique : la totalité de l'ordre s'étend-elle jusqu'à son auteur, ou bien Dieu demeure-t-il transcendant à l'ordre qu'il a instauré? Plotin prend nettement parti pour l'immanence; l'auteur de l'ordre n'est pas pour lui le principe suprême, mais l'âme du monde, de sorte que l'ordre et l'organisateur ne font qu'un (*Ennéade IV*, 4, 10 et 16). Mais Augustin n'approuve pas cette thèse de l'immanence à l'ordre de l'auteur de l'ordre : « Comment Dieu gouverne-t-il toutes choses par le moyen de l'ordre? Est-ce de telle sorte qu'il se gouverne aussi lui-même par le moyen de l'ordre, ou bien gouverne-t-il tout le reste par le moyen de l'ordre, lui-même excepté? Là où toutes choses sont bonnes, l'ordre n'existe pas, car il règne alors une égalité absolue, qui ne requiert nullement l'ordre. Or on ne

peut nier qu'en Dieu tout soit bon. Il s'ensuit que ni Dieu, ni
les choses qui sont en Dieu, ne sont administrés par le
moyen de l'ordre » (*De l'ordre*, II, 1, 2). Dieu demeure
« élevé au-dessus de tous les êtres » (*Confessions*, II, 6, 13, 2),
et par conséquent au-dessus de leur ordre.

Cette idée essentielle, que le monde se distribue en un
certain nombre de degrés, revêt selon les moments diverses
présentations. Il arrive ainsi à Augustin de proportionner
l'ordre du monde au degré de mutabilité des êtres qui le
constituent; et comme la permanence dans l'unité conditionne l'être et la beauté, les dimensions de la mutabilité
définissent une hiérarchie ternaire : « Il existe une nature
muable dans le lieu et le temps, tel le corps; une nature
qui n'est muable en aucune façon dans le lieu, mais seulement dans le temps, telle l'âme; et enfin une nature qui ne
peut changer ni dans le lieu, ni dans le temps, et c'est Dieu
même (...). Mais nous disons que toute chose qui est, est
dans la mesure où elle demeure immuable et une, et toute
beauté a la forme de l'unité; dans ces conditions, tu vois
sans aucun doute, dans cette répartition des natures, ce qui
est suprême, ce qui est infime et cependant existe, enfin
ce qui est intermédiaire, supérieur à l'infime et inférieur au
suprême » (*Lettre 18*, 2). Une hiérarchie analogue, fondée
sur le même principe de discrimination, se retrouve dans
le commentaire d'Augustin *De la Genèse à la lettre* (VIII,
19, 38-20, 39 et 24, 45); la totale immutabilité de Dieu y
est fortement établie : Dieu n'est pas enfermé dans un lieu,
fini ou même infini, car la partie n'y est pas moindre que le
tout, alors qu'elle l'est dans toute réalité locale; il ne passe
pas davantage par une succession temporelle, finie ou
infinie, car il n'y a pas place en lui pour l'apparition d'éléments nouveaux ou la disparition d'éléments anciens, par
quoi se définit la mutabilité dans le temps; la créature spirituelle, c'est-à-dire l'âme, se meut dans le temps, comme
l'atteste la succession de ses états psychologiques, mais non
pas dans le lieu; la créature corporelle enfin est sujette au
mouvement local, ce qui entraîne qu'elle le soit aussi à la
mutabilité temporelle; et comme le muable est moins parfait

que l'immuable, on voit la hiérarchie qui se dégage de ces analyses. Toutefois, le commentaire sur la *Genèse* apporte une précision intéressante : non seulement l'âme humaine, mais aussi les esprits angéliques sont affectés de la mutabilité temporelle.

Tantôt Augustin, à la suite encore des néoplatoniciens, est frappé par l'existence de trois fonctions d'excellence croissante : être, vivre, comprendre, qui s'emboîtent de telle sorte que l'on ne peut posséder l'une d'elles sans réunir nécessairement les précédentes, mais de telle sorte aussi que la possession de l'une n'entraîne nullement celle des suivantes ; d'où une gradation ascendante des créatures :

> De ces trois choses : l'être, la vie, l'intelligence, la pierre a l'être, l'animal a la vie, sans pourtant, bien sûr, que la pierre ait la vie, ni l'animal l'intelligence ; mais celui qui a l'intelligence a aussi, sans aucune doute, l'être et la vie. C'est pourquoi je n'hésite pas à juger celui qui réunit ces trois choses plus excellent que celui qui manque de deux ou d'une d'entre elles. Car celui qui a la vie a bien aussi l'être, mais il ne s'ensuit pas qu'il ait encore l'intelligence : telle est, je pense, la vie des bêtes. Et d'avoir l'être n'implique nullement d'avoir la vie et l'intelligence : je peux affirmer en effet qu'un cadavre a l'être, mais nul ne dira qu'il a la vie, et ce qui n'a pas la vie a encore moins l'intelligence (*Du libre arbitre*, II, 3, 7).

L'application à l'univers de la précédente triade aboutit ainsi à le disposer selon trois niveaux : les corps inanimés, les vivants sans raison, les créatures spirituelles. Et ce triple clivage épuise l'ordre du monde : si l'on arrivait à découvrir, hors de lui, un quatrième genre de créatures, alors l'on pourrait se vanter d'avoir mis la main sur un bien qui ne provient pas de Dieu (*ibid.*, II, 17, 46). Aussi bien l'ordre du monde se répète-t-il à l'intérieur de l'homme, vrai microcosme où se récapitule l'univers. Augustin vérifie précisément ce phénomène de réduplication par l'exemple de l'être-vivre-comprendre, qui lui apparaît comme le commun diviseur du monde et de l'homme : « Il n'y a aucun abus à supposer que toute la création tient dans l'homme même. Car aucune créature ne peut être que spirituelle, comme c'est, à un degré éminent, le cas des anges ; ou bien animale, ce qui se manifeste bien jusque dans la vie des bêtes ; ou enfin corporelle, et alors visible et tangible. Or tous ces caractères sont aussi dans l'homme, parce qu'il se compose d'esprit, d'âme et de corps » (*Exposé de quelques propositions de l'Épître aux Romains*, 53).

Ailleurs, Augustin fonde la hiérarchie sur la consistance du bonheur : entre Dieu, qui est le bonheur même, et la matière, incapable de bonheur comme de malheur, s'insère l'homme, malheureux quand il se détourne vers le bas, heureux quand il se convertit vers le haut. Il y aurait encore une gradation des modes de connaissance : sensation, évocation des images sensibles, science des dispositions psychiques transitoires, connaissance de soi, contemplation de l'intelligence. Il faut noter que, dans chacune de ces présentations (et on en trouverait bien d'autres), l'ordre est ontologique, et non moral ; il se fonde sur la nature, et non sur le mérite ; à la différence de la philosophie grecque, Augustin tient par exemple que tout corps, fût-il céleste, est inférieur à toute âme, fût-elle vile. Cet ordre est beau et bon ; il est commode à Dieu, dont la causalité emprunte le canal des degrés supérieurs pour rejoindre les degrés les plus humbles. Il est facteur de paix, et offre le canevas sur lequel pourra broder la vie morale ; la destination de chaque degré est de se soumettre à celui qui le précède, et de se soumettre celui qui le suit ; l'esprit par exemple doit réduire la chair, mais déférer à Dieu ; pour le corps comme pour l'esprit, mourir, c'est perdre l'élément qui est au-dessus de lui. Enfin, l'ordre est un tout ; une défaillance locale dans ces rapports de subordination entraîne sa rupture totale.

Mais, outre cet aspect statique, par lequel l'ordre apparaît comme une pluralité de niveaux, il comporte un aspect

dynamique qui en fait un trajet d'escalade. Il est à la foi
un entassement d'étages, et l'escalier qui permet d'en faire
l'ascension, jusqu'à Dieu qui trône au sommet. D'où, pour
l'esprit humain, un double commandement : d'une part
l'injonction, d'inspiration stoïcienne, de s'en tenir dans le
cosmos à sa place, qui n'est ni la plus basse, ni la meilleure ;
d'autre part l'appel, autrement ouvert, à prendre appui sur
les marches les plus humbles pour se hausser jusqu'au
faîte. Cette dernière prescription constitue le nerf de toute
vie spirituelle, car l'ascension qu'elle encourage concerne
l'être non moins que la connaissance ; arriver par son moyen
à la connaissance de Dieu, c'est aussi en quelque sorte
s'assimiler à lui ; cette connaissance requiert en effet une
approche purificatrice par laquelle on s'efforce de se rendre,
autant que faire se peut, semblable à Dieu ; inversement, cet
effort vers la ressemblance divine s'appuie sur la connaissance ; grâce à cette conjonction de connaissance et d'assimilation, l'homme tend, bien que subsiste une distance
abyssale, à ne faire plus qu'un seul esprit avec Dieu. Si
cette unification demeure au stade de l'espoir, c'est que la
connaissance la plus poussée est toujours inadéquate à
son objet divin, et que la meilleure reste en définitive ignorance ; la notion de Dieu la plus approchante est de savoir
ce qu'il n'est pas ; car il n'est rien de ce que l'on peut imaginer
de la base au sommet de la création.

De telles notations montrent que c'est trop peu que de
relever chez Augustin des « éléments » de théologie négative ;
en réalité, on découvre sous sa plume le témoignage d'une
véritable prise de conscience de la double démarche, positive
et négative, propre à toute connaissance de Dieu. Il prévoit
l'objection que l'on peut opposer à la théologie affirmative, à
savoir qu'elle introduit l'anthropomorphisme dans la notion
de Dieu ; mais les analogies divines que cette méthode
observe dans la création ne sont pas forcément anthropo-
morphiques. La preuve en est que l'Écriture, dans un souci
de pédagogie, transporte en Dieu beaucoup de propriétés
appartenant à la créature corporelle et spirituelle, et ce
procédé n'a rien de scandaleux ; l'erreur serait au contraire

de prétendre attribuer à Dieu des qualités qui, pour ne pas se rencontrer dans la créature, n'ont cependant rien de divin :

La sainte Écriture, adaptée aux petits, n'a négligé aucune espèce de choses dont le vocabulaire fût capable, si l'on peut dire, de nourrir notre intelligence pour qu'elle s'élève, par une sorte de gradation, jusqu'aux réalités divines et sublimes. Elle s'est en effet servie de mots empruntés aux choses corporelles, voulant parler de Dieu, par exemple quand elle dit : « Protège-moi sous le couvert de tes ailes » (*Ps. 16*, 8). Elle a aussi transporté, tirées de la créature spirituelle, beaucoup de notions propres à signifier une réalité qui n'était sans doute pas telle, mais qu'il fallait exprimer ainsi; par exemple : « Je suis un Dieu jaloux » (*Exode*, xx, 5), et : « Je me repens d'avoir fait l'homme » (*Gen.*, vi, 7). Par contre, des choses absolument dénuées d'existence, elle n'a tiré aucun mot, dont elle aurait pu forger de belles formules ou d'impénétrables énigmes. Voilà pourquoi les rêveurs les plus dangereux sont ceux que sépare de la vérité l'attribution à Dieu de ce qui ne peut être rencontré ni en Dieu même, ni en aucune créature (...). Aussi les attributs réservés à Dieu et introuvables en aucune créature sont rares dans la divine Écriture (*De la Trinité*, I, 1, 2).

Dans ces conditions, la théologie affirmative se trouve garantie par l'usage qu'en fait l'Écriture; moyennant certaines précautions, elle conduit à une authentique connaissance de Dieu; la mépriser équivaut à introduire l'arbitraire dans la représentation de la nature divine, et expose aux pires égarements.

Or la structure ordonnée du monde tient une place décisive dans l'application de cette méthode; en effet, sachant que, dans la hiérarchie des créatures, telles réalités l'emportent sur les autres, l'on se fera une idée de la substance divine en amplifiant à l'infini les qualités des meilleures d'entre les créatures : « L'univers proclame qu'il a un Créateur transcendant, dont nous avons reçu une nature intelligente et raisonnable par laquelle nous voyons qu'il faut préférer (...) les êtres vivants à ceux qui ne vivent pas, les êtres doués de sentiment à ceux qui ne sentent pas. Par conséquent, et puisque, sans aucune hésitation, nous mettons le Créateur au-dessus des choses créées, il nous faut reconnaître (...) qu'il est doué et d'une vie suprême, et d'un sentiment universel » (*ibid.*, XV, 4, 6). Outre l'affirmation de la solidarité entre la théologie affirmative et la cosmologie hiérarchique, on aura relevé dans ce dernier texte une autre idée traditionnelle, à savoir que la méthode affirmative doit procéder à partir des qualités des créatures les plus proches de Dieu.

Mais le spectacle de l'univers hiérarchique demeure ambigu; nous venons de voir que, moyennant une infinie multiplication du meilleur, il peut conduire à une conception positive de Dieu; mais il parle plus souvent un autre langage, et, plutôt que ce que Dieu est, il indique ce qu'il n'est pas. Bien qu'antérieure à la connaissance adéquate, et plus qu'elle à notre portée, cette connaissance négative de Dieu est déjà méritoire et enviable. Comme il est naturel, la théologie négative d'Augustin est calquée sur la dialectique ascendante, et nie de Dieu toute identité avec le créé, en commençant par les niveaux les plus humbles :

Si vous ne pouvez maintenant comprendre ce que Dieu est, comprenez au moins ce que Dieu n'est pas; votre progrès aura été considérable, si vous n'avez pas conçu Dieu autrement qu'il n'est. Tu ne peux pas encore parvenir à ce qu'il est : parviens du moins à ce qu'il n'est pas. Dieu n'est pas un corps, il n'est pas la terre, ni le ciel, ni la lune, ni le soleil, ni les étoiles, ni aucune de ces substances corporelles. Car s'il ne se réduit pas aux corps célestes, combien moins aux terrestres! Elimine toute espèce de corps. Mais écoute encore ceci : Dieu n'est pas un esprit muable. Je reconnais certes (...) que, comme dit l'Évangile (*Jean*, IV,

24), « Dieu est esprit ». Mais dépasse tout esprit muable, dépasse l'esprit qui tantôt sait, tantôt ignore, tantôt se souvient et oublie (...). Tu ne trouves en Dieu aucune trace de mutabilité (*Traités sur l'Évangile de Jean*, 23, 9).

Augustin revient souvent sur cette liaison de la théologie négative et de la dialectique ascendante, avec encore plus de détails dans le dessin de celle-ci ; il y incorpore notamment la hiérarchie céleste :

> Dieu est ineffable ; nous disons ce qu'il n'est pas plus facilement que ce qu'il est. Tu penses à la terre : ce n'est pas Dieu ; tu penses à la mer : ce n'est pas Dieu. Tous les êtres qui peuplent la terre, hommes et animaux ? Rien de cela n'est Dieu. Tous les êtres qui habitent dans la mer, qui volent dans l'air ? Rien de cela n'est Dieu. Tout ce qui luit dans le ciel, étoiles, soleil et lune ? Ce n'est pas Dieu. Le ciel même n'est pas Dieu. Imagine les Anges, les Vertus, les Puissances, les Archanges, les Trônes, les Principautés, les Dominations : ce n'est pas Dieu. Qu'est-il donc ? Tout ce que j'ai pu dire, c'est ce qu'il n'est pas. Tu recherches ce qu'il est ? Il est « ce que l'œil n'a pas vu, ce que l'oreille n'a pas entendu, ce qui n'est pas monté au cœur de l'homme » (*Première Épître aux Corinthiens*, II, 9). Comment veux-tu que monte jusqu'à la langue ce qui ne monte pas jusqu'au cœur ? (*Sermons sur les Psaumes*, 85, 12).

Augustin tient pour la supériorité de la théologie négative ; certaines de ses déclarations paraissent même exclure toute autre méthode, et laissent entendre que, chaque fois que l'on est tenté de former de Dieu une représentation positive, l'on est assurément dans l'erreur ; ainsi ce passage d'un *Sermon sur les Psaumes* (26, 2, 8), où la théologie négative se trouve classiquement assimilée à la purification intellectuelle : « Que votre cœur dépasse toutes les idées reçues, que votre effort dépasse toutes vos notions courantes propres à la chair et tirées des sens charnels ; cessez d'imaginer je ne sais quels phantasmes. Rejetez de votre esprit tout contenu, niez tout ce qui se présentera à votre pensée ; prenez conscience de l'insuffisance de votre cœur, et, dès que s'offre à vous une représentation pensable, dites bien : ce n'est pas cela ; si c'était cela, ce ne me serait pas encore venu à l'esprit. »

La même valeur exclusive est conférée à la théologie négative dans un célèbre passage du dialogue *De l'ordre* (II, 16, 44 et 18, 47), où l'ignorance est donnée pour le meilleur moyen de saisir « ce Dieu suprême, que l'on connaît le mieux en ne le connaissant pas », ce « Père de l'univers, dont l'âme n'a aucune connaissance, sinon de connaître combien elle ne le connaît pas ». Cette supériorité reconnue à la « docte ignorance » de Dieu s'inscrit dans la ligne de Plotin ; toutefois, d'autres textes d'Augustin, au lieu de présenter la théologie négative comme une connaissance ultime et infranchissable, lui accordent un caractère inchoatif et protreptique, et laissent entendre qu'elle puisse déboucher sur une saisie positive de l'essence divine : « Ce n'est pas un médiocre début de notre représentation de Dieu, si, avant de pouvoir connaître ce qu'il est, nous commençons dès à présent à connaître ce qu'il n'est pas » (*Lettre 120*, 3, 13) ; seulement, il est à croire que cette appréhension directe de Dieu, à laquelle prépare la méthode négative (du moins le laisse-t-on espérer), ne recouvre nullement la théologie affirmative, qu'elle est d'ordre mystique, et non rationnel ; en conséquence, bien qu'il ait défendu la légitimité et les mérites de la connaissance analogique de Dieu, c'est bien à la théologie négative qu'Augustin décerne la palme parmi les procédés rationnels d'exploration de l'essence divine.

De même que l'ordre du monde était susceptible de plusieurs coupes, l'ascension dialectique qui s'y appuie peut emprunter divers itinéraires, dont les extrêmes coïncident. Elle peut être strictement intellectuelle, et se modeler, comme dans les commentaires de la *Genèse*, sur les divers

niveaux de la connaissance, successivement sensible, ima-
ginative, intelligible. Elle peut de même, c'est le cas dans le
traité *De l'ordre*, épouser la gradation des sciences de plus
en plus pures : grammaire, dialectique, rhétorique, musique
— qui conduit du son sensible aux rythmes qui le structurent,
puis aux nombres éternels qui en sont le substrat intelligible —, géométrie, astronomie, philosophie. Mais le schéma
dialectique le plus courant, et le moins original, puisqu'il
est un des lieux du platonisme, parcourt les degrés de la
réalité, et se fait jour par exemple aux livres VII et IX des
Confessions et dans certains *Traités sur l'Évangile de Jean* :
on envisage le monde des corps, terrestres et célestes, puis
l'on rentre en soi-même où l'on découvre l'intelligence,
avant de la dépasser pour trouver une « lumière immuable »,
une « région d'incessante fécondité », qui est toute divine.

Conformément à une tradition philosophique qui remonte
au *Phèdre* et au *Banquet* platoniciens, la dialectique ascendante s'appuie souvent chez Augustin sur les degrés de la
beauté : la splendeur de la terre et du ciel peut susciter notre
admiration et notre louange, mais ne doit pas arrêter notre
soif, qui ne peut se satisfaire que du Créateur (*Sermons sur
les Psaumes*, 41, 7). Commentant le *Psaume 148*, 14 : « La
louange de Dieu est dans la terre et le ciel », Augustin imagine
que le cantique de louange chanté par ces créatures muettes
n'est autre que leur beauté, par laquelle elles renvoient
à leur Créateur, infiniment plus beau qu'elles-mêmes :

> La beauté de toutes ces choses est en quelque sorte
> leur voix, par laquelle elles louent Dieu. Le ciel crie
> vers Dieu : C'est toi qui m'as fait, et non moi-même.
> La terre crie : C'est toi qui m'as créée, et non moi-
> même. Comment font-elles entendre ces cris? C'est
> quand on les regarde que l'on fait cette découverte;
> c'est parce que tu les regardes qu'elles crient, et par ta
> voix. Observe le ciel, il est beau; observe la terre,
> elle est belle; l'un et l'autre ensemble sont très beaux
> (...). Mais tout ce qui te plaît dans ces choses est infé-
> rieur à leur Créateur même. Que le plaisir que tu prends

à ce qui a été fait ne t'écarte donc pas de celui qui l'a
fait; mais si tu aimes ce qui a été fait, aime bien davantage celui qui l'a fait. Si ce qui a été fait est beau,
combien plus beau celui qui l'a fait! (*Ibid.*, 148, 15).

Mais, plus encore que la beauté de l'univers physique, c'est
celle des corps humains et des âmes qui nous attire; aussi
faut-il faire remonter notre amour jusqu'à celui qui en est
l'artisan (*Confessions*, IV, 12, 18, 1 sq.). Car la dialectique
de la beauté se confond avec celle de l'amour. Or il y a un
ordre de l'amour. Que ce soit en soi-même ou chez autrui,
il faut aimer l'âme plus que le corps; c'est cette préférence
que l'on observe dans l'amitié chaste, où l'ami aime chez
son ami la fidélité, la bienveillance, etc., c'est-à-dire son
âme; même dans l'amour charnel, qu'embrase la beauté des
corps, l'amant aime à être aimé en retour, ce qui signifie
qu'il hausse en quelque sorte son amour au plan de l'âme.
Mais, infiniment plus que l'âme même, il faut aimer Dieu;
au-dessus des « amoureux des corps », et aussi des « amoureux
des âmes », il y a les « amoureux de Dieu ». C'est que cette
hiérarchie des amours repose sur une action causale, par
laquelle l'âme, qui rend le corps aimable, est elle-même
rendue aimable par Dieu : « C'est Dieu qui rend les âmes
belles. De même en effet que l'âme est cause de la beauté
dans le corps, de même Dieu l'est pour l'âme. Car seule
l'âme donne au corps d'être aimé : quand elle l'a quitté, il
ne reste qu'un cadavre qui te fait horreur et, quel que soit
l'amour que tu as porté à ces membres ravissants, tu
t'empresses de les enterrer. La beauté du corps, c'est donc
l'âme; et la beauté de l'âme, c'est Dieu » (*Traités sur l'Évangile de Jean*, 32, 2-3).
Parfois la même ascension dialectique substitue à la
notion de beauté celle, toute voisine, de « bonté » : toutes
les créatures sont bonnes, le ciel, le soleil, la lune, les étoiles,
la terre et tous ses habitants; mais il y a bonté et bonté;
la Bonté en soi de Dieu est à distinguer de la bonté des
créatures, qui est simplement participée : « Toutes ces
choses, je dis qu'elles sont bonnes, mais je le dis avec leurs

noms : bon ciel, bon ange, homme bon. Or, quand je me reporte à Dieu, j'estime que rien de mieux ne peut être dit de lui que sa bonté. Le Seigneur Jésus-Christ lui-même a dit : « L'homme bon » (*Matth.*, XII, 35), et ailleurs : « Nul n'est bon, que Dieu seul » (*Marc*, X, 18). N'était-ce pas pour nous exciter à rechercher et à distinguer ce qui est bon d'une bonté étrangère, et ce qui est bon de sa propre bonté? Combien donc est bon celui par qui toutes choses sont bonnes! Car tu ne saurais trouver aucune chose bonne qui ne le soit pas par lui » (*Sermons sur les Psaumes*, 134, 4).

On aura remarqué que beaucoup des textes où s'exprime cette ascension spirituelle par les degrés de la création sont empruntés aux *Sermons sur les Psaumes*. Ce n'est pas par hasard. On sait en effet que certains psaumes sont des chants de marche, des « cantiques des degrés », dont les Juifs scandaient leurs processions; il y est question d' « ascensions », qui, dans l'intention du psalmiste, désignent les routes qui, de tous les points de la Palestine, montaient vers Jérusalem. Augustin transpose ces déplacements locaux en mouvements spirituels; tous les versets du psaume sont interprétés dans cette nouvelle perspective, et en quelque sorte dé-spatialisés. L'échelle des ascensions physiques fait place à une remontée intérieure, par laquelle on s'approche de Dieu :

Dans son ascension, où allait-il lever les yeux, sinon sur le terme vers quoi il était tendu et voulait monter? De la terre en effet il monte au ciel. Voilà, en bas, la terre, que nous foulons de nos pieds; et voici, en haut, le ciel, que nous voyons de nos yeux; dans notre ascension nous chantons : « Vers toi j'ai levé mes yeux, toi qui habites dans le ciel » (*Psaume 122*, 1). Mais où est l'échelle? Car nous apercevons tant d'intervalle entre le ciel et la terre! Un si grand espace les sépare! C'est là que nous voulons monter, et nous ne voyons pas d'échelle; serait-ce que nous nous méprenons en chantant un « Cantique des degrés », c'est-à-dire un cantique d'ascension? Nous montons vers le ciel, si nous méditons sur Dieu, qui a disposé dans notre cœur des moyens

de monter. Qu'est-ce que monter dans son cœur? C'est
s'approcher de Dieu. Quiconque s'en détache tombe
plutôt qu'il ne descend; de même quiconque s'en
approche monte (*Sermons sur les Psaumes*, 122, 3).

Il est d'autres itinéraires plus spécifiquement chrétiens,
utilisant comme médiateur le Dieu fait homme, dont
Augustin déplorait l'absence dans le néoplatonisme. Un
commentaire au *Sermon du Seigneur sur la montagne* offre
ainsi comme paliers de l'ascension dialectique les huit Béati-
tudes : humilité, docilité à l'Écriture, regret lucide d'avoir
méprisé le souverain Bien, rupture laborieuse d'avec les
biens terrestres, appel au secours divin, purification de
l'intelligence, contemplation pacifiante de la vérité, enfin
possession du Royaume des cieux, — quand ce n'est pas
les sept dons du saint Esprit. Surtout, l'Église constitue
aux yeux d'Augustin le milieu indispensable à l'accomplissement de toute purification, à l'éclosion de toute sainteté;
aucune approche dialectique de Dieu ne pourra donc
s'effectuer hors d'elle. Commentant le *Psaume 41*, il voit
dans le cerf qui soupire vers les sources des eaux l'image de
l'âme éprise d'union mystique; mais l'accès à la « maison de
Dieu », terme du voyage, passe par une « tente admirable »
(verset 5); cette tente représente l'Église, indispensable
médiation : « Car je serai dans l'erreur si je cherche mon Dieu
hors du lieu de cette tente » (*Sermons sur les Psaumes*, 41, 9).
Et après que la maison de Dieu a dû être abandonnée
aussitôt qu'atteinte, dans les soupirs, la nostalgie et les
doux reproches, c'est encore la tente de l'Église qui s'ouvre
à l'âme déçue comme le lieu où elle pourra le mieux entre-
tenir le souvenir de son expérience surhumaine et en préparer une nouvelle tentative.

La théologie de la grâce

S'il est vrai que le génie consiste à exploiter dans l'âge
mûr de profondes impressions de jeunesse, la théologie

augustinienne s'en trouve marquée sans contredit ; car elle
se définit souvent par la mise en œuvre d'observations
psychologiques d'une incomparable finesse auxquelles
Augustin, très tôt, excella. Bien que l'utilisation théologique de la psychologie ne soit pas exempte de tout risque
épistémologique, c'est là que réside sans doute le secret de la
séduction et du succès d'Augustin théologien ; en le lisant,
on éprouve à chaque instant, sans risque d'erreur, la certitude de toucher le fond de l'âme humaine. Le plus célèbre
exemple de cet emploi de la psychologie à des fins théologiques apparaît dans les derniers livres du traité *De la
Trinité*, où Augustin, avec une admirable pénétration,
éclaire analogiquement la Trinité divine par plusieurs
triades qu'il observe dans l'esprit de l'homme. On découvri-
rait le même procédé dans les exposés de sa christologie
contre le moine Léporius, nestorien avant la lettre. Mais nous
n'insisterons ici que sur sa doctrine de la grâce, parce qu'elle
est l'élément à la fois le plus important de sa synthèse théologique, et le plus révélateur de sa manière propre ; il est
vraisemblable que le vieil évêque d'Hippone aurait conçu
différemment le processus de la justification, si le jeune
Augustin n'avait lui-même fait l'expérience du péché et
senti la main de Dieu l'en arracher, impérieusement et
comme malgré lui.

C'est à l'occasion de la controverse pélagienne qu'Augustin
élabora sa doctrine de la justification. Pélage était breton
(entendons que, malgré son nom grec, il était né en Grande-
Bretagne, ou peut-être en Irlande). Le personnage était
pittoresque, et ses premiers adversaires, Jérôme et le jeune
polémiste espagnol Orose, ont laissé de lui un portrait
peu flatté : un gros « chien de montagne », un grand « abruti »
tout « alourdi de *porridge* écossais », un obèse qui procède
« d'un pas de tortue » ; comment ce bélier aux flancs duquel
« pend le lard », qui passe sa vie dans les thermes et dans les
banquets, franchira-t-il « la porte étroite » ? Ce qui est certain, c'est que ce corps mafflu abritait une âme de qualité.
Lorsque Pélage vint à Rome, vers 380, la situation morale
de l'Église chrétienne laissait à désirer ; les conversions se

faisaient en masse à cette religion patronnée par le pouvoir
impérial, sans que les intentions fussent toujours des plus
pures; on ne requérait des nouveaux chrétiens que la foi à
Jésus fils de Dieu et crucifié, compatible avec une vie
morale sans excès de scrupule; on recrutait ainsi, de l'aveu
même d'Augustin, des ivrognes, des usuriers, « des adultères
des deux sexes, voire des prostituées qui n'interrompaient
pas pour autant l'exercice de leur abominable profession »;
ces curieux « convertis », forts de l'approbation de Jovinien
et bercés par la sécurité d'une grâce automatique et extérieure, tenaient que les œuvres sont superflues pour qui a la
foi. Il fallait qu'une voix s'élevât pour rappeler les notions
d'effort, de responsabilité, de sanction, de devoir. Ce fut
celle de Pélage.

Comme Luther devait le faire plus tard, il exprima sa
doctrine à l'occasion d'un commentaire de l'*Épître aux
Romains*, avec le sentiment très vif de la liberté humaine,
que ne saurait contraindre aucun déterminisme. Il admet
le fait historique du péché d'Adam, mais non pas que sa
prévarication ait rejailli inéluctablement sur ses descendants.
Il voit dans cette dernière croyance une adhésion au traducianisme, pour lequel les âmes des enfants, comme leurs
corps, sont engendrées par les parents; mais alors, pourquoi
l'hérédité jouerait-elle pour le péché plutôt que pour la
sanctification? Non que le péché d'Adam n'ait pas eu de
suites désastreuses : il a introduit dans le monde la mort
physique et spirituelle; il a été l'initiation à un esprit de
désobéissance qui s'est généralisé et invétéré dans l'humanité, mais simplement par imitation et par coutume; il n'a
eu la portée que d'un détestable exemple. Par conséquent,
la domination de la concupiscence n'est qu'un leurre, une
invention du pécheur en mal d'excuse. Nous sommes entièrement responsables de notre conversion comme de notre persé-
vérance. Sans doute la grâce divine est-elle gratuite; mais
elle n'est pas la liberté arbitraire d'une divinité capricieuse
ou partiale; le choix divin se fonde sur une prévision des
mérites ultérieurs, qui ne comporte aucune détermination
attentatoire à notre liberté, et Pélage ramenait à cette

simple « prescience » la « prédestination » dont parle saint Paul.
Cette doctrine exprime vigoureusement l'horreur du fata-
lisme et le sentiment ardent de la liberté, franche de toute
contrainte héréditaire ou métaphysique ; par cette théologie
austère et cependant confiante, Pélage voulait réagir contre
le préjugé d'impuissance à l'abri duquel les âmes paresseuses
cherchaient une excuse à leurs fautes. Ces vues, qui corres-
pondaient si bien au tempérament traditionnel des Romains,
connurent vite un grand succès.

C'est après 412 qu'Augustin entra en lice contre Pélage,
que desservait l'ardeur provocante de ses disciples Célestius
et Julien, évêque d'Eclane en Apulie. Sur la question du
péché originel, Augustin fait fonds sur l'*Epître aux Romains*
(v, 12), où il est dit que « de même que c'est par un seul
homme que le péché est entré dans le monde, et par le
péché la mort, de même la mort a passé dans tous les hommes,
parce que tous ont péché ». Les pélagiens entendaient ce texte
littéralement : ils y voyaient seulement l'affirmation
qu'Adam fut le premier pécheur, hélas imité par ses descendants, et n'y trouvaient de transmission que celle de la mort
rien en tout cas qui établît l'existence d'un péché originel.
Pour y découvrir cette dernière notion, Augustin entendit
plus subtilement la citation : Paul n'a pu vouloir dire
qu'Adam fut le premier pécheur, puisque le premier pécheur
fut le diable ; s'il écrit que le péché est entré dans le monde
par Adam, c'est qu'il s'agit bien de transmission, non
d'imitation. De plus, soit qu'il lût un texte fautif, soit qu'il
ait pris sur lui de l'amender, Augustin n'entend pas que ce
soit la mort qui ait passé dans tous les hommes, mais bien
le péché. Enfin, ce qui représente encore une interprétation,
il comprend que tous ont péché *dans* Adam. La base scrip-
turaire de la doctrine du péché originel telle que voulait
l'exprimer Augustin était donc fragile et sujette à discussion.
Aussi lui adjoint-il un appel à la tradition des Pères et à la
pratique courante de l'Église. Surtout, il s'aidait d'une
observation qui l'avait toujours frappé, ainsi qu'en témoignent déjà les *Confessions*, celle de la souffrance des enfants ;
elle ne peut être une peine méritée par des péchés personnels,

ni un remède pour exercer la vertu de ceux qu'elle afflige ; si l'on ne veut pas accuser Dieu de cruauté et d'injustice, il reste donc qu'elle soit la juste punition d'une faute originelle. Quant à déterminer en quoi consiste, chez nous, le péché d'origine, Augustin, mêlant toujours l'analyse psychologique et le souvenir de ses propres débordements, désigne la concupiscence désordonnée, spécialement sexuelle.

Le péché originel détruit notre liberté ; bien que nous ne le fassions pas nécessairement, nous ne pouvons pas, de nous-mêmes, ne pas pécher. En stricte justice, le genre humain est damné dans son universalité, il est une « masse de péché et de perdition ». Seule la grâce peut nous tirer de l'abîme ; bien qu'elle respecte le libre arbitre du sujet qui la reçoit, elle est en fait contraignante et irrésistible. Pour Pélage, la prédestination se fondait sur la prescience : Dieu, prévoyant comment chaque homme se conduirait librement dans la vie morale, fixait par avance, d'après cette évaluation, son sort dernier. Pour Augustin, la prédestination est au contraire absolue, décisoire et discrétionnaire : Dieu choisit d'abord ses élus, puis leur donne les moyens de correspondre à cette élection ; elle ne tient pas compte des mérites futurs, qui au contraire en découlent ; selon l'expression consacrée, elle est *ante praevisa merita*.

Le langage du vieil évêque était dur à entendre ; il n'est pas en tout cas dépourvu d'une âpre grandeur, sans aucune concession au sentiment, sans aucun sourire à la sagesse du monde, et, qui mieux est, sans aucun souci de l'apologétique ; l'humanisme n'y trouve pas son compte, mais la volonté impénétrable et souveraine de Dieu en est magnifiquement glorifiée. Cet altier théocentrisme informe plus généralement la morale augustinienne. La question se posera par la suite de savoir si Dieu se soumet aux valeurs (Descartes dira : aux vérités éternelles), ou bien s'il les crée librement. La réponse d'Augustin n'est pas douteuse : Dieu crée les valeurs comme un monarque fait des lois de son royaume, sans autre règle que son bon plaisir ; il aurait pu les créer tout autres, il peut les modifier une fois créées. C'est surtout vrai des valeurs morales, qui ne prennent de sens que pour l'âme qui sait les rapporter à la discrétion de Dieu; approfondissant l'enseignement de saint Paul, Augustin tient que les œuvres extérieures ou antérieures à la justification sont incapables de coefficient moral; les actes les meilleurs en apparence ne sont que péché s'ils ne procèdent pas de la justification, et inversement. Dieu ne veut pas le bien parce que bien, mais le bien est bien parce que Dieu le veut; il n'y a pas d'action bonne absolument, mais seulement celle que Dieu commande *hic et nunc.* Cette remise de la morale entre les mains de Dieu peut devenir génératrice d'angoisse : l'obéissance aveugle d'Abraham est le seul facteur de moralité; mais comment s'assurer que c'est la voix de Dieu que l'on entend, et nulle autre? La contrepartie est une sécurité par laquelle on cesse de s'étonner des variations de la loi morale : car, si l'échelle du mieux et du moins bien est abandonnée à sa volonté, Dieu peut la modifier à son gré; ainsi l'actuelle supériorité éthique de la virginité relativement au mariage n'a pas toujours été en vigueur; aux temps prophétiques où il importait d'assurer la prolifération du peuple juif et l'ascendance charnelle de Jésus, la hiérarchie des biens était inverse, et l'enfantement meilleur que la continence.

Bibliographie

E. Gilson : *Introduction à l'étude de saint Augustin*, 2e édition, collection « Études de Philosophie médiévale », 11, Paris, 1943.

P. Courcelle : *Les lettres grecques en Occident, de Macrobe à Cassiodore*, 2e édition, dans « Bibliothèque des Ecoles françaises d'Athènes et de Rome », 159, Paris, 1948.

P. Courcelle : *Recherches sur les « Confessions » de saint Augustin*, Paris, 1950.

J. Fontaine : *Isidore de Séville et la culture classique dans l'Espagne wisigothique*, 2 vol., Paris, 1959.

VIII

PHILOSOPHIE ET THÉOLOGIE DE L'ISLAM A L'ÉPOQUE CLASSIQUE

par Abdurraman BADAWI

Introduction de la philosophie grecque chez les Musulmans

L'éveil de la pensée, aussi bien théologique que philosophique, est étroitement lié à la diffusion, au pays d'Islam, de la pensée grecque. A partir de la deuxième moitié du VIIIe siècle, les traductions se succèdent à un rythme toujours plus accéléré. Déjà au milieu du Xe siècle, le *Corpus aristotelicum* tout entier, trois dialogues de Platon, un grand nombre de commentateurs des œuvres d'Aristote, des extraits des trois dernières *Ennéades* de Plotin, des paragraphes appréciables tirés de quelques traités de Proclus, des recueils de sentences et apophtègmes, et surtout un très grand nombre des ouvrages apocryphes attribués à Aristote, Platon, et d'autres philosophes grecs mineurs — tous ces textes sont traduits en arabe : quelquefois directement du grec; d'autrefois, par l'intermédiaire du syriaque. Parmi les traducteurs, il faut signaler les noms de Hunain Ibn Ishâq, son fils Ishâq, Dosta Ibn Lûqâ, Yahyà Ibn Adyy, Abû Uthmân ab-Dimashqî, Ibn Lurah et Ibn al-Bitriq. Leurs traductions sont pour la plupart exactes et témoignent d'une profonde connaissance du grec ou du syriaque. Ils tâchaient d'établir critiquement le texte et de le collationner sur plusieurs manuscrits avant de commencer leur travail. Aussi leurs traductions peuvent-elles nous servir encore aujourd'hui pour corriger les textes grecs eux-mêmes. Un bon nombre de textes grecs perdus nous sont restitués maintenant grâce à ces traductions arabes [1].

Le rôle de la philosophie grecque dans la formation de la pensée théologique et philosophique arabe sera immense. Aristote dominera la scène, un Aristote teinté de plotinisme, en raison d'une fausse attribution des textes tirés des *Ennéades* de Plotin à Aristote. Par là une sorte de mélange aristotélo-platonicien constituera le fonds de la philosophie grecque connue des Arabes.

al-Kindi (mort vers 873)

Le premier arabe à mériter le nom de « philosophe » fut al-Kindi. De pure race arabe, d'une connaissance encyclopédique extraordinaire il embrassa toute la scène grecque : philosophie, physique, mathématiques et musique, comme en témoigne la liste de ses ouvrages (pas moins de 265 [2] !). De ceux-ci nous avons encore une trentaine en arabe [3], et quatre en traduction latine (*de Intellectu, de Somno et Visione, de quinque Essentiis, Liber introductorius in artem logicae demonstrationis* — ce dernier ayant été plutôt écrit par un disciple).

Grand humaniste et plus vulgarisateur qu'esprit original, al-Kindi fut le précurseur de cet aristotélisme arabe qui atteindra son apogée chez Avicenne, et qui est dosé d'un certain platonisme ou plotinisme plus ou moins pur.

La métaphysique, selon al-Kindi, est la science de ce qui n'est pas mobile. Dieu est le créateur du monde. Celui-ci n'est pas éternel. Son argument pour prouver que le monde

1. Voir notre livre : *La transmission de la philosophie grecque au monde arabe*. Paris, Vrin, 1968.
2. Voir G. FLÜGAL : *Al-Kindi genannt der Philosoph der Araber*, 1857; Abbino NAGY : *Die philosophischen Abhandlungen des I àqûb ben Ishâq al-Kindi* (in *Beitrage zur Geschichte der Philosophie des Mittelalters*, Band II, Heft), Münster, 1897.
3. Édités par Abû Rîda, Le Caire, 2 vol. 1952 ou 53 : ils sont au nombre de vingt-cinq.

est créé se fonde sur le principe de finitude de tout ce qui existe en acte. Par là, il se range parmi les partisans de Platon. Pour lui, en effet, le monde est nécessairement fini; les preuves qu'il donne sont tirées des sciences mathématiques. Le temps aussi est fini, puisqu'il est impossible qu'il soit infini dans le passé. En tant que fini, le monde doit être créé. Le créateur est *un* absolument; il n'a ni matière, ni forme, ni quantité, ni qualité, ni relation; on ne peut lui attribuer aucun prédicat : genre, différence, accident; c'est l'unité pure. On ne peut pas dire non plus de lui qu'il est mouvement, ou âme, ou intelligence, ou tout, ou partie. On voit par là qu'al-Kindi ne donne à Dieu aucun attribut positif. Il croit en la création *ex nihilo* du monde par Dieu, sans aucun intermédiaire. La théorie plotinienne des émanations lui reste étrangère. Pourtant, il croit que la sphère extrême est vivante et intelligente »; elle obéit à Dieu, et transmet la vie aux êtres vivants dans le monde.

L'âme humaine est, pour lui, une substance spirituelle, immortelle, simple; son essence est divine; elle agit sur le corps sans le pénétrer à la manière des objets corporels. Quand elle se libère des désirs et se consacre à la spéculation, elle habitera le monde intelligible; elle ressemblera à Dieu, se pénétrera de sa lumière; elle sera comme un miroir qui reflète l'essence divine. L'âme est toujours en éveil, toujours en vie. Le sommeil n'est que le sommeil des sens. Dans sa doctrine sur l'âme, on voit bien qu'il a été très influencé par Platon et Plotin.

L'intellect est de quatre espèces : 1. l'intelligence qui est toujours en acte; 2. l'intellect qui est en puissance; 3. l'intellect qui passe de puissance en acte *(cum exit in anima de potentia ad affectum)*; 4. l'intellect qu'on nomme démonstratif *(quem vocamus demonstrativum)*. Mais on peut les ramener à deux : l'intelligent agent, cause de toutes les intellections, et l'intellect humain, qui est en puissance dans l'âme et devient ensuite intellect en acte et acquis. L'intellect démonstratif est l'intellect acquis : c'est-à-dire celui qui acquiert *l'habitus* de la vérité. L'intellect humain est individuel. On verra plus tard combien al-Kindi était loin, dans sa théorie de l'intellect, des idées que vont élaborer les philosophes musulmans : seul, le premier intellect, qui est toujours en acte, connaîtra une grande fortune, étant presque divin, puisqu'il est supposé en dehors de l'âme. D'ailleurs, al-Kindi a emprunté ces divisions de l'intellect à un traité d'Alexandre d'Aphrodise, intitulé chez les latins *De intellectu et intellecto*, et qui est un extrait de son grand ouvrage : *De anima*.

Au point de vue religieux, al-Kindi se maintient rigoureusement dans les limites de l'Islam. Il défend la prophétie, montre son excellence par rapport à la science humaine ; il va même jusqu'à dire que quelques versets de Dur'ân contiennent plus de philosophie que toute la philosophie inventée par les hommes.

al-Fârâbi (mort en 950)

D'une pensée beaucoup plus originale et plus vigoureuse, al-Fârâbi mérite le surnom qu'on lui a donné, « le deuxième maître », c'est-à-dire : après Aristote. Né dans le district de Fârâb dans le Turkestan, d'origine persane, il a étudié la logique auprès de Yuhannâ ibn Hailân à Bagdad ; après quoi il s'est appliqué à l'étude de différentes branches de la philosophie des mathématiques et de la musique. Il est allé à la cour de Saif al-Dawlah al-Hamdâni à Damas, où il est mort en 950. Sa production fut immense : des commentaires sur la plupart des œuvres d'Aristote, sur quelques traités d'Alexandre d'Aphrodise, des œuvres originales dont il faut signaler surtout : *Les idées des habitants de la cité vertueuse, Conciliation de Platon et d'Aristote, Gemmes de sagesse, Aphorismes du politique, Grand traité de musique, Les conditions de la certitude, La grande rhétorique* et *Les lois de la poétique.*

Al-Fârâbi a essayé la première grande synthèse entre Platon et Aristote, qu'il croyait conciliables. Il a opéré cette synthèse grâce à un traité attribué à Aristote, mais qui est en fait un extrait des *Ennéades* IV-VI de Plotin, intitulé

Théologie d'Aristote. Il connaissait à fond les œuvres des deux grands philosophes, l'histoire de la philosophie grecque et l'ensemble des doctrines scientifiques.

La philosophie première

Dans plusieurs traités, al-Fârâbi traite du problème de Dieu. Dans la *Cité vertueuse*, il nous donne au début un résumé de ses idées à ce sujet. En voici quelques extraits [1] :

> L'être premier est la cause première de l'existence de tous les autres êtres. Il est exempt de toutes sortes d'imperfection... ainsi son être est le meilleur... Il ne peut y avoir d'être meilleur que Lui, ni antérieur à Lui... Il est impossible qu'il contienne de l'être en puissance, sous n'importe quel aspect. Il n'est pas possible qu'il n'existe pas, sous n'importe quel rapport. Par conséquent, Il est sans commencement, permanent par sa substance et son essence... Il se suffit pour subsister et durer. Il ne peut y avoir absolument aucun être pareil au sien, ni non plus aucun être du même rang qui pourrait lui appartenir ou le compléter... Il se diversifie, par sa substance, de tout autre, et son être ne peut appartenir à nul autre que lui. Car il ne peut exister entre tout être ayant un tel être et un autre être qui aurait également cet être, aucune diversité ni altérité. Il n'y aurait plus deux êtres, mais une seule essence... Il ne peut avoir de contraire... Il est seul de son degré... Le premier est indivisible dans sa substance.

Pour expliquer la genèse du monde, al-Fârâbi emprunte à Plotin sa théorie de l'émanation. Du premier (= Dieu) procède l'être. « Dès lors que le premier a l'existence qui lui est propre, il s'ensuit nécessairement que procèdent de Lui,

---

1. AL-FÂRÂBI : *Idées des habitants de la cité vertueuse.* Traduit par Jansen, Karam et Chlala. Le Caire, Ifao, 1949.

chacun selon son être, tous les êtres, dont l'existence ne dépend pas de la volonté de l'homme ou de son choix... Il n'a pas besoin, pour qu'un autre être procède de Lui, d'avoir en Lui autre chose que son essence, ni d'un accident ou d'un mouvement qui lui ajoute un mode qu'Il ne possédait pas, ou d'un instrument étranger à son essence. »

Il existe une hiérarchie parmi les êtres. Les êtres, en effet, procède de la substance du Premier, selon une certaine hiérarchie. Pourtant, ils forment comme un seul être. Voici comment ils s'ordonnent :

« Du premier découle l'être du second, lequel est aussi une substance incorporelle, et qui n'est pas dans une matière. Il intellige son essence et intellige le premier, et ce qu'il intellige de son essence n'est pas autre chose que son essence. En tant qu'il intellige quelque chose du premier résulte nécessairement de lui l'être d'un troisième. En tant qu'il est constitué substantiellement dans son essence propre, résulte nécessairement de lui l'être du premier ciel. » Et ainsi de suite jusqu'à l'être onzième, qui est la dernière et dixième intelligence, et qui régit le monde sublunaire. Il y a donc dix Intelligences dont la première est celle du premier ciel, et les neuf autres sont successivement celles des sphères des étoiles fixes de Saturne, Jupiter, Mars, le Soleil, Vénus, Mercure, la Lune. A la sphère de la Lune se termine l'être des corps célestes, lesquels, de par leur nature, se meuvent circulairement. Les êtres sublunaires sont soit naturels, soit volontaires, soit à la fois naturels et volontaires. Chacun d'eux est constitué de deux éléments : la matière et la forme.

Les Intelligences sont des êtres séparés; chacune est unique dans son être et son degré : son être ne peut appartenir à nul autre que lui, car si un autre participait de son être, cet autre — s'il en est distinct — posséderait nécessairement quelque chose qui le diversifierait de celui-ci.

Le monde sublunaire est entièrement régi par les sphères célestes, mais al-Fârâbî ne veut pas du tout dire par là qu'il croit à l'astrologie, qui attribue les événements de ce monde aux influences des astres.

L'être se divise en contingent et nécessaire : le premier

a une cause, le second est sans cause. Cette distinction capitale servira à saint Thomas d'Aquin comme fondement à une preuve de l'existence de Dieu, la troisième.

La psychologie

Al-Fârâbi distingue quatre sortes d'intellects : intellect en puissance, l'intellect en acte, l'intellect acquis et l'intellect agent (*De intellectu et intellecto*, pp. 82-84).

> L'intellect humain est une certaine disposition dans une matière préparée à recevoir les formes des intelligibles : il est donc intelligence en puissance... Les intelligibles en puissance deviennent intelligibles en acte quand ils sont intelligés en acte par l'intellect. Ils ont besoin d'autre chose qui les fasse passer de la puissance à l'acte. L'agent qui les fait passer de la puissance à l'acte est une essence dont la substance est une intelligence en acte et est séparée de la matière. Cette intelligence donne à l'intellect hylique, lequel est intelligence en puissance, quelque chose correspondant à la lumière que le soleil donne à la vue. Le rapport de cette intelligence ajouté à l'intellect hylique est semblable à celui du soleil à la vue... De même, cette intelligence en acte fournit à l'intellect hylique quelque chose qu'elle y imprime... l'intellect hylique devient alors lui-même intelligence en acte après avoir été intelligence en puissance. L'action de cette intelligence séparée dans l'intellect hylique est semblable à l'action du soleil dans la vue. Pour cela, elle a été appelée l'intellect agent. Son rang, parmi les substances séparées qui sont au-dessous de la cause première est le dixième. L'intellect hylique s'appelle l'intellect patient. (*Idées des habitants...*, p. 66, éd. citée.)

L'intellect acquis correspond à l'intellect participé des philosophes grecs : c'est l'intellect actif quand il s'approprie les formes immatérielles.

La liberté appartient en propre à l'homme; elle est la faculté de vouloir ce qui est possible; elle procède de la réflexion ou du raisonnement.

La politique

La politique occupe une large place dans l'œuvre d'al-Fârâbi; il y touche dans presque toutes ses œuvres.

Il distingue plusieurs formes de cités : la cité vertueuse, à laquelle s'opposent la cité ignorante, la cité immorale, la cité versatile et la cité égarée.

Commençons par définir ces formes opposées à la cité idéale ou vertueuse.

La cité ignorante est celle dont les habitants ne connaissent point le bonheur et ne le soupçonnent même pas. Y sont-ils dirigés, ils ne le réalisent pas et n'y croient pas. En fait de biens, ils ne connaissent que ceux qui apparemment passent pour être des biens, ceux que l'on croit être les fins de la vie, comme la santé du corps, la richesse, la jouissance des plaisirs, la licence de suivre ses passions, les bonheurs et les grandeurs. Chacun de ces biens est bonheur pour les habitants de la cité ignorante. Le bonheur suprême et parfait consiste dans la réunion de tous ces biens. Leurs contraires constituent le malheur, tels que les maux corporels, la pauvreté, la privation des plaisirs, l'impossibilité de satisfaire ses passions et le défaut de l'estime. Elle se divise en plusieurs cités : *la cité du nécessaire*, celle dont les habitants veulent se limiter à ce qui est nécessaire à la subsistance du corps — en fait du boire, du manger, des vêtements, de l'habitation, des rapports sexuels, — et s'entraider en vue de l'obtenir; *la cité de l'échange*, celle dont les habitants veulent s'entraider en vue d'atteindre l'aisance et la richesse, non comme un moyen à autre chose mais comme la fin même de la vie; *la cité de l'abjection* et du malheur, celle dont les habitants recherchent la jouissance du plaisir du boire, du manger, des rapports sexuels et en général les plaisirs des sens et de l'imagination et ont une préférence pour la plaisanterie et l'amusement sous toutes leurs formes; *la cité des honneurs*, celle dont les habitants veulent s'entraider afin d'être honorés, loués, renommés et réputés parmi les nations, glorifiés, magnifiés en paroles et en actes, entourés d'estime et de splendeur soit chez les autres, soit entre eux et cela chacun selon son désir ou ses possibilités; *la cité de la puissance*, celle dont les habitants veulent soumettre les autres sans se laisser dominer, leur effort étant pour la joie que leur procure la victoire seulement; [et enfin] *la cité luxurieuse*, celle dont chacun des habitants entend être libre de faire ce qu'il veut, ne mettant aucun frein à sa passion...

La cité immorale est celle dont les idées sont les idées vertueuses, qui connaît le bonheur, Dieu... les êtres seconds, l'intellect agent et tout ce qui est de nature à être connu et cru par les habitants de la cité vertueuse, mais dont les actions de ses habitants sont pareilles à celles des habitants des cités ignorantes.

La cité versatile est celle dont les idées et les actions étaient à l'origine celles de la cité vertueuse, mais qui a changé par la suite. Des idées étrangères se sont introduites et ses actions sont devenues différentes.

La cité égarée, celle qui s'attend au bonheur après la vie présente, mais a modifié ce bonheur et qui a de Dieu... des êtres seconds, de l'intellect agent, des conceptions fausses, qui ne leur conviennent pas même considérés comme en étant des similitudes et des représentations. Son premier chef est de ceux qui se donnent pour inspirés sans l'être réellement, utilisant en cela les falsifications, les tromperies et la séduction.

Les rois de ces cités [opposées à la cité vertueuse] s'opposent à ceux des cités vertueuses et leur gouvernement s'oppose au leur et ainsi en est-il de tous les autres habitants. Les rois des cités vertueuses qui se

succèdent à travers les âges sont tous comme une seule
âme et tous comme un seul roi qui se perpétue indéfiniment... Les habitants de la cité vertueuse ont des
choses communes qu'ils connaissent et accomplissent,
et d'autres dont la connaissance et l'accomplissement
sont propres à chaque rang... Les choses communes
que doivent connaître tous les habitants de la cité
vertueuse sont, en premier lieu, la connaissance de la
cause première et de tous ses attributs, puis des choses
séparées de la matière, des attributs propres à chacune
ainsi que de son rang, — jusqu'à aboutir parmi les
intelligences séparées à l'intellect agent —, et de
l'action de chacune d'elles; puis des substances célestes
et des attributs de chacune d'elles; puis des corps
naturels qui sont au-dessous de ces substances, la
manière dont ils se constituent et se corrompent; la
connaissance que ce qui s'y produit a lieu avec application, perfection, soin, justice et sagesse, sans négli-
gence, déficience ou tyrannie d'aucune sorte. (*Idées
des habitants de la cité vertueuse*, éd. et tr. citées.)

Al-Fârâbi énumère ensuite les qualités requises du chef
de cette cité idéale. On voit bien clairement que celle-ci n'est
pas un État démocratique, mais bel et bien un État des
grands esprits, à la manière de la République de Platon;
elle n'est pas non plus semblable à la cité préconisée par
saint Augustin. Notre auteur se montre plus rationaliste
que celui-ci, s'élève à une haute et noble vision de cette
cité de la raison dont les grands penseurs politiques ont
rêvé.

Al-Fârâbi est un grand rationaliste. S'il touche parfois à
des problèmes religieux, il les élabore toujours en fonction
de ce rationalisme pur. Mais il prend la raison en plusieurs
sens beaucoup plus vastes que ceux en lesquels elle est
parfois confinée. Sa synthèse entre la philosophie platonicienne et la philosophie péripatéticienne est originale et
profonde.

Les Frères de la pureté

Dans la première moitié du Xe siècle, un groupe secret de penseurs ont élaboré à Bassorah, en Iraq, un système assez confus, où confluent des tendances les plus divergentes : gnosticisme, pythagorisme, platonisme, néo-platonisme, magie et sciences occultes, astrologie et mystique au sens large. Ils se sont donné le nom de « Frères de la pureté ». On ne connaît pas au juste leurs chefs; on mentionne plusieurs listes : Abû Sulaiman ibn Ma'schar al-Busti, Abûl-Hasan, Ali ibn Harim al-Zanjani, abn Ahmad al-Mibrajani, al-Arofi et Zaid ibn Rifâ'ah; on y ajoute parfois d'autres noms. Ils ont écrit cinquante et un traités dont le fond et la nature varient selon leurs redoutables rédacteurs. Ils forment une grande encyclopédie qui couvre le domaine entier des sciences : mathématiques, physiques, humaines et divines. Ce vaste programme commence par un exposé des sciences mathématiques (propriétés des nombres, géométrie, astronomie), de géographie, de musique; il passe ensuite à la logique et la physique pour aboutir enfin à une théologie teintée d'ésotérisme et de mysticisme. Les tendances shi'ites et mutazilistes s'y donnent la main. Tout cela est brossé sur un fond politique assez difficile à déceler.

Ces auteurs professent un éclectisme assez bigarré : ils veulent profiter de la sagesse de toutes les nations et de toutes les religions, des prophètes aussi bien que des philosophes et des savants : Socrate, Platon et Zoroastre sont honorés au même titre que Mohammed, et Ali. La pensée de l'Inde y fait sentir son influence.

Leur cosmologie, fondée sur des considérations pythagorisantes, procède de l'Un. Voici, par exemple, la hiérarchie du cosmos :

1. Le Créateur; 2. L'Intellect; 3. L'Ame; 4. La matière; 5. La nature; 6. Le corps; 7. La sphère; 8. Les quatre éléments; 9. Le monde d'ici-bas : minéral, plante, animal.

La première chose créée par le Créateur est une substance simple de nature spirituelle, parfaite, qui contient les formes de tous les êtres. Cette substance s'appelle l'Intellect. De celui-ci procède (ou émane) l'âme universelle ; de celle-ci procède une autre substance, au-dessous de l'âme universelle, qui s'appelle la matière originelle. Celle-ci se transforme en une matière seconde qui a les trois dimensions : longueur, largeur et profondeur. Le monde entier se trouve à l'intérieur de l'ordre de Dieu et sous sa volonté. L'être le plus proche de Lui est l'Intellect, qui est comme la grande porte où l'on entre dans l'unité de Dieu. Le monde désire Dieu, celui-ci est donc l'aimé par excellence. L'âme universelle est passive par rapport à l'Intellect ; elle reçoit de celui-ci toutes les vertus, toutes les formes et toutes les qualités positives, pour les transmettre ensuite au monde entier ; par là elle domine le monde. La matière originelle n'est pas une simple puissance, mais plutôt un principe spirituel, une forme émanante de l'âme universelle ; elle est simple, intelligible ; elle a trois causes : une efficiente : Dieu, une formelle : l'Intellect, et une finale, l'âme. La matière originelle, quand elle reçoit les trois dimensions spatiales, devient le Corps absolu, ou la matière du Tout. Du corps absolu, ou matière seconde ou encore matière universelle, dérive le monde entier : sphères célestes, étoiles, éléments et tous les autres corps, qui ne diffèrent que par leurs formes.

La nature est l'une des facultés de l'âme universelle qui se trouve propagée dans tous les êtres du monde sublunaire, de la sphère de l'éther jusqu'au centre du monde. C'est elle qui agit sur les choses ; elle est la cause de tous les événements physiques (naturels) qui arrivent dans ce monde.

Les Frères de la pureté considère l'Univers sur le modèle d'un grand Homme. Cette analogie, déjà familière dans la pensée hellénistique et indienne, ils la poussent à l'extrême, montrant une analogie stricte et très détaillée entre l'univers et l'homme. Pour y parvenir, ils emploient des concepts nouveaux dans le monde d'Islam : l'homme universel qui correspond au cosmos au-dessus de la sphère de la Lune ; la mort de l'univers, qui correspond à la mort de l'homme ; l'homme comme microcosme par rapport au monde qui est un macrocosme, etc. La chaîne des êtres est continue : le dernier

rang de l'animal se rattache au premier rang de l'homme, le
dernier rang de l'homme se rattache au premier rang des
anges; à son tour le rang de l'animal se rattache au dernier
rang de la plante, le premier rang de celle-ci se rattache au
dernier rang du minéral, le premier rang de celui-ci se
rattache à la terre et à l'eau. D'aucuns [1] ont voulu voir dans
cette idée une ébauche de l'évolutionnisme darwinien. Cela
n'est pas sérieux, car les Frères parlent de gradation et non
pas d'évolution dans le sens de Darwin, comme de Boer [2] l'a
justement observé. « En effet, les différents règnes de la
Nature présentent, selon l'*Encyclopédie* [des Frères de la
pureté] une chaîne ascendante et liée; mais la relation est
déterminée, non par une structure corporelle, mais par la
forme interne ou Ame-Substance. La forme se transporte
d'une façon mystique, du plus bas au plus haut et *vice
versa*, non pas en conformité avec des lois internes de la
formation, ou bien modifiée pour s'adapter aux conditions
externes, mais en accord avec les influences des étoiles, et au
moins dans le cas de l'homme en accord avec la conduite
pratique et théorique. Offrir une histoire de l'évolution, au
sens moderne du terme, était très loin de la pensée des
Frères de la pureté » (pp. 91-92).

Au point de vue religieux, ils professaient le libéralisme
qu'impliquait leur éclectisme. Concilier la religion et la philosophie était un de leurs objets. Pour y parvenir, ils devaient
rationaliser la religion positive, la libérer des conceptions
anthropomorphistes, user de l'interprétation pour n'y voir
quelques fois que des symboles et des fables pour la foule.
Dans ce domaine ils sont parvenus à des innovations qui
expliquent bien pourquoi leur confrérie était secrète. Par
exemple, ils disent que « Mohammed fut envoyé à un peuple
inculte, composé d'habitants de désert, qui ne possédait pas
une vraie conception de la beauté de ce monde, ni du caractère spirituel du monde de l'au-delà. Les expressions crues du
Coran, qui étaient adaptées à la mentalité de ce peuple,

1. DIETRICI : *Der Darwinismus im X und XI. Jahrhundert*. Leipzig, 1878.
2. T. J. DE BOER : *The history of philosophy in Islam*. Tr. angl. par
Edw. R. Jones, pp. 91-92, Londres, 1969.

doivent être comprises en un sens spirituel par ceux qui sont plus cultivés ». La résurrection, par exemple, doit être comprise comme étant celle de l'âme et non pas celle du corps; à son tour la résurrection de l'âme n'est autre chose que sa séparation définitive d'avec le corps. Croire au châtiment en enfer est irrationnel, donc n'est pas digne du sage. L'âme pêcheresse trouve son enfer ici-bas, et dans son propre corps. Le jour de la Grande Résurrection, ou jour dernier, n'est autre chose que la séparation de l'Ame Universelle de ce monde et son retour à Dieu. Le retour à Dieu est la fin de toute la créature.

L'homme est bon naturellement. Tant qu'il agit selon sa nature il fait le bien. La plus haute vertu est l'amour, qui aspire à l'unir avec Dieu.

Les *Traités des Frères de la pureté (Ihwân al-Safâ)* ont joui d'une grande faveur dans le monde musulman.

Avicenne (985-1036)

Né à Afshanah, village dans le district de Bohhara, Abû Ali al-Hussain ibu 'Abdullah ibn Ali ibn Sîna, comme chez les Latins sous le nom déformé d'Avicenna, étudia la philosophie assez jeune; il avait comme maître un certain al-Nâtili. Après la logique, il a étudié la géométrie, l'*Almageste* de Ptolémée, la physique et la métaphysique. Il a achevé l'étude de la médecine en peu de temps. Il a été appelé au chevet du sultan de Bokhara Nûh ibn Mansûr, et parvint à le guérir. Sous la pression des événements, il fut forcé de faire des voyages. Appelé à devenir ministre, il a commencé une carrière politique assez mouvementée et assez malheureuse. Il est mort à Hamadhân en 428/1036-7, à l'âge de cinquante-trois ans.

L'ouvrage capital d'Avicenne est le *Shifâ*, qui embrasse l'ensemble des quatre parties de la science : logique, mathématique, physique et métaphysique. Il l'a résumé en un beau livre, condensé et clair, qu'il a intitulé le *Najâh*. Mais la quintessence de sa philosophie se trouve exprimée

sous une forme plus vigoureuse dans un troisième livre qui
s'appelle le *Livre des théorèmes et des avertissements*. En médecine, son ouvrage capital est le canon, qui a joué un très
grand rôle dans l'enseignement de la médecine en Europe
du XIIIe au XVIe siècle. Quelques épîtres sont sous forme
d'allégories à savoir : *Hayvy ibn I Yakzân*, qui fut très
célèbre au Moyen Age, le *Traité des oiseaux* et le *Roman de
Salâmân et d'Absâl*.

Avicenne, écrasé sous le fardeau de la philosophie grecque,
voulut s'en libérer. En vain! Il est resté plus péripatéticien que n'importe quel autre philosophe arabe. Son essai
de fonder une philosophie orientale — dont un grand
nombre de textes existe encore et ont été en partie publiés
par l'auteur de ces lignes — s'est soldé par un échec cuisant.
Comparé à al-Fârâbi, il est assez malaisé de trouver chez lui
des idées vraiment originales. Mais il est juste de reconnaître
en lui le plus grand organisateur d'idées, non seulement pour
l'Islam, mais pour l'histoire de la pensée humaine. Il s'est
assimilé toute la pensée grecque, sans s'attacher de trop près
au texte même du Maître (Aristote). Même ses commentaires
sur quelques œuvres d'Aristote *(de Anima)* ou du pseudo-
Aristote *(Théologie d'Aristote)* témoignent d'une grande
liberté à l'égard du texte expliqué. Par cet esprit de systématisation, il était beaucoup plus accessible qu'un al-Fârâbi,
à la pensée diffuse ou un Averroès, trop attaché à la lettre
même du Stagirite. Bon poète à ses heures, la prose de ses
courtes épîtres est d'une grande et belle envolée mystique.

La métaphysique

Le Dieu d'Avicenne est très proche de l'Un de Plotin, et
très loin du Dieu des théologiens musulmans. Il préfère
l'appeler : l'Être nécessaire. En effet, Avicenne s'est emparé
de la distinction farabienne entre l'être nécessaire et l'être
contingent, aussi bien pour démontrer l'existence de Dieu que
pour bâtir toute une ontologie.

Pour expliquer le monde, il prend pour principe la règle suivante : de l'un ne peut procéder que l'un. Aussi bien de l'être nécessaire ne peut provenir qu'un seul être, à savoir la première intelligence qui émane, et elle seule, directement et immédiatement, de l'Être nécessaire. C'est en pensant soi-même que celui-ci engendre celle-là. Selon le même système, la première intelligence engendre une seconde, et ainsi de suite, jusqu'à la dernière, émanée de l'intelligence qui correspond à la sphère de la Lune, et qui dirige le monde sublunaire. Il est difficile de savoir exactement le nombre de ces intelligences séparées, chez Avicenne : il varie entre 8 et 10, selon les textes de l'auteur. Quoiqu'il parle quelquefois de création, en fait l'Être nécessaire ne crée directement que la première intelligence; il n'est cause efficiente que de celle-ci. On voit par là combien la théorie de la création divine se distingue entièrement de la conception musulmane professée par les théologiens.

Un autre point de divergence concerne la connaissance divine [1]. Al-Fârâbi avait affirmé que Dieu ne connaît qu'un nombre limité d'universaux; il ne connaît pas les particuliers, en tant que tels. D'où il suit que la providence divine ne concerne que les grands principes de l'univers. Sur ce point la pensée d'Avicenne est un peu plus nuancée. Il ne peut pas rejeter l'idée d'al-Fârâbi, mais il la tire un peu dans un sens qui se rapprocherait de la thèse des théologiens. Avicenne dit à ce propos que Dieu connaît les choses particulières « sous leur aspect universel » ou « en tant qu'elles sont universelles ». Dans le *Najâh*, il dit expressément : « Dieu ne connaît toutes les choses en lui-même que dans la mesure où il est le principe de l'être des choses » (p. 274). Comme on le voit, la réponse d'Avicenne à ce problème difficile, dont al-Ghazâli fera sérieux grief aux philosophes musulmans, est bien évasive.

Avec al-Fârâbi aussi, Avicenne soutient la thèse de l'éternité du monde, en plein accord avec leur maître Aristote. Si

---

1. Voir à ce sujet Louis GARDET : *La pensée religieuse d'Avicenne*, pp. 71-85. Paris, 1951.

Dieu est éternel, lui qui est la cause du monde, son effet —
le monde — doit l'être aussi. Il n'y a pas de priorité de Dieu
sur le monde selon le temps, mais seulement une priorité
de nature. Dieu a engendré le mode intelligence en se
pensant soi-même. Or, il se pense soi-même de toute éternité.
Donc l'univers est éternel.

Pourtant notre philosophe affirma la providence. Il la
définit comme suit : « La providence est l'enveloppement
du tout par la science de l'être premier; et c'est la science
qu'a le premier de ce qu'il faut que soit le tout pour être
dans le plus bel ordre, jointe à la conscience que cela résulte
nécessairement de lui et de l'environnement du tout par
lui. L'être s'accorde avec ce qui est connu comme le mieux
ordonné, sans qu'il soit besoin d'une recherche ni d'un effort
de la part du premier et du vrai. La science qu'a le premier
du mode de bonté applicable à l'ordre universel est la source
d'où le bien découle sur le tout[1]. »

Avicenne explique l'existence du mal dans le monde sans
l'attribuer à Dieu, car le mal n'est pas dans le jugement
divin par essence et... il n'y entre que par accident. Il y a
trois espèces de mal : le défaut ou manque, la souffrance et le
péché. Le mal par essence est le mal par défaut; par conséquent il est négatif. Voici comme en parle Avicenne (Nâjâh,
p. 78; section « sur la providence et comment le mal entre
dans le jugement divin ») :

« Le mal est par essence le manque, non pas tout manque,
mais le manque des perfections qu'exigent le genre et la
nature de la chose. Le mal par accident est ce qui cause ce
défaut et ce qui empêche la perfection d'être réalisée. »
Le mal suppose la puissance, et par là cette théorie est essentiellement aristotélicienne. « Toute chose qui existe en son
achèvement extrême et sans qu'il y ait plus rien en elle en
puissance, n'a pas de mal; le mal atteint seulement ce qui
est en puissance, et cela du fait de la matière[2]. »

Le bien absolu ne pourrait exister dans un monde où il y

1. Ichârât, p. 185 (traduction Carra de Vaux, in Avicenne, p. 278,
Paris, 1900).
2. Voir CARRA DE VAUX : Avicenne, p. 279.

a de la matière. D'ailleurs, le mal est relatif : ce qui est considéré comme un mal pour tel être peut être un bien pour un autre. Le feu, par exemple, est bon pour le chauffage, mais mauvais accidentellement quand il produit la brûlure. Il y a dans le monde plus de bien que de mal; et il ne serait pas sage de la part de Dieu de délaisser les biens durables à cause de maux passagers dans les choses individuelles.

Développement de la théologie spéculative

Avec Avicenne s'achève la philosophie musulmane dans la partie orientale de l'Islam. Avant de passer à l'exposé de son évolution en Occident musulman, arrêtons-nous un peu pour jeter un coup d'œil rapide sur le développement de la théologie spéculative musulmane.

Celle-ci débute avec les *mutazilites*. L'école mutazilite a été fondée par Wasil ibn Atâ (mort en 748) et Amr ibn Ubayd (mort vers 761). Elle s'est différenciée en plusieurs écoles dont les plus importantes sont celles de Basourah et celle de Baghdâd. Les plus illustres parmi les maîtres de Baghdâd sont : al-Allaf (mort vers 841), Ibrâhîm al-Nazzâm (mort vers 846), Muammar (mort en 830), et, un peu plus tard, Abû Ali al-Gubtâ'i (mort vers 915-916) et son fils Abû Hashin (mort en 921). L'école de Baghdâd compte des maîtres moins illustres, mais également importants comme Bishr ibn al-Mutamir (mort vers 825-826), Thumâmah ibn al-Ashras (mort vers 825-826), Abû al-Husain al-Khayyât et al-Kabi (mort en 931).

Les mutazilites ont posé cinq principes ou fondements qui résument leur pensée, à savoir :

1º L'unité (ou unicité) de Dieu. Ils professent que Dieu est un et que rien ne lui ressemble; il n'a pas de corps, ni forme, ni substance, ni accident, ni couleur, ni odeur, ni toucher, ni longueur, ni largeur, ni profondeur, ni composition, ni parties, ni organes, ni gauche, ni droit, ni haut, ni bas. En somme; il n'est pas possible de lui attribuer aucun attribut positif propre à une créature.

En face d'eux, les anthropomorphistes prenaient à la lettre tous les qualificatifs par lesquels Dieu est désigné dans le Coran. Les sunnites, avec al-Achari à leur tête, soutenaient que Dieu a des attributs éternels, qui sont : la science, la puissance, la vie, la volonté, l'ouïe, la vue et la parole.

2º La justice. Dieu est juste à l'égard de la créature. La justice consiste à récompenser ou à châtier un être libre selon ses actes et ses intentions, selon une justice parfaite et rationnelle.

Leurs adversaires disent que c'est la volonté de Dieu qui détermine arbitrairement si tel acte est bon ou mauvais. Ils font dépendre le châtiment et la récompense de la grâce divine.

3º Le pêcheur est dans un état intermédiaire entre le croyant et l'infidèle *(Kâfir)*.

4º La promesse et la menace. Dieu a promis aux véritables croyants l'entrée au palais; il a menacé les pêcheurs des châtiments en enfer. Il tiendra sa promesse envers les premiers, et ne ménagera pas les seconds. Sa justice l'exige.

5º Commander le bien et interdire le mal. C'est un devoir qui incombe nécessairement à tout musulman, disent les kharijites; mais les mutazilites se contentent de les voir appliqués par un groupe, un organisme ou une autorité spécifiquement qualifié pour le faire. Mais les deux sectes sont d'accord pour faire de la « Commanderie du bien et l'interdiction du mal » une obligation rationnelle, c'est-à-dire partout où la raison peut faire la distinction entre le bien et le mal. Les sunnistes sont d'un autre avis : l'exercice de ce devoir relève d'abord de l'Imâm, chef suprême de la communauté; ensuite, des croyants capables de connaître les qualifications juridiques des actes.

Les mutazilites sont parfois désignés comme « les libres penseurs de l'Islam ». C'est qu'ils affirment le libre arbitre de l'homme. Celui-ci est le créateur de ses actes. Au contraire, les ash'arites disent à ce sujet que le créateur de toutes choses, aussi bien des êtres que des actes humains, est Dieu, mais l'homme « acquiert » son acte; donc, à l'homme, n'appartient que l'acquisition *(kasb)* de l'acte, grâce à une capacité que Dieu crée en l'homme.

Ils affirment aussi le pouvoir de la raison de connaître la vérité. C'est pourquoi ils emploient l'argumentation rationnelle, à côté de l'argumentation fondée sur les textes sacrés (Coran et Tradition du prophète).

Ils ont élaboré une physique rationnelle qui sert de fondement à leur doctrine religieuse. C'est pourquoi leurs écrits abondent en discussions sur l'atome, le corps, la substance et les accidents, le vide, l'espace, le temps, l'infini, le continu et le discontinu. L'un des grands maîtres en ce genre de spéculations physiques fut al-Nazzam (mort entre 835 et 845). Il a combattu l'atomisme, en se servant des arguments proches de ceux d'Aristote; pour expliquer le mouvement d'un point à un autre, il a inventé l'idée de « saut » *(tafrach)* : c'est-à-dire que le corps en se transportant d'un point à un autre peut sauter l'entre-deux.

Le mutazilisme a connu son grand essor et son succès aux IXe et Xe siècles. Mais, à partir du XIe siècle, la doctrine d'al-Ash'ari (mort en 935) lui emboîte le pas, et deviendra peu à peu la doctrine sunnite par excellence. De grands esprits, comme Baqillani (mort en 1012), Abel al-Zahir al-Baghdâdi (mort en 1036), al-Isfrayîni (mort en 1078), al-Juwaini (mort en 1085) et al-Ghazâli (mort en 1111).

al-Ghazâli (mort eu 1111)

Vu la grande influence que celui-ci exerça sur l'évolution aussi bien de la théologie que de la mystique et, en un certain sens, de la philosophie musulmanes, il convient de lui consacrer quelques lignes. Esprit controversé, tourmenté, d'une rare pénétration spirituelle, al-Ghazâli a dû commencer par être juriste et théologien formé à l'école des ash'arites. Ensuite, il a passé à la philosophie qu'il a étudiée avec soin et discernement sans y trouver la vérité qu'il avait dès son jeune âge cherchée. Dégoûté de la philosophie, il ne trouvera le repos enfin que dans la mystique, qu'il cultive dans les

limites de la religion révélée, sans élucubrations ni mystifi-
cations. Dans son œuvre immense, il faut signaler deux livres
d'une grande importance *Tahâfut al-falasifah (Discrétion des
philosophes)*, et *Ihjâ ulûm al-dîn (Vivification des sciences
de la religion)*.

Dans le *Tahâfut*, qu'il a écrit en 1095, al-Ghazâli combat
les philosophes aussi bien grecs que musulmans. Il y discute
les positions des philosophes en vingt questions ou thèses,
rassemblées en deux parties : la première comprend les thèses
qui s'opposent à l'Islam, et par lesquelles les philosophes
doivent être considérés des incroyants ; la seconde embrasse
des opinions qui ne sont pas en relation avec les principes de la
religion, mais se rattachent à des questions secondaires. La première embrasse les thèses suivantes : l'éternité du monde, la
connaissance par Dieu des choses particulières, la négation
de la résurrection ; la deuxième comprend les suivantes : que
les philosophes sont incapables de prouver l'existence de
Dieu ; qu'ils mystifient en prétendant que Dieu est le fabri-
cant du monde ; qu'ils sont incapables de prouver l'unité
de Dieu ; qu'ils nient les attributs divins ; qu'ils affirment la
nécessité mécanique ; qu'ils sont incapables de prouver que
l'âme est une substance spirituelle qui existe par soi et
indépendamment du corps. L'argumentation d'al-Ghazâli
est très serrée, parfois trop subtile ; elle témoigne toutefois
d'une profonde connaissance des doctrines des philosophes
grecs et musulmans. Al-Ghazâli a donc pris, dans ce livre,
la défense des thèses musulmanes contre les philosophes.
Traduit en latin, ce livre a exercé une grande influence sur la
pensée latine au Moyen Age.

Averroès l'a combattu dans un livre intitulé : *Destruction
de la destruction*.

Mais cela nous amène à parler du dernier philosophe
arabe de grande envergure à l'époque classique, c'est-à-dire
Averroès.

Averroès (1126-1198)

Averroès, ou plus exactement Ibn Rushd, était originaire de Cordoue, dans le cœur de cette Espagne musulmane qui a duré huit siècles, où la culture arabe, aussi bien philosophique que scientifique et littéraire, a connu quelques-unes de ses plus brillantes époques. Juriste, médecin, mais surtout très grand commentateur d'Aristote, son influence au Moyen Age et même jusqu'au cœur de l'ère moderne était considérable.

Ses écrits philosophiques se divisent en deux groupes : les commentaires sur les œuvres d'Aristote, et les œuvres indépendantes. Les premiers, dont la plupart n'existent plus en arabe, mais en traductions latines et hébraïques, sont de trois sortes : 1° grands commentaires (en arabe : *Sharh*) où le texte d'Aristote est reproduit en entier et commenté, paragraphe par paragraphe; 2° commentaires moyens (en arabe : *talklis*, dans les versions latines : *media expositio* ou *paraphrasis*), libres paraphrases du texte, sans suivre rigoureusement l'original et en faisant parfois des omissions; 3° et enfin *épitomés* (en arabe *jawami*, et en latin *Paraphrasis resolutissima*, qui sont de simples abrégés sans relation avec le texte du Stagirite). Les plus importants, dans la première catégorie, sont les commentaires de la *Métaphysique* (qui existe aussi en arabe), le *De Anima* et le *de Caelo*; dans la seconde catégorie, on peut mentionner le commentaire moyen de la Rhétorique (publiée en arabe par l'auteur de ces lignes); les *épitomés* ont été tous édités en arabe. Averroès a paraphrasé aussi la *République* de Platon.

Dans le second groupe des œuvres personnelles d'Averroès, il faut signaler trois livres : la *Destruction de la destruction*, déjà mentionné, *L'accord de la religion et de la philosophie*, et *L'exposé de démonstration dans les dogmes de la religion*.

Dans la *Destruction de la destruction*, Averroès prend, un à un, les arguments d'al-Ghazâli contre les philosophes et les répète avec verve et vigueur et montre en conclusion que ceux-ci ne méritent pas qu'on les traite de mécréants, puisqu'ils n'ont nié aucun des principes essentiels de la religion. Les divergences entre les vues des philosophes et celles des théologiens se ramènent à des différences d'interprétation. Les philosophes ont le droit d'interpréter la religion à la lumière de la raison, puisque la religion nous accorde le droit d'user de la raison.

Averroès développe cette idée dans son traité de l'accord de la religion et la philosophie. La religion, nous dit-il, nous pousse à la connaissance du vrai. Or, le vrai ne s'oppose pas au vrai, mais le soutient et témoigne en sa faveur. Le philosophe cherche le vrai. Donc la philosophie et la religion doivent s'accorder. Si la lettre du texte religieux semble en contradiction avec ce que la raison exige, il faut alors interpréter le texte religieux dans le sens exigé par la raison. Les textes religieux, en effet, comportent deux sens : sens externe et sens interne : le premier est destiné à la foule des hommes, et c'est aux penseurs de rechercher le sens interne, le vrai, à la lumière de la raison. Mais cette prise de position n'implique pas une doctrine de la double vérité (que quelques latins ont attribuée à Averroès). Pour lui, il n'y a qu'une seule vérité, mais on peut l'exprimer sous formes différentes selon le public auquel on s'adresse.

Une autre doctrine, faussement attribuée à Averroès par les scolastiques, est celle de l'unité de l'intellect, qui impliquerait, par voie de conséquence, la négation de l'immortalité de l'âme. Que l'intellect agent soit un, voilà ce dont conviennent tous les philosophes musulmans : al-Fârâbi, Avicenne, Ibn Tufail, et Avenpace. Mais que l'intellect propre à chaque homme soit un parmi tous les hommes, voilà ce que je n'ai pas trouvé explicitement dans aucun texte d'Averroès. Les scolastiques latins l'ont attribué à Averroès, sans préciser où ils l'ont trouvé et sous quelle forme.

Averroès, en bon aristotélicien, affirme que l'âme humaine est la forme du corps. Mais il ajoute qu'il y a une raison qu'il appelle hylique, qui est éternelle. C'est au moyen de celle-ci que l'intellect agent se met en rapport avec l'homme.

Guide incomparable pour comprendre la pensée d'Aristote, mais penseur peu original, tel fut Averroès qui a si profondément secoué la pensée, au Moyen Age et au seuil de l'ère moderne.

Bibliographie

a. — *Ouvrages d'ensemble*

S. MUNK : *Mélanges de Philosophie juive et arabe*, Paris, 1859; réimprimé, Paris, Vrin, 1927.

T. G. DE BOER : *Geschichte der Philosophe im Islam*, Stuttgart, 1901; tr. anglaise par E. R. Jones, Londres, 1903; réimprimé 1965, Luzac co, Londres, 1965.

CARRA DE VAUX : *Les penseurs de l'Islam*, 5 volumes, Paris, P. Geuthner, 1921-1926.

Max HORTEN : *Die Philosophie des Islam*. München, Ernest Reinhardt, 1923.

G. QUADRI : *La Philosophie arabe dans l'Europe médiévale, des origines à Averroès*, tr. fr. par Roland Hurat. Paris, Payot, 1960.

H. CORBIN : *Histoire de la philosophie islamique*, I, Paris, éd. Gallimard, 1964.

b. — *Ouvrages particuliers*

Abdurraman BADAWI : *La transmission de la philosophie grecque au monde arabe*. Paris, Vrin, 1968.

Albino NAGY : *Die Philosophischen Abhaudlungen des gâpûb ben Ishâq al-Kindi zum ersten Male herausgegeben*. Münster 1897.

J. MADKOUR : *La place d'al-Fârâbi dans l'école philosophique musulmane*. Paris, Maisonneuve, 1934.

Cl. BAAEUNKER : *Alfarabi über den Ursprung der Wissenschaften*. Münster, 1916.

Et. GILSON : « Les sources gréco-arabes de l'augustinisme avicennisant », dans *Archives d'Hist. doctr. et litt. du Moyen Age*, t. IV (1930), pp. 115-126. Vrin, Paris, 1930.

CARRA DE VAUX : *Avicenne*. Paris, Alcan 1900.

A. M. GOICHON : *La distinction de l'essence et de l'existence d'après Ibn Sina* (Avicenne). Paris, Desclée de Brouwer, 1937.

A. M. GOICHON : *Lexique de la langue philosophique d'Ibn Sina* (Avicenne). Paris, Desclée de Brouwer, 1938.

A. M. GOICHON : *Vocabulaires comparés d'Aristote et d'Ibn Sina*. Paris, Desclée de Brouwer, 1939.

Louis GARDET : *La pensée religieuse d'Avicenne* (Ibn Sina). Paris Vrin, 1951.

H. CORBIN : *Avicenne et le récit visionnaire*, 3 vol., Téhéran-Paris, 1952-54.

Adel AWA : *L'Esprit critique des Frères de la pureté, Encyclopédistes arabes du IVe/Xe siècle*. Beyrouth, 1948.

Seyyed H. NAAR : *An introduction to Islamic cosmological doctrines. Conceptions of nature and methods used for its study by the Ikkwân al Safâ, al-Birûni an Ibn Sînâ.* Cambridge-Massachusetts, The Belknap Press of Harvard University Press, 1964.

CARRA DE VAUX : *Gazali*. Paris, Alcan, 1902.

Asin PALACIOS : *La Espiritualidad de Algazel*. Madrid-Grenade, 1934.

A. G. WENSINCK : *La pensée de Ghazâlî*. Paris, Maisonneuve, 1940.

E. RENAN : *Averroès et l'averroisme*. Paris, Calman Lévy, 1859.

L. GAUTHIER : *Ibn Rochd* (Averroès). Paris, P.U.F., 1948.

I. GOLDZIHER : *La Dogme et la loi de l'Islam*. Tr. fr. par F. Arin Paris, Geuthner, 1920.

D. B. MAC DONALD : *Development of Muslin Theology, Jurisprudence and constitutional Theory*. New York, Scribner's, 1903.

GARDET-ANAVATI : *Introduction à la théologie musulmane*, Paris, Vrin, 1948.

L. GARDET : *Dieu et la destinée de l'homme*, Paris, Vrin, 1967.

IX

SAINT THOMAS ET LA PHILOSOPHIE DU XIIIe SIÈCLE

par Jean PÉPIN

Les circonstances nouvelles

Parmi les nouveautés sociologiques et culturelles qui marquent le XIIIe siècle et retentissent profondément sur la vie intellectuelle, il faut signaler d'abord la création des universités. Cette initiative procède d'un regroupement corporatif des gens d'étude, soucieux de défendre leurs intérêts communs. La première fondation se produit à Bologne, où dominent les juristes; puis apparaissent les universités de Paris et d'Oxford. L'enseignement se distribue sous deux formes principales : la « leçon », ou lecture commentée d'un texte sacré ou doctrinal; la « dispute », soit préparée *(Questions disputées)*, soit improvisée *(Questions quodlibétales)*.

Un autre fait nouveau de grande portée fut la découverte d'Aristote. On ne connaissait jusque-là que les œuvres logiques de ce philosophe, et encore ne les connut-on pas d'un bloc : jusqu'au deuxième tiers du XIIe siècle, on dispose, dans la traduction latine de Boèce, des *Catégories* et du traité *De l'interprétation ;* joints à l'*Isagogé* de Porphyre, ces écrits constituent la *Logica vetus ;* c'est à ce moment seulement que l'on accède à la *Logica nova,* qui comprend le reste de l'*Organon,* à savoir les *Premiers* et *Seconds analytiques,* les *Topiques* et les *Réfutations sophistiques.* Les autres traités aristotéliciens, qui ont trait à la métaphysique et à la philosophie

naturelle, parvinrent eux aussi en deux temps : à la fin du
XIIe siècle, un groupe de traducteurs dont le centre est
Tolède donne une version latine de leurs traductions
arabes, et traduisent en même temps des commentaires
arabes imprégnés de néoplatonisme; au XIIIe siècle enfin,
Robert Grossetête et surtout, sur la demande de saint Thomas d'Aquin, Guillaume de Moerbeke exécutent des traductions directement sur le texte grec. Grâce à cet effort
progressif, on dispose maintenant en latin de la quasi-
totalité des œuvres d'Aristote. L'engouement aristotélicien
qui s'ensuivit fut tel que les tenants de la tradition augustinienne s'en alarmèrent; le concile de Paris interdit en
1210 qu'Aristote fasse l'objet de « leçons »; mais cette
prescription est progressivement adoucie, et la théologie
pourra bientôt bénéficier de l'instrument incomparable
procuré par la philosophie d'Aristote.

En même temps qu'ils ont accès à l'aristotélisme, et souvent d'ailleurs pas la même voie, les hommes du XIIIe siècle
prennent connaissance de certaines philosophies médiévales
extérieures au monde latin. Vers la fin de l'Antiquité, la
culture grecque, dans le sillage du christianisme, s'était
diffusée en Mésopotamie et en Syrie, et beaucoup de textes
classiques avaient été traduits en syriaque; l'implantation
de l'hellénisme se poursuit quand l'islamisme remplace le
christianisme dans ces régions; des traductions arabes sont
confectionnées, soit directement sur le texte grec, soit simplement sur sa traduction syriaque. Dans l'héritage grec ainsi
transmis, Aristote occupe une place de choix; on accrédite
même sous son nom des écrits apocryphes, comme la *Théologie d'Aristote*, compilation tirée des *Ennéades* de Plotin,
et le *Liber de causis*, proche parent des *Éléments de théologie*
de Proclus; il en résulte que l'aristotélisme tel que se le
représenteront les Arabes sera mêlé d'éléments néoplatoniciens. Les premiers grands philosophes arabes sont des
aristotéliciens. Ainsi, vivant à Bagdad aux IXe et Xe siècles,
al-Kindi et al-Fârâbi; le premier a une curiosité trop vaste
pour bien dominer son savoir; mais le second traduit et
commente Porphyre et l'*Organon* aristotélicien; il entreprend

aussi, dans l'esprit du moyen platonisme, de faire concorder Platon et Aristote. Plus tard Avicenne (Ibn Sîna) (980-1037) est également célèbre comme philosophe et comme médecin; patient lecteur de la *Métaphysique* d'Aristote, il élabore un système personnel en combinant des données aristotéliciennes et néoplatoniciennes; alors qu'Aristote réduisait l'âme à n'être que la forme du corps organisé, Avicenne la rétablit dans sa dignité de substance spirituelle; il est davantage fidèle à l'aristotélisme quand il précise la distinction entre l'intellect agent, unique pour tout le genre humain, et l'intellect patient, propre à chaque individu. Averroès (Ibn Rushd) (1126-1198) est un Arabe de Cordoue; ses adversaires médiévaux lui ont prêté la célèbre théorie de la « double vérité », selon laquelle deux doctrines contradictoires peuvent être vraies en même temps, l'une pour la raison et la philosophie, l'autre pour la foi et la religion; c'était certainement outrer sa pénétrante distinction entre les divers niveaux du savoir. D'autre part, Averroès a perçu que l'aristotélisme avait été corrompu par des interprétations platoniciennes; il veut donc promouvoir un retour au véritable Aristote : *Aristotelis doctrina est summa veritas*.

De la philosophie arabe du Moyen Age, on ne peut séparer la philosophie juive, qui lui doit une partie de sa vitalité. Ibn Gebirol (en latin : Avicebron) vit en Espagne au milieu du XIᵉ siècle; de son *Fons vitae*, écrit en arabe, on lit une traduction latine ancienne, bien connue des scolastiques chrétiens du XIIIᵉ siècle; cet auteur reçoit du néoplatonisme sa conception d'un univers hiérarchique, mais le principe suprême qu'il place à l'origine des choses est le Dieu d'Abraham. Le plus grand philosophe juif de cette époque est Moïse ben Maïmon ou Maïmonide, de Cordoue (1135-1204); son *Guide des indécis* est une somme de théologie juive, où, comme chez Averroès, Aristote reprend la première place aux dépens du néoplatonisme; d'où l'influence de cet auteur sur le XIIIᵉ siècle latin, notamment sur Thomas d'Aquin, qui le cite sous le nom de « Rabbi Moïse ».

Les maîtres d'Oxford et de Paris

De même que l'université de Bologne se spécialisa dans le droit, celle d'Oxford s'orienta à ses débuts vers l'étude des sciences. Son chancelier Robert Grossetête (1175-1253) est l'un des très rares hellénistes de l'époque, capable de traduire l'*Ethique à Nicomaque* et d'autres textes grecs ; mais sa curiosité est surtout scientifique ; il s'intéresse aux *Perspectives*, c'est-à-dire aux traités d'optique des Arabes, et aperçoit l'utilité des mathématiques pour les sciences de la nature. Son disciple Roger Bacon jette les humbles bases de la science expérimentale, dont il montre la supériorité par rapport à l'argumentation ; il fait penser aux stoïciens de l'Antiquité par sa théorie de l'histoire de la culture comme dégradation progressive à partir d'une révélation initiale.

Né à Viterbe en 1221, le franciscain Bonaventure fut à Paris étudiant, puis professeur, avant de finir supérieur général de son ordre et cardinal. Il a lu Aristote, qu'il cite copieusement dans son *Commentaire des Sentences* ; mais il lui préfère Platon, et, au-dessus de tous, il place saint Augustin. De fait, son *Itinéraire de l'esprit vers Dieu* reproduit fidèlement le dessein et le déroulement de la dialectique ascendante augustinienne ; l'ouvrage fut composé en 1259 sur le mont Alverne, au lieu même où saint François d'Assise avait reçu la vision extatique du Crucifié sous la forme d'un séraphin à six ailes ; Bonaventure voit là le symbole des six degrés que doit gravir l'âme dans sa marche vers Dieu ; trois étapes principales, qui sont le monde sensible, « vestige » de Dieu, l'âme, « image » de Dieu, et Dieu lui-même ; chacune d'elles se subdivise à son tour en deux, car on peut contempler Dieu « à travers » ses vestiges et « dans » ses vestiges, « à travers » son image et « dans » son image, et enfin directement soit comme Être soit comme Bien. C'est au cinquième degré de cette élévation que Bonaventure cite une formule célèbre, qui provient d'une compilation ancienne intitulée *Livre des XXIV philosophes*, d'où elle passera chez Alain de Lille avant d'aller jusqu'à Pascal : Dieu est « comme

une sphère intelligible dont le centre est partout et la circon-
férence nulle part ». C'est là également qu'apparaît une
reprise de l'argument de saint Anselme : étant tel qu'on ne
peut rien penser de meilleur, le souverain bien ne peut être
pensé comme n'existant pas, puisqu'il est meilleur d'exister
que de ne pas exister.

L'influence d'Aristote prend beaucoup plus de relief chez
les maîtres dominicains. Né en Souabe, saint Albert le
Grand (1206-1280) étudie à Cologne, puis à Paris où il
donne quelques années d'enseignement, avant de retourner
en Allemagne. Son insatiable appétit de savoir le pousse à
emmagasiner toute la culture grecque, arabe et juive, sans
qu'il ait eu le loisir d'organiser parfaitement cette immense
moisson ; mais il prend le temps de confronter cette information livresque avec ses propres expériences, notamment en
zoologie ; c'est ce goût de la recherche expérimentale qui a
pu lui valoir une certaine réputation d'occultiste, et expliquer qu'un célèbre recueil de recettes magiques ait pour
titre le « Grand Albert ».

Saint Thomas d'Aquin

Le futur « Docteur angélique » naquit en 1225 dans le
royaume de Naples ; il fit ses premières études au monastère
bénédictin du Mont-Cassin, puis à l'université de Naples, de
fondation toute récente ; malgré les résistances familiales,
il se fait dominicain en 1244 ; il est l'élève d'Albert le Grand
à Cologne, puis il arrive à Paris, où il est reçu maître en
théologie en 1257. Dès lors, sa vie sera vouée à l'enseignement : à Paris jusqu'en 1259 ; dans diverses villes d'Italie
de 1259 à 1269 ; à Paris de nouveau de 1269 à 1272 ; enfin à
Naples à partir de 1272. Il meurt en 1274, alors qu'il se ren-
dait au concile œcuménique de Lyon.

L'œuvre monumentale de Thomas d'Aquin est, pour une
part très importante, un recueil de commentaires, qui sont
le reflet de son enseignement et qui, quels que soient les
textes auxquels ils s'appliquent, se signalent par une méthode

commune, faite de précision, de clarté, de perspicacité, avec un goût un peu scolaire pour la paraphrase. Il commenta ainsi les principales œuvres d'Aristote, y compris le *Liber de causis* pseudo-aristotélicien ; sentant le danger que présentaient pour la pensée chrétienne les commentaires littéraux d'Averroès, alors en pleine vogue, Thomas comprend qu'il faut faire mieux que lui sur son propre terrain ; à cette fin, il charge son confrère flamand Guillaume de Moerbeke de traduire directement du grec, et aussi littéralement que possible, les traités d'Aristote. Ses commentaires de la Bible s'inspirent des mêmes procédés ; ils portent, dans l'*Ancien Testament*, sur *Job*, une partie des *Psaumes*, le *Cantique des cantiques*, *Isaïe* et *Jérémie* ; dans le *Nouveau Testament*, sur les *Évangiles* de Matthieu et de Jean, et sur les *Épîtres* de Paul ; saint Thomas a également composé une *Catena aurea*, qui est un recueil de textes des Pères consacrés à l'exégèse des quatre *Évangiles*. Une troisième catégorie de commentaires concerne enfin certains ouvrages théologiques. Il s'agit tantôt d'explications littérales du même genre que les commentaires aristotéliciens ; c'est le cas des commentaires sur le traité *Des noms divins* du pseudo-Denys (que Thomas lisait dans une traduction latine faite vers 1170 par Jean Sarrazin) et sur le *De hebdomadibus* de Boèce. Tantôt le commentaire est moins asservi à la lettre du texte commenté et se permet, sur des points choisis, de libres exposés doctrinaux où les idées personnelles du commentateur s'expriment à loisir ; à ce genre appartient le commentaire sur le traité de Boèce *De la Trinité* ; davantage encore le grand commentaire sur le *Livre des sentences* de Pierre Lombard, qui est chronologiquement le premier ouvrage important de saint Thomas et le fruit de son premier enseignement parisien, composé entre 1253 et 1257, peu de temps après les œuvres d'Albert le Grand et de Bonaventure sur le même sujet.

Par suite de la particularité de méthode que l'on vient de voir, le *Commentaire sur les Sentences* fait déjà figure d'ouvrage de synthèse théologique ; à ce titre, il fait le pont avec un autre canton de la production littéraire de saint

Thomas, qui est celui des *Sommes*. La première en date (elle est terminée en 1264) est la *Somme contre les Gentils*, improprement appelée parfois *Somme philosophique*; Thomas la composa à la demande de son confrère Raymond de Pennafort, pour servir de manuel aux missionnaires dominicains engagés dans la conversion des musulmans. Il s'agit donc d'un exposé de théologie chrétienne adapté à la mentalité musulmane; une première partie traite des vérités chrétiennes accessibles à la raison, le reste portant sur les mystères connaissables par la seule révélation. Vient ensuite la *Somme théologique*, à laquelle Thomas travaille pendant huit années (1266-1274), chef-d'œuvre de progression méthodique et exhaustive préparé par de nombreux travaux d'approche. Malgré l'importance des *Sommes*, on trouve sur divers points particuliers des compléments dans deux autres groupes d'écrits, qui comprennent les disputes scolaires et les opuscules. Les *Questions disputées* (ordinaires et quodlibétales) offrent en outre l'intérêt de refléter sur le vif les idées et les controverses de l'époque. Les opuscules sont des écrits occasionnels, en général assez brefs, rédigés pour satisfaire une demande particulière ou débrouiller un problème déterminé; ils concernent aussi bien la défense des ordres mendiants que la philosophie, la théologie et la spiritualité; les plus célèbres d'entre eux traitent *De l'être et de l'essence, De l'éternité du monde. De l'unité de l'intellect, Des substances séparées*.

Comme tous les grands médiévaux, saint Thomas a donné beaucoup d'attention au vaste problème des rapports de la raison et de la foi. La raison ne peut atteindre toutes les vérités; ce point est fortement affirmé, on l'a vu, dans la *Somme contre les Gentils*. Soit le problème de Dieu; certaines vérités relatives à Dieu ne peuvent être démontrées par la seule raison; c'est par exemple le cas du dogme de la Trinité; tout ce que peut faire la raison relativement à un tel dogme, c'est montrer qu'il n'est pas impossible rationnellement, et faire apparaître les conséquences qui en découlent, et encore démonter les objections qui lui sont opposées. En revanche, d'autres vérités relatives à Dieu sont susceptibles de recevoir une démonstration rationnelle; ainsi l'existence de Dieu, son unicité, etc. Thomas a lui-même illustré la validité de cette affirmation en mettant au point, à partir d'éléments aristotéliciens, un ensemble de cinq célèbres preuves de l'existence de Dieu, les « cinq voies ». Toutes cinq se modèlent sur un schéma commun, qui consiste à partir de l'observation d'une réalité sensible qui fait problème, et à dégager une série causale qui a pour base cette réalité et Dieu pour sommet; c'est donc la variété du point de départ observable qui constitue la spécificité de chacune de ces preuves; de fait, on peut partir respectivement du mouvement qui existe dans l'univers, de la causalité efficiente qui s'y remarque, de la contingence du monde, des degrés hiérarchiques de perfection que l'on discerne dans les choses, enfin de l'ordre qui oriente tous les êtres vers une finalité. Autre exemple de vérité rationnellement démontrable : la création du monde par Dieu, conçue comme s'appliquant à la totalité de ce qui est, comme s'étant opérée *ex nihilo*, et comme ayant sa cause dans la perfection de l'être divin; mais, parallèlement à ces aspects de l'acte créateur auxquels on peut parvenir par la raison, il en est d'autres pour lesquels la raison seule ne conduit pas à la certitude; c'est le cas du problème de savoir si le monde a été créé de toute éternité ou dans le temps; certains contemporains de saint Thomas, parmi lesquels Bonaventure, se flattaient de démontrer rationnellement que le monde n'a pas toujours existé; inversement, Averroès et les aristotéliciens enseignaient que le monde est éternel; selon Thomas, les uns et les autres peuvent produire à l'appui de leur thèse des arguments vraisemblables, mais non pas une démonstration contraignante; c'est à la révélation seule de nous apprendre que le monde a commencé : *mundum incoepisse est credibile, non autem demonstrabile vel scibile.*

Ayant ainsi défini les limites de la compétence de la raison, Thomas lui restitue, à l'intérieur de son domaine, toute sa dignité et tous ses droits. Il est de ce fait amené à rejeter certaines doctrines dont il pense qu'elles restreignent indûment l'autonomie de la raison; c'est le cas de la thèse que les averroïstes tiraient d'Aristote sur l'unicité de l'intellect agent : comment chaque homme pourrait-il être défini un « animal raisonnable » s'il ne possédait en propre un intellect agent particulier? Pour les mêmes raisons, Thomas est contraint de repousser la doctrine de l'illumination divine défendue par la tradition augustinienne et reprise par les franciscains; il lui substitue une théorie de l'abstraction aménagée à partir de l'aristotélisme : la seule source de notre connaissance est la réalité sensible, car il n'y a pas hors de celle-ci d'Idées subsistant en soi; ce sont les choses sensibles elles-mêmes qui renferment une forme intelligible en puissance, et il revient précisément à l'intellect agent de chacun de nous de dégager de sa gangue sensible cet intelligible potentiel, de l'actualiser.

D'autre part, de ce que saint Thomas restreint le champ d'application de la raison au bénéfice de celui de la foi, on pourrait conclure qu'il bannit la raison de la théologie, qu'il réduit celle-ci à sa seule dimension fidéiste. C'est le contraire qui est vrai. Nul n'a plus que lui travaillé à constituer la théologie comme science. Il a sur ce point introduit une distinction de grande importance entre deux sortes de sciences : les unes, comme l'arithmétique, la géométrie, etc., partent de principes évidents par eux-mêmes; les autres partent de principes fournis par une science supérieure; ainsi la perspective prend son point de départ dans la géométrie, la musique suppose avant elle l'arithmétique, etc.; mais les disciplines de ce deuxième groupe ne sont pas moins sciences que les autres, et la raison s'y exerce souverainement à partir des principes, d'où qu'ils viennent. C'est évidemment parmi elles que se place la théologie, suspendue qu'elle est à des principes qui la dépassent; non que ceux-ci appartiennent à une autre science constituée; c'est Dieu seul qui en possède la vraie science, et qui la communique au croyant par le don de la foi; en sorte que la théologie est une science parfaitement authentique, « subalternée » à la propre science de Dieu.

La fin du Moyen Age

Saint Thomas domine sans contredit la philosophie médiévale. Mais il n'en est pas le dernier représentant. Parmi les courants de pensée de la fin du XIIIe siècle, il faut mentionner l'averroïsme, contre lequel saint Thomas avait rompu des lances; cette tendance se définit par un culte de l'aristotélisme que ne tempère pas la moindre réserve, et par le parti pris d'identifier philosophie et étude d'Aristote. Les chefs de file en sont Boèce de Dacie et surtout Siger de Brabant (environ 1235-1284), maîtres de la Faculté des arts de Paris; comme ils ne sont disposés à rien abandonner ni de leur foi chrétienne ni de leur fidélité aristotélicienne, leur position devient difficile dès qu'Aristote se trouve en contradiction avec la Bible; leurs adversaires les accusent de se tirer d'affaire en élevant un mur entre la religion et la philosophie (théorie de la double vérité). Dans l'aristotélisme *ultra* de Siger, deux thèses surtout choquèrent les théologiens : d'une part, la croyance à l'éternité du monde, avec son corollaire la théorie du retour éternel; d'autre part, la doctrine de l'unicité de l'intellect agent pour l'espèce humaine tout entière; cette dernière idée surtout parut dangereuse pour l'immortalité personnelle de l'âme, et c'est contre elle que saint Thomas écrivit son opuscule *De unitate intellectus contra averroistas*. L'évêque de Paris Étienne Tempier condamna à deux reprises (1270 et 1277) l'averroïsme parisien; Siger dut quitter son enseignement, et alla mourir en Italie; mais son orientation lui survécut, et fera de nouveau surface au XIVe siècle avec Jean de Jandun et Marsile de Padoue.

Un autre adversaire de l'averroïsme fut Raymond Lulle (1235-1316), Catalan de Majorque, qu'obséda en outre le projet de convertir les musulmans. Une partie de son activité littéraire est orientée vers cette fin, comme cela avait été le cas de la *Summa contra Gentiles* de saint Thomas; mais la méthode de Lulle, consignée dans son *Grand art*, est tout autre : constatant que la logique aristotélicienne, excellente pour démontrer, est impuissante à inventer, il se flatte de constituer une *ars inveniendi* par la combinaison, variée à l'infini, des différents concepts; il matérialise même cette méthode par tout un jeu de figures et de symboles dont le maniement doit conduire tout homme, et spécialement les musulmans, aux grandes vérités chrétiennes. Cette algèbre théologique devait éveiller, dans les siècles suivants, tantôt la moquerie, tantôt l'intérêt. Au demeurant, Raymond Lulle, poète et mystique, a acquis dans ces deux domaines des titres de gloire moins incertains.

Le XIVe siècle n'a pas, en philosophie, l'éclat du XIIIe; la vie intellectuelle se ressent de la dureté des temps à l'époque du grand schisme et de la guerre de Cent Ans; d'autre part, moins bien connu que son prédécesseur, ce siècle comporte encore certaines zones d'ombre, d'où peut sortir la figure de penseurs dont on aurait jusqu'ici, sinon ignoré l'existence, du moins méconnu les véritables dimensions; on verra plus loin que de telles découvertes surviennent parfois. Au demeurant, même à s'en tenir aux gloires consacrées, la philosophie du XIVe siècle ne manque pas de très importants représentants. Le premier en date est Jean Duns Scot (mort en 1308; il appartient donc encore pour une part au XIIIe siècle), franciscain écossais que sa carrière de maître en théologie conduisit à Oxford, Cambridge, Paris et Cologne; c'est un auteur d'accès difficile, qui mérite pleinement sa réputation de subtilité (le « Docteur subtil », selon la tradition). Sa grande culture, qui porte aussi bien sur Aristote et ses commentateurs arabes que sur la famille franciscaine (Grossetête, Alexandre de Halès, Bonaventure), ne l'a empêché en rien d'être un penseur profondément original. Alors que la gnoséologie thomiste n'attribuait à l'intelligence humaine que la connaissance par abstraction, qui aboutit à l'universel, Duns Scot lui adjoint un autre mode de connaissance, de nature intuitive, qui atteint directement les êtres concrets et singuliers, à commencer par le sujet connaissant lui-même. Même en ce qui concerne la connaissance par abstraction, il se sépare de saint Thomas; pour celui-ci, la connaissance abstractive a pour objet l'être en tant qu'être, et cet être est conçu comme « analogue » c'est-à-dire affecté de déterminations concrètes; pour Duns Scot, au contraire, l'être est « univoque », ce qui signifie que la notion en est absolument identique quelles que soient les réalités auxquelles il s'applique; par ce changement de perspective, il pense mieux assurer le caractère positif et rigoureux de notre connaissance de Dieu. Sa notion de Dieu est d'ailleurs originale; parmi les attributs divins, il donne le primat à l'amour et à la volonté sur l'intelligence, par où il rejoint la tradition franciscaine de saint Bonaventure. Il se sépare également du thomisme touchant les preuves de l'existence de Dieu; alors que les preuves de saint Thomas partent de la considération du monde sensible, les siennes s'appuient sur les propriétés métaphysiques des êtres.

Le dominicain allemand Maître Eckhart (environ 1260-1329) occupa des chaires et des dignités à Paris, à Erfurt, à Strasbourg, à Cologne. Peu de figures et de pensées ont déchaîné autant de passions contradictoires. Hegel et Schopenhauer décernent à Eckhart un éloge enthousiaste, et le tiennent pour l'ancêtre de leur propre système; l'école historique allemande du XIXe siècle voit en lui un ennemi de la scolastique et un précurseur de la Réforme; Alfred Rosenberg le mobilise au service du national-socialisme sous prétexte qu'il aurait évincé le dogme romain au profit de la religion de la race et du sang. Certains savants contemporains, en revanche, se prennent à douter de son originalité : sans le dire, Eckhart se serait approprié les doctrines et le vocabulaire des Béguines des Pays-Bas, notamment de la plus célèbre d'entre elles, Hadewijch d'Anvers. L'indice le plus accablant contre l'orthodoxie catholique d'Eckhart demeure le dossier de son procès; s'il faut en croire les vingt-huit propositions condamnées en 1329 par le pape Jean XXII, ce « chevalier de l'erreur », qui « a voulu savoir plus qu'il n'en fallait », aurait professé l'éternité du monde, l'identité totale de l'homme juste et de Dieu, le caractère incréé de la partie intellectuelle de l'âme; il aurait proscrit le regret du péché, la prière de demande, le souci des œuvres extérieures; autant de positions assez effarantes au regard de la tradition romaine; on n'a même pas la ressource d'arguer que les articles incriminés pourraient être inauthentiques, comme cela s'est vu en d'autres circonstances; car Eckhart lui-même, lors de son premier procès devant l'archevêque de Cologne (1326), a revendiqué la responsabilité de la plupart d'entre eux, en s'efforçant de leur donner un sens plus apaisant. C'est ailleurs qu'il faut chercher le moyen de défendre au moins l'intention catholique de la mystique eckhartienne. La production littéraire d'Eckhart comporte en effet deux catégories très différentes, à savoir des traités théologiques en latin et des sermons en allemand; les premiers, rédigés à loisir, sont d'inspiration scolastique et de résonance orthodoxe; les seconds n'ont survécu le plus souvent que grâce à des sténographies d'auditeurs, dont on peut suspecter la fidélité; de plus, nombre d'entre eux sont probablement inauthentiques; même pour ceux qu'Eckhart a véritablement prononcés dans les termes que nous lisons, il faut faire la part de l'infinie difficulté d'expression propre aux états mystiques, sans oublier que les auditoires, composés en général du moniales très avancées en perfection, pressaient inconsciemment le prédicateur d'aller toujours plus loin hors des sentiers battus. De fait, sur les points incriminés, d'autres écrits d'Eckhart, telles ses *Instructions spirituelles*, apparaissent bien plus raisonnables que ses sermons. Enfin, on ne manquera pas d'évoquer les incidences extra-théologiques du procès, la personnalité contestable de l'archevêque Henri de Virneburg, la rivalité sans merci des ordres religieux, et, en regard, la noblesse d'attitude du condamné, chez qui la soumission inconditionnelle n'exclut pas la dignité. Aux mains d'un avocat déterminé, on voit que le dossier d'Eckhart n'est rien moins que désespéré; sans doute est-il encore loin d'avoir livré son dernier secret.

Il faut enfin évoquer la personnalité remuante de Guillaume d'Occam (1290-1349), franciscain anglais qui eut lui aussi maille à partir avec le pape Jean XXII. Il fut non seulement un philosophe et un théologien, mais aussi un théoricien politique et un polémiste engagé dans les luttes du temps. Il demeure célèbre par un principe d'économie de la pensée, selon lequel il ne faut pas poser une pluralité sans y être contraint par une nécessité venant de la raison, de l'expérience ou de l'autorité de l'Écriture ou de l'Église (« rasoir d'Occam »). Cette méthode radicale se retrouve dans la réponse qu'il apporta au problème des universaux : il nie que les idées générales aient une existence intelligible séparée et même qu'elles soient en puissance dans le sensible; pour lui, l'universel n'est qu'un signe, le signe d'une pluralité de choses singulières (nominalisme). Malgré la condamnation dont il fut victime, l'occamisme rencontra un vif succès; il constitue la *via moderna*, par opposition à la *via antiqua* qui désigne les écoles thomiste et scotiste. Dans la « voie moderne » se situent beaucoup d'esprits curieux de mathématiques et de physique, comme Thomas Bradwardine, Jean Buridan, Nicole Oresme; certains appliquent ces méthodes scientifiques à la théologie; tel Jean de Ripa, qui, jusqu'à ces dernières années, n'était guère qu'un nom, mais dont les écrits, patiemment tirés de l'ombre (Combes), révèlent un métaphysicien de première grandeur.

Bibliographie

M. D. Chenu : *Introduction à l'étude de saint Thomas d'Aquin*, collection « Publications de l'Institut d'Études médiévales de Montréal », 11, Montréal-Paris, 1950.

É. Gilson : *La philosophie de saint Bonaventure*, collection « Études de Philosophie médiévale », 4, Paris, 1924.

V. Lossky : *Théologie négative et connaissance de Dieu chez Maître Eckhart*, collection « Études de Philosophie médiévale », 48, Paris, 1960.

CONCLUSION

Après un tel parcours, est-il possible de dégager une leçon ? De toute évidence, celle-ci ne saurait porter sur les contenus doctrinaux analysés ici. Il est clair, en effet, que si l'on peut légitimement noter que la pensée chrétienne naissante s'inspire de l'Héllénisme, que la philosophie de l'Islam classique s'alimente abondamment aux sources grecques, qu'elle transmet à Thomas d'Aquin, qu'avec Augustin s'institue une vision unitaire de l'histoire inspirée lointainement du platonisme, on ne saurait considérer avec sérieux que ce qui vient *après* conserve ce qui a été établi *avant*, en y ajoutant des éléments nouveaux. Il n'y a pas d'histoire cumulative de la pensée philosophique. Il n'est guère plus raisonnable de concevoir que cette accumulation est dialectique — au sens où, du conflit des doctrines, surgiraient des dépassements unissant de manière originale ce qu'il y a de fructueux dans les parties en présence. On ne peut même pas, comme l'espérait Victor Cousin, maître de l'enseignement philosophique en France au siècle dernier, construire des sortes de lieux communs philosophiques regroupant les notions qui se retrouvent le plus généralement dans les œuvres de la plupart des penseurs.

Ainsi donc, quand au savoir positif, il faut y renoncer. Et renoncer à l'idée que Platon a bien parlé des Idées, Aristote de l'Ame et Thomas de Dieu, et qu'on peut, dès lors, mettre leurs leçons les unes à côté des autres : la théorie aristotélicienne de l'Ame exclut la théorie platonicienne des Idées et l'une et l'autre perdent toute signification si on les intègre à la conception thomiste de Dieu. Le constat est décevant pour qui a le projet d'entasser les connaissances afin d'accroître son capital. Et peut-être est-cela précisément qui est important. Hormis le fait, sans cesse souligné

par les philosophes de l'Antiquité. que la connaissance *comme telle*
est un plaisir et une richesse. qu'elle n'a d'autre profit que la
jouissance actuelle qu'on en tire. perspective reprise par nombre de
philosophes chrétiens qui considèrent que la recherche de la vérité
est un hommage rendu par la créature à son créateur et comme
« une prière naturelle » faite à Dieu. la lecture de ces philosophies
passées montre que les hommes. les sociétés humaines ne parviennent pas à se satisfaire de leur simple survie et de leur seul
fonctionnement. qu'ils veulent aussi la légitimation de ce qu'ils
éprouvent, de ce qu'ils disent. de ce qu'ils font. Les mythes des
sociétés dites (sottement) primitives. les cosmothéologies des grands
empires (chinois, indiens. égyptiens...). les récits épiques des
sociétés guerrières répondent aussi à cette exigence.

Il se trouve qu'à la suite de rencontres exceptionnelles. les Grecs
ont inventé un type de réponse — le Savoir/sagesse dont Platon a
défini pour la première fois le projet et qui a été appelé *philosophie*
(au sens strict du terme) — qui a suscité maintes vocations
ultérieurement et qui s'est constitué en genre culturel bien défini.
La philosophie, comme projet. comme style. s'est maintenue. en
dépit de la diversité des contenus doctrinaux qui l'ont affectée. On
peut même constater que plus ceux-ci se diversifiaient. plus ce
projet se trouvait mis en cause par des adversaires résolus à l'abat-
tre — les « porte-gourdin » chers à Aristophane —. mieux elle a
affirmé son identité formelle. Elle a tenu à s'inventer des objets
propres — les Idées. « l'Être qui se dit de manières multiples ».
l'Ordre nécessaire du Cosmos. la Nature. Dieu —. entités suppor-
tant des interprétations diverses et source de débats internes nombreux et vifs. Mais elle a été présente dans les grands conflits
historiques. ceux de la Cité. ceux de l'Empire. ceux de la Chrétienté
et de l'Islam, ceux de l'organisation politique à l'époque médiévale : elle s'est trouvée en relation avec les autres disciplines de
réflexion que les sociétés découvraient et développaient : la mathématique. la physique. la théologie. l'astrologie/astronomie.

Ce genre culturel acquiert donc une manière d'autonomie (bien
qu'il n'ait pas d'objet assignable). Il se nourrit de lui-même.
Cependant, ce que montre aussi cette longue période. c'est que la
philosophie devient bien vite exsangue — elle se réduit à un
exercice d'école, à l'académisme ou à la propagande — lorsqu'elle
ne s'alimente pas à des sources actuelles. Tel a été le ressort des
grandes pensées que l'on vient d'analyser. Autonome. la philoso-

phie ne saurait être indépendante : elle n'invente, en réactivant ses notions, en forgeant des « concepts inconcevables », que lorsqu'elle s'ouvre sur les problématiques de son temps, lorsqu'elle a à lutter pour tenter de résoudre des questions que définissent d'autres disciplines ou qu'impose la société. La politique — le pouvoir — et la science — au sens moderne du terme, mais aussi le savoir du théologien, la recherche de l'historien — sont au cœur de l'exercice philosophique.

Aucune leçon au sens positif du terme, ne se dégage donc de ces analyses. Sinon celle-ci : que la philosophie, désormais affermie, apparaît comme un des lieux décisifs où les sociétés élaborent leur destin.

François Châtelet

NOTICES BIOGRAPHIQUES
DES PRINCIPAUX AUTEURS CITÉS

ANTIQUITÉ

ÆNÉSIDÈME (né à Cnossos, 1er siècle)

Il a enseigné à Alexandrie. Son œuvre — entre autres, des *Discours pyrrhoniens* — ne nous est connue que par un résumé conservé dans la bibliothèque de Photius.

ANAXAGORE (Clazomènes, ~ 500 av. J.-C. — Lampsaque, 428).

On le dit élève d'Anaximène. Il ouvre une école philosophique à Athènes à laquelle participent, entre autres, Périclès et Euripide. Accusé d'athéisme et condamné à mort, il doit s'exiler.

ANAXIMANDRE (Milet, ~ 610 av. J.-C. — ~ 547).

Élève de Thalès, il dirige l'école philosophique de Milet. Il fonda, dit-on, une colonie grecque sur le Pont-Euxin, à Apollonie.

ANAXIMÈNE (Milet, ~ 550 av. J.-C. — ~ 480).

Disciple d'Anaximandre, il est le dernier théoricien de l'école milésienne.

ARCÉSILAS (Pitane, ~ 316 av. J.-C. — ~ 241).

Fondateur de la Nouvelle Académie, il s'opposa à Zénon de Citium, le stoïcien, qu'il accusait de dogmatisme.

ARISTOTE (Stagire, 384 av. J.-C. — Chalcis, 322).

Fils de Nicomaque, médecin d'Amyntas II, roi de Macédoine, il est élevé à la cour macédonienne. Il se fixe ensuite à Athènes où il devient le meilleur disciple de Platon. Après la mort de celui-ci, en 347, soupçonné de macédonisme, il doit quitter la ville. Il se réfugie auprès de son ami Hermias, en Mysie, puis à Lesbos. Il est précepteur d'Alexandre à partir de 343. Il revient à Athènes en 335 et y fonde le Lycée, école rivale de l'Académie. A la mort d'Alexandre, en 323, il doit fuir en Eubée où il meurt l'année suivante.

Œuvres principales : *Organon ; Rhétorique ; Poétique ; Métaphysique ; Physique ; Du ciel ; De la génération et de la corruption ; Les Météores ; Des parties des animaux ; Sur l'âme ; Éthique à Nicomaque ; Politique ; La constitution d'Athènes.*

CARNÉADE (Cyrène, 215 — Athènes, 129 av. J.-C.). Ambassadeur à Rome, il obtint tant de succès oratoires qu'il se fixa dans la ville et y devint le dirigeant de la Nouvelle-Académie.

CHRYSIPPE (Cilicie, 281 av. J.-C. — Athènes, 205).
Troisième maître de l'ancien stoïcisme, il fut, dit-on, disciple de l'Académie avant de devenir le plus ferme soutien du Portique.

CLÉANTHE (Assos, ~ 330 av. J.-C. — ~ 232).
Selon la tradition, il aurait été athlète avant de devenir, à Athènes, le disciple de Zénon ; il aurait été, la nuit, ouvrier puisatier afin de pouvoir suivre l'enseignement de son maître. À la mort de celui-ci, en 264, il dirige l'école stoïcienne.

DÉMOCRITE (Abdère, 460 av. J.-C. — 370).
Disciple de Leucippe, la tradition rapporte qu'il voyagea beaucoup et travailla avec les géomètres d'Égypte. À Athènes, il aurait rencontré Anaxagore, mais point Socrate.

DIOGÈNE LAERCE (né en Cilicie, ~ seconde moitié du IIIᵉ siècle après J.-C.).
Œuvres principales : *Vies, doctrines et sentences des philosophes illustres,* compilation qui demeure une source précieuse d'informations.

EMPÉDOCLE (Agrigente, mort vers 490 av. J.-C.).
Appartenant à une puissante famille sicilienne, fils du chef du parti démocratique d'Agrigente (à qui il succéda peut-être). L'ampleur et la profondeur de son activité philosophique, littéraire et scientifique le firent regarder comme un dieu, dit-on. Mort en Grèce, selon Aristote ; il se serait précipité dans le cratère de l'Etna, selon une autre version, de Diogène Laerce. Œuvres principales : *L'univers, les purifications,* dont il ne subsiste que des fragments.

ÉPICTÈTE (Phrygie, 50 après J.-C. — Épire, 125).
Esclave à Rome, il fut affranchi par Néron. Il devient alors un des penseurs les plus importants de l'école stoïcienne. Il est banni, avec tous les philosophes, par le sénatus-consulte de 94. Œuvres principales : *Entretiens ; Manuel (Enchiridion),* tous les deux rédigés par Arrien.

ÉPICURE (Samos ou Athènes, 341-270 av. J.-C.).
Fils d'un maître d'école de Samos, il fut peut-être l'élève de Xénophane à Athènes. Il devient lui-même maître d'école. Il enseigne à Mytilène, à Lampsaque, à Athènes. C'est dans cette dernière ville qu'il fonde son école.

GORGIAS (Leontium, ~ 487 — Larissa, ~ 380 av. J.-C.).

Venu à Athènes comme ambassadeur de sa ville, en 424, son art oratoire fascina à ce point les Athéniens qu'il décida d'y ouvrir une école. Il devint ainsi le premier des professeurs d'éloquence, appelés par Platon « sophistes ». Adulé, admiré, sûr de soi, il fit fortune.

HÉRACLITE « l'Obscur » (Éphèse, ~ 540 av. J.-C. — ~ 480).

Il appartient à une famille sacerdotale. Il aurait entretenu de bons rapports avec les Perses et ainsi évité à Éphèse de participer à la révolte de 488 contre Darius.

HIPPIAS D'ÉLIS (seconde moitié du Vᵉ siècle av. J.-C.).

Sophiste et mathématicien.

HIPPOCRATE (île de Cos, ~ 460 av. J.-C. — Larissa, ~ 377).

Il dirigea l'école de Cos. La légende rapporte qu'il refusa d'aider Artaxerxès à combattre une épidémie de peste afin de ne point servir un ennemi de sa patrie.

Œuvre principale : La tradition attribue à Hippocrate un très important *Corpus* médical (traduit en français par Littré, 1839-1853).

ISOCRATE (~ 436 av. J.-C. — ~ 338).

Elève de Gorgias, il ouvre une école d'éloquence à Athènes au début du IVᵉ siècle. Il devient le rhéteur à la mode. Puis il se tourne vers la politique aux environs de 390. On raconte qu'il se serait donné la mort après la victoire de Philippe à Chéronée. Œuvres principales : en plus des plaidoyers et des lettres, *Le panégiryque d'Athènes* (380) ; *Evagoras* (370) ; *L'aréopagitique* (355) ; *Sur la paix* (355) ; *A Philippe* (346) ; *Le panathénaïque* (340).

JAMBLIQUE (Chalcis, ~ 250-330).

Il étudia les Pythagoriciens, Platon ainsi que les doctrines ésotériques des Chaldéens et des Égyptiens. Il fonde, à Apamée, en Syrie, une école néoplatonicienne.

Œuvres principales : *Vie de Pythagore* ; *Protreptique* ; *Sur les Mystères.*

LEUCIPPE (Vᵉ siècle av. J.-C.).

Elève de Zénon d'Élée, il fut probablement le maître de Démocrite.

LUCRÈCE (Titus Lucretius Carus) (Rome, ~ 98-55 av. J.-C.).

On sait seulement de lui qu'il se tient à l'écart des luttes politiques de son temps et qu'il se suicida à quarante-trois ans.

Œuvre principale : *De natura rerum.*

MARC AURÈLE (Marcus Aurelius Antoninus) (Rome, 121 — Vindobona, 180).

Il étudie la rhétorique avec Hérode Atticus. Philosophe, dès 133, il est adopté par Antonin et reçoit des charges de plus en plus importantes. Il accède à la magistrature suprême en 161. Excellent administrateur, restaurateur des pouvoirs du Sénat, il combat avec succès en Orient, contre les Parthes, en Italie, contre les Germains, sur le Danube, contre les Marcomans et les Quades. Il meurt de la peste à Vienne (Vindobona).

MÉLISSOS (Samos, Vᵉ siècle av. J.-C.).

Le seul renseignement que l'on possède sur lui est qu'il commandait la flotte samienne qui défit les Athéniens en 422.

PANÉTIUS (Rhodes, ~ 180 — Athènes, ~ 110 av. J.-C.).

Il étudia à Pergame et à Athènes. Il se rendit à Rome, où il rencontra, dit-on, Scipion et l'historien Polybe. Il revint à Athènes où il dirigea le Portique.

PARMÉNIDE « le Grand » (Élée, ~540 — ~ 450 av. J.-C.).

Son père fut, dit-on, disciple de Xénophane. Il fonda l'école éléatique.
Œuvre principale : le poème *De la nature* (dont il subsiste 160 vers).

PLATON (Athènes, ~ — 427-347 av. J.-C.).

De famille noble, il est le familier d'Alcibiade, de Critias ; il suit les leçons de Cratyle, mais son maître est bientôt Socrate. Après la condamnation à mort de celui-ci (399), il quitte Athènes et voyage dans le bassin oriental de la Méditerrannée. Invité par Dion, beau-frère de Denys l'Ancien, tyran de Syracuse, il subit un premier échec. De retour à Athènes, il fonde, en 387, l'Académie. Par deux fois, il tentera, sans succès, de convaincre Denys le Jeune de se convertir à la « droite philosophie ».

Œuvres principales : 1° Dialogues dits « socratiques » : *Lachès, Euthyphron, Lysis, Cratyle* ; 2° la « geste » de Socrate : *Apologie, Ménon, Phédon* ; 3° Dialogues « poétiques » : *Phèdre, Banquet, (Phédon)* ; 4° Dialogues de fondation de l'Académie : *Gorgias, Protagoras, Ménon* ; 5° la *République* ; 6° Dialogues dits de la maturité : *Parménide,* le *Sophiste, Philèbe, Théétète,* le *Politique, Timée, Critias* ; 7° les *Lois* (œuvres inachevée) ; à quoi il faut ajouter les *Lettres VII et VIII.*

PLOTIN (Égypte, ~ 205 — Campanie, ~ 270).

Il suit les cours du néo-platonicien Saccas à Alexandrie. Il participe à la campagne de Gordien contre les Perses et étudie la pensée orientale. C'est en 244 qu'il ouvre une école à Rome, qui eut bientôt beaucoup de succès et eut pour auditeur, entre autres, l'empereur Galien.
Œuvre principale : les *Ennéades,* rédigées à Rome et publiées par Porphyre.

PLUTARQUE (Chéronée, ~ 50 — ~ 125).

Il poursuit ses études à Athènes. Il voyage. Il est désigné comme député de Corinthe auprès du proconsul D'Alchaïe. Après de nouveaux voyages et un assez long séjour à Rome, où il enseigne, il regagne sa ville natale.

Œuvres principales : *Vies parallèles des hommes illustres : Œuvres morales.*

PORPHYRE (Tyr, 234 — Rome, 305).

Il fait ses études à Athènes. Il reçoit l'enseignement de Plotin de 263 à 268. Malade, il se retire en Sicile. Il revient à Rome, après la mort de Plotin, pour prendre la direction de l'école que celui-ci avait fondée.

Œuvres principales : Édition des *Ennéades* de Plotin ; *Introduction aux Intelligibles* ; *Vie de Plotin* ; *Vie de Pythagore* ; *Introduction aux Catégories.*

POSIDONIUS (Syrie, ~135 — Rome, ~ 50 av. J.-C.).

Il reçut l'enseignement de Panétius à Rhodes et lui succéda à la tête de l'école stoïcienne. Il y rencontra Cicéron.

PROCLUS (Constantinople, 412 — Athènes, 485).

Après avoir étudié à Alexandrie, il s'installe à Athènes où il prend la tête de l'école d'Athènes.

Œuvres principales : Commentaire des dialogues de Platon ; *Élément de théologie* ; *Sur les causes.*

PROTAGORAS (Abdère, ~485 — ~ 410 av. J.-C.).

Familier de Périclès, il voyagea beaucoup ; son activité enseignante lui valut succès et fortune ; c'est à lui qu'on demanda de faire la constitution de la colonie panhellénique de Thourioi. Mais il fut accusé d'impiété et il dut s'enfuir d'Athènes. Il aurait péri lors du voyage qui le ramenait en Sicile.

PYRRHON (Élis, ~ 365-275 av. J.-C.).

Disciple de Démocrite, dans sa jeunesse, il connut les penseurs indiens alors qu'il accompagnait une expédition d'Alexandre.

De retour dans sa ville natale, il ouvrit une école et sa vertu lui valut d'être honoré d'une statue. Fondateur du scepticisme.

PYTHAGORE (VIᵉ siècle av. J.-C., né à Samos).

Il aurait émigré en Sicile pour y fonder une série de sociétés philosophico-religieuses, à orientation politique. Ses disciples le tenaient pour un demi-dieu.

SÉNÈQUE (Cordoue, 4 av. J.-C. — 65).

Il fait des études juridiques. Avocat brillant, il devient questeur et entre au Sénat. Mais il déplaît à Messaline et doit s'exiler en Corse (41-49). Agrippine le fait revenir à Rome et lui confie l'éducation de Néron. Celui-ci, empereur, lui donne la charge de consul. Mais il entre en conflit avec Néron. Il quitte le service de l'empereur en 62. Trois ans après, il est accusé de conspirer : il se suicide.

Œuvres principales : En dehors de tragédies — dont l'attribution fait problème —, *De clementia* ; *De beneficis* ; *De brevitate vitae* ; *De providentia* ; *De ira* ; *de vita beata* ; *De tranquilitate animi* ; les lettres à Lucilius ; les « consolations » à Polybe, à Marcia, à Helvia.

SEXTUS EMPIRICUS (né à Mytilène (?), IIe/IIIe siècle après J.-C.).

Il a vécu à Alexandrie et à Athènes et dirigé l'école sceptique de 180 à 210.

Œuvres principales : *Hypothèses pyrrhoniennes* ; *Contre les savants.*

SOCRATE (Alôpékê, ~ 470 — Athènes, 399).

Fils d'un artisan et d'une sage-femme, il suit peut-être les leçons de Prodicos. Peut-être aussi s'intéressa-t-il dans sa jeunesse aux questions physiques. Citoyen exact et guerrier courageux, sa critique de la société athénienne lui attire l'inimitié des hommes en place. Au procès qu'on lui fait, il répond ironiquement : il est condamné à mort et boit la ciguë.

THALÈS DE MILET (Milet, VIIe/VIe siècles av. J.-C.).

Il aurait voyagé en Égypte et en aurait rapporté les leçons des géomètres. Il aurait prédit l'éclipse de soleil de 585. On dit aussi qu'il fit de substantiels bénéfices en prévoyant une bonne récolte d'olives et qu'il parvint à rassembler les Grecs d'Asie mineure contre le Grand-Roi.

XÉNOPHANE DE COLOPHON (né à Colophon, VIe/Ve siècles av. J.-C.).

Fondateur de l'école d'Élée.

ZÉNON DE CITIUM (~ 335 — ~ 265 av. J.-C.).

Séjournant à Athènes à partir de 312, il est l'élève de Cratès et de Xénocrate. Il fonde le Portique. Sa vertu et sa fermeté lui valurent l'admiration de ses contemporains ; il mit volontairement fin à ses jours, dit-on.

ZÉNON D'ÉLÉE (Élée, ~ 490-?).

MOYEN ÂGE

ABÉLARD, Pierre (Le Pallet, 1079 — Chalon-sur-Saône, 1142).

Élève de Guillaume de Champeaux, puis d'Anselme, il enseigne à Paris et connaît, comme dialecticien, les plus grands succès. Après son conflit avec le chanoine Fulbert, il se retire à l'abbaye de Saint-Denis. Il reprend bientôt ses leçons publiques. Il est condamné par les conciles de Soissons (1121) et de Sens (1140). Il se retire quelques années en Bretagne et finit ses jours à Cluny.

Œuvres principales : *Sic et non* (1121) ; *Théologie chrétienne* (1123) ; *Introduction à la théologie* (1125) ; *Ethique ou connais-toi toi-même* (1129).

ALBERT LE GRAND (saint), « le docteur universel » (Lauingen, ~ 1193-Cologne, 1280).
Entré dans l'ordre des Dominicains en 1223, il en deviendra le provincial. Il enseigne successivement à Ratisbonne, à Strasbourg, à Cologne ; il séjourne entre 1245 et 1248 à Paris où son succès est tel qu'il doit faire ses cours en plein air, place Maubert (contraction de *Magister Albertus*). Non seulement il a joué un rôle décisif dans la transmission des textes d'Aristote, mais encore il s'est livré à d'importantes recherches dans le domaine chimique.
Œuvres principales : *Commentaire des Sentences ; Summa de creaturis* (~ 1230) ; *De adhaerendo Deo ; Somme de théologie.*

ALCUIN, Albinus-Flaccus (York, ~ 735 — Tous, 804).
Disciple de Bède le Vénérable, il dirige l'école d'York. Charlemagne lui confie l'organisation de l'enseignement et il fut un des ouvriers du couronnement de l'an 800.
Œuvre principale : *De fide sanctae et individuae Trinitatis.*

AMBROISE (saint) (Trèves, ~ 340 — Milan, 397).
Gouverneur de Ligurie et d'Émilie, il est élu, par acclamations, évêque de Milan en 374. Il affermit le pouvoir de l'Église, il contribua à la conversion d'Augustin ; il modifia profondément, en l'enrichissant, la liturgie.

ANSELME (saint) (Aoste, 1033 — Canterbury, 1109).
Archevêque de Canterbury en 1103 ; exilé par Henri 1er, il put revenir en Angleterre.
Œuvres principales : *Monologium* (1070) ; *Proslogion* (~ 1073) ; *De Veritate ; Cur Deus Homo* (1098).

AUGUSTIN (saint) (Tagaste, 354 — Hippone, 430).
D'une riche famille romaine, Augustin mène l'existence d'un jeune patricien à Carthage, puis à Milan (à partir de 384). Sous l'influence de sa mère, sainte Monique, il se convertit et se fait baptiser par saint Ambroise en 387. Sa mère meurt à Ostie l'année suivante. Il regagne l'Afrique ; il est ordonné prêtre en 391 et élu évêque d'Hippone en 396.
Œuvres principales : *Les confessions* (400) ; *Les lettres ; La Cité de Dieu* (413-427).

AVERROÈS (Ibn Rochid) (Cordoue, 1126 — Marrakech, 1198).
Il succède à la charge de son père cadi à Cordoue. Il est chargé par Al-Mansour de réformer l'administration judiciaire du royaume de Marrakech. Il y enseigne la philosophie mais, pour fuir les persécutions, il doit se réfugier à Fez, puis retourner à Cordoue. C'est seulement à la fin de sa vie qu'il est rétabli dans ses charges.
Œuvres principales : *Commentaires de diverses œuvres d'Aristote :*

Tahâfut al-Tahâfut (incohérence de l'incohérence) (réfutation d'Al-Ghazali).

AVICENNE (Ibn Sina) Boukhara, 980 — Hamadhan, 1037).

Protégé par le prince de Boukhara jusqu'à la chute des Samanides, il étudie la philosophie, les sciences, les mathématiques. Il est ensuite recueilli par le souverain de Hamadhan, dont il devient le visir.

Œuvres principales : *Le canon de la médecine*; *Ach-Chifa*; *Les météorologiques*.

BACON Roger, dit « le docteur admirable » (Ilchester, 1214 — Oxford, 1294).

Il étudie à Paris entre 1236 et 1231. Il entre dans l'ordre des Franciscains; après avoir commenté les œuvres d'Aristote, il s'attache à des recherches expérimentales. Suspect pour avoir mis en question les œuvres aristotéliciennes d'Albert le Grand et de Thomas, il est emprisonné de 1277 à 1292.

Œuvres principales : *Opus majus* (1267-1268) ; *Compendium studii philosophiae*; *Compendium studii theologiae* (après 1292).

BERNARD DE CLAIRVAUX (saint) (Dijon, 1090 — Clairvaux, 1153).

Moine cistercien, il est chargé en 1115, de fonder l'abbaye de Clairvaux. Celle-ci connaît bientôt un succès remarquable. La renommée de Bernard est telle qu'il intervient de plus en plus efficacement dans la politique de l'Église. Il fait reconnaître l'ordre des Templiers (1128) ; il prend partie pour Innocent II contre Anaclet et assure son triomphe; il fait condamner les thèses d'Abélard (1121 et 1140) ; il prêche avec véhémence la deuxième croisade (1146).

BOÈCE (Rome, ~ 480 — 524).

Patricien, il devient un des conseillers de Théodoric et est élevé aux dignités de consul et de prince. Il combat vigoureusement pour la catholicité. Mais, accusé de comploter en faveur de l'empereur d'Orient, il meurt en prison.

Œuvres principales : *Traduction latine et adaptation des œuvres logiques d'Aristote*; *La consolation philosophique* (~ 524).

CASSIODORE (Scylacium, ~ 480 — Vivarium, ~ 575).

Favori de Théodoric, il occupe des charges publiques importantes. Puis, aux environs de 540, il se retire au monastère de Vivarium où il se consacre à la recherche et à l'enseignement.

Œuvres principales : *Institutiones theologicae* (543-555) ; *Saeculares lectiones*; *De Anima*; des compilations tirées de Donat, de Cicéron, de Quintilien, de Boèce.

CELSE (IIᵉ siècle après J.-C.).

Œuvre principale : *Le discours véritable*, connu par l'ouvrage d'Origène, *Contre Celse*.

CLÉMENT D'ALEXANDRIE (Athènes, 150-215).
    Œuvres principales : *Exhortation aux Gentils ; Le pédagogue ; Quel riche sera sauvé ?*

DENYS L'ARÉOPAGITE (pseudo).
    Saint Denys l'Aréopagite vécut à Athènes au Ier siècle de notre ère. Membre de l'Aréopage, il fut converti par saint Paul et devint le premier évêque d'Athènes. Plusieurs textes datant du Ve siècle lui ont été longtemps attribués : *Hiérarchie ecclésiastique, Hiérarchie céleste, Théologie mystique,* etc.

DUNS SCOT, John. « le docteur subtil » (Duns, 1266 — Cologne, 1308).
    Appartenant à l'ordre des Franciscains, il enseigna longtemps à Oxford et à Cambridge. Appelé à Cologne en 1307, il y mourut.
    Œuvres principales : *Commentaires d'Aristote ; Livre des sentences.*

ECKHART, Johann, « Maître » (Hochheim, 1260 — Cologne, 1327).
    Il fait ses études à Paris où il est reçu maître ès-arts en 1300. Il devient conseiller du pape Boniface VII. Il est nommé provincial des Dominicains pour la Saxe (1304) ; puis vicaire général pour la Bohème (1307). Il enseigne ensuite à Paris, puis à Strasbourg.
    Œuvre principale : *Opus tripartitum.*

ALI-FARABI, « Magister secundus » (Wasij Transoxiane, 872 — Damas, 950).
    Fils d'une grande famille, il étudie les langues, la philosophie, les mathématiques, la musique à Bagdad. Il quitte Bagdad pour Alep où il est protégé par les Hammanides. C'est au cours d'un voyage à Damas qu'il meurt.
    Œuvres principales : *Commentaires* des œuvres d'Aristote (perdus) ; *Commentaires* des œuvres de Platon : *De ce que l'on doit savoir avant d'apprendre la philosophie ; De scientiis ; De intellectu et intellecto ; Gemmes de sagesse ; De la cité idéale ; Du gouvernement de la cité.*

AL-GHAZALI (Khorassan, 1059-1111).
    En 1091, il est nommé professeur de droit à l'université de Bagdad. Il en devient le recteur. Mais une grave crise intellectuelle le conduit au « çoufisme ». Il quitte Bagdad, prend les habits de pélerin et visite Damas, Jérusalem, Alexandrie, le Caire, La Mecque, Médine. Quelques années avant sa mort, il revient à l'enseignement.
    Œuvres principales : *Les intentions des philosophes* (Maqâsid al-falâsifa) ; *L'incohérence des philosophes* Tahâfut al-falâsifa) ; *Revification des sciences de la religion* (Ihva'ulum al-din).

GUILLAUME D'OCCAM (Ockham, ~ 1300 — Munich, ~ 1350).
    Il fait ses études à Oxford. Entré chez les Franciscains, il enseigne. Ses thèses lui valent un procès à la cour d'Avignon en 1324. Il entre en conflit avec les autorités ecclésiastiques ; il séjourne à Pise (1328), puis à Munich. Il est exclu de son ordre en 1331. Il se soumit en 1348.

Œuvres principales : *Commentaire sur les sentences* ; *Quodlibeta sep-tem* ; *Centiloquim theologicum*.

IBN-KHALDOÛN, Abd-el-Rahman (Tunis, 1332 — Le Caire, 1406).
Il fait ses études à Tunis. Comme haut fonctionnaire, il sert plusieurs souverains marocains. En 1382, il se rend en Égypte. Il enseigne le droit malekite au Caire. En 1401, il négocie avec Tamerlan le statut de Damas.
Œuvres principales : *Muqaddimah* (Prolégomènes, 1377) ; *Autobio-graphie* (1395) ; *Kitab al-Ibar* (Histoire universelle).

JUSTIN (Neapolis, ~100 — Rome, ~ 165).
Œuvres principales : Les deux *Apologies* ; *Dialogue avec Tryphon*.

AL-KINDI (Kufa, ~796 — Bagdad, ~873).
Fils du gouverneur de Basra, après de bonnes études, il gagne Bagdad où il est protégé par les khalifes abbassides, Cependant comme tous les mutazilites, il tombe en disgrâce.
Œuvres principales : D'une œuvre considérable, à lui attribuée, tra-ductions et commentaires d'Aristote. ne subsiste qu'une trentaine de textes dont *Sur la philosophie première*. *Sur la classification des livres d'Aristote*. *Sur l'intellect*.

LULLE .Raymond, « le docteur illuminé » (Palma, ~ 1235 — Bougie, 1315).
Il abandonne sa famille à l'âge de trente ans et se fait ermite. Il étudie l'arabe et parcourt l'Europe et l'Afrique dans le grand dessein de convertir les Arabes. Il rencontre Honorius IV (1286), se rend à Tunis où il passe plusieurs années en prison. Il prêche à Naples (1293). Il cherche à convaincre Frédéric II d'organiser des rencontres avec les musulmans (1314). Il meurt lapidé, probablement à Bougie. l'année suivante.
Œuvres principales : *Ars magna* (1275) ; *Arbor scientae* (1295) ; *Liber contemplationis* (1277).

MARSILE FICIN (Figline, 1433 — Florence, 1499).
Il fonde, en 1462, à Florence, une académie où l'on traduit et commente les écrits platoniciens. Un de ses auditeurs les plus fidèles est Laurent le Magnifique. Il est ordonné en 473. La fin de sa vie est troublée par l'invasion française et par l'action de Savonarole.
Œuvres principales : traduction des œuvres de Platon ; *Théologie platonicienne* (1482).

NICOLAS DE CUSA (Nikolaus Krebs dit) (Kues, 1401 — Todi, 1464).
Docteur de l'université de Padoue en 1424. Il participe au concile de Bâle, en 1431. Il représente le pape en Orient, en 1437, en Allemagne de 1438 à 1448. Il devient cardinal. évêque de Brixen, légat pour les terres allemandes. Mais il doit résider à Rome, dont il est nommé gouverneur.

Œuvre principale : *De docta ignorantia* (1440).

ORICÈNE (Alexandrie, ~185 — Tyr, ~ 244).

Fils de Léonide, qui mourut en martyr en 202, il lui succède comme maître de grammaire. Il organise, cependant, dès 203 l'école catéchétique d'Alexandrie. En 230, il est ordonné ; l'année suivante, il est excommunié. Il poursuit ses recherches à Césarée et voyage jusqu'en Occident.

Œuvres principales : Au sein d'une production considérable, retenons le *Contre Celse* et le *De Principiis*.

PÉLAGE (Angleterre, ~ 360 — Égypte, ~ 422).

Il séjourne successivement à Rome, en Afrique, en Orient. Fixé à Rome, en 412, il poursuit sa polémique sur la Grâce contre Augustin.

Œuvres principales : *Epistola ad Augustinum* ; *De libero arbitrio quatuor.*

PHILON D'AEXANDRIE dit « le Juif » (Alexandrie, ~13 av. J.-C. — ~ 54).

Député de la communauté juive d'Alexandrie auprès de Caligula (40-41), il se fit l'apologiste de la tradition hébraïque en montrant que celle-ci n'est aucunement contradictoire des leçons de l'hellénisme.

Œuvres principales : Au sein d'une production très importantes, signalons seulement les œuvres philosophiques : *Sur l'esclavage de l'insensé* ; *Sur la liberté du sage* ; *Sur la Providence.*

PIC DE LA MIRANDOLE (Mirandola, 1463 — Florence, 1494).

Il s'installe à Florence en 1484, après des études à Bologne et dans diverses universités italiennes. Il fréquente, avec Laurent de Médicis, l'académie de Marsile Ficin. A la suite de la publication de ses thèses (1486), il est poursuivi l'année suivante par la Curie. Il s'enfuit à Paris, où il est emprisonné (1488). De nouveau à Florence, il se lie avec Savonarole. Ordonné Tertiaire dominicain, en 1493, il est empoisonné l'année suivante par un de ses familiers.

Œuvres principales : *Conclusiones philosophicae, cabalisticae et theologicae* (1486) ; *Heptatus* (1489).

SCOT ÉRICÈNE, Jean (IXᵉ siècle, né en Irlande ou en Écosse).

Professeur à l'école du palais de Charles le Chauve, il participe à la polémique sur la prédestination.

Œuvres principales : *De praedestinatione* (855) ; *De divisione naturae* (865).

TERTULLIEN (Carthage, ~155- ~ 220).

Il fait ses études juridiques à Rome, il devient avocat. Il se convertit au christianisme, regagne l'Afrique et défend contre les pouvoirs l'idéal chrétien. Mais il se détache peu à peu de l'Église et penche vers un mysticisme austère.

Œuvre principale : *Advèrsus Marcionem* (~ 210).

THOMAS D'AQUIN. « l'Angélique » (Aquino, 1225 — Fossa Nova 1274).

Étudiant à Naples, il entre dans l'ordre des Dominicains, en 1243 (?), malgré l'opposition de sa famille. Il est bachelier à Paris en 1252 et enseigne au couvent de Saint-Jacques, puis à l'université jusqu'en 1259. Urbain IV le rappelle à Rome et il devient prédicateur général. Ayant enseigné à Rome et à Viterbe, il reprend sa chaire parisienne de 1269 à 1272. Il prêche à Naples et meurt alors qu'il allait participer au concile de Lyon.

Œuvres principales : *Livres des sentences* (1252) ; *Quaestiones disputatae* ; *Summa contra Getiles* (1258-1264) ; *Summa theologiae* (1266-1273).

TABLE DES MATIÈRES

IMPRESSION : BUSSIÈRE S.A., SAINT-AMAND (CHER). — Nº 4747
D.L. JUIN 1988/0099/141

ISBN 2-501-00281-4

Imprimé en France